PIERRE-YVES LEPRINCE

LES ENQUÊTES
DE
MONSIEUR PROUST

roman

GALLIMARD

Paris, le 25 décembre 1986

Celui qui écrivit À *la recherche du temps perdu* aimait les énigmes. J'eus, très jeune, la chance d'en résoudre une pour lui. Les réponses l'intéressaient moins que les recherches, le temps de ce qu'il appellerait toujours « nos secrètes enquêtes » commença néanmoins.

Quand il voulait me parler de l'une d'entre elles, ou m'interroger sur celles qui étaient devenues mon métier grâce à lui, Monsieur Proust me téléphonait ou m'envoyait un billet (pour moi comme pour Céleste Albaret, l'ange gardien de ses dernières années, Marcel Proust demeura toujours Monsieur Proust).

Je répondais en venant, mon nom n'est cité nulle part, aucun témoignage, aucune correspondance, aucune biographie ne prouvent la vérité de ce que je vais raconter, si longtemps après. Je ne demande pas qu'on me croie, j'espère seulement faire connaître quelques-uns des moments que l'écrivain célèbre passa en compagnie de l'un de ces inconnus du petit peuple qui firent partie de sa vie.

Ils ont peu témoigné, je suis sans doute le dernier d'entre eux à pouvoir le faire. J'aimerais revivre des heures de bonheur inoublié et les partager, je commence aujourd'hui, le temps me presse (dans deux ans, si je vis encore, j'en aurai cent !).

PREMIÈRE RENCONTRE
AVEC MONSIEUR PROUST

Lorsqu'un écrivain me chargea de retrouver un carnet perdu, indispensable à un livre qu'il voulait écrire, je n'avais presque rien lu. Né dans une famille pauvre, j'avais quitté l'école après le certificat d'études afin de gagner ma vie, pour moi comme pour la plupart des gens du peuple, au début du XXᵉ siècle, le seul écrivain était Victor Hugo.

Abandonnée par mon père, enceinte de moi, ma mère n'avait d'autre famille que son père. Il aimait nous lire des passages des *Châtiments*, il nous décrivait le cercueil du poète, accompagné par les Parisiens jusqu'à l'Arc de triomphe, trois années avant ma naissance. Je savais par cœur *Les Pauvres Gens*, je pleurais tout seul quand je me récitais ces vers, mon expérience littéraire s'arrêtait là.

J'étais de très petite taille mais actif et serviable, on faisait confiance à mon air d'enfance, on me donna vite de petites courses à faire dans Paris, ma ville natale. Comme beaucoup de garçons pauvres de l'époque, je devins coursier. Mon grand-père mourut, ma mère rencontra un homme qui habitait Versailles, il lui proposa d'y vivre avec lui. Sans être bon il n'était pas méchant, il possédait une petite maison dont il me permit d'occuper la mansarde. J'avais seize ans, je dus chercher du travail dans une nouvelle ville.

Le hasard de mes courses me fit connaître des personnes qui me donnèrent du travail, le portier d'un hôtel de la ville, connu pour son luxe ancien et sa proximité avec le Château, me prit en affection. Portier en second, il travaillait plutôt la nuit. N'ayant plus personne à ces heures-là pour faire une course, il me donnait souvent la pièce pour aller chercher un fiacre, porter des messages tardifs, une lettre urgente, rapporter la réponse. Je passais donc devant l'hôtel des Réservoirs en fin de journée, chaque fois que je le pouvais.

Un dimanche de novembre, j'aperçois le petit Monsieur Massimo devant le porche (d'origine italienne, ce portier se prénommait Massimo, mais il était si petit, presque aussi petit que moi, que le Directeur l'appelait « le Signor Minimo »). Il me fait signe d'entrer, nous nous parlons dans la cour.

Le Signor Minimo est pressé, il espère que je résoudrai un problème qui secoue son gros petit corps et trouble sa pauvre tête, dans laquelle se mélangent l'italien et le français (j'ignorais que l'on fait souvent sonner la finale des mots, en italien, je me demandais donc pourquoi ce monsieur mettait tant de mots au féminin, pourquoi, dans sa bouche, les clients mâles devenaient des clientes et moi « oune garçonne », mais je l'écoutais sans poser de questions, j'avais besoin de gagner ma vie).

— Nous avons ici, depuis des mois, oune cliente, une monsieur de la capitale qui est venu se mettre en présidence à Versailles parce qu'il cherche un nouveau *appartamento* à Paris, comprends-tu, mone garçonne ?

Je compris que présidence voulait dire résidence et *appartamento*, appartement, je fis oui de la tête, le portier poursuivit.

— Ce cliente est très riche, très généreuse mais très triste, il a perdu une personne qui est morte. Des fois, il reçoit des personnes de la haute à l'hôtel mais il sort presque jamais. Il dort le jour, il est sur les pieds la nuit, faut pas faire de rumeur, pas toucher ses affaires, même pas nettoyer sa chambre, il a des domestiques à lui. Quand il les envoie à Paris s'occuper de son nouveau appartement, toutes les personnes du personnel de l'hôtel deviennent martelles, on sait jamais ce qu'il veut, si ça continue comme ça, il finira par nous faire tourner en barrique, *capisci*, tu comprends ?

Je compris que barrique voulait dire bourrique, comme « martelles », marteaux, et refis oui de la tête (en ce début du XXe siècle les petites gens disaient toujours oui à tout).

— Il y a pas beaucoup de personnel à l'hôtel en ce moment hivernal d'hiver, les *cameriere* (femmes de chambre), les garçonnes et les grooms ont les jambes en cotone à force de monter et descendre les escales, cette monsieur a perdu un cornet depuis deux jours, il crie « Retrouvez mon cornet, Monsieur Massimo, ou je meurs sur le campe ! », il faut retrouver ce cornet au plus preste.

Je crus comprendre que ce client était un vieux monsieur sourd qui avait perdu le cornet acoustique dont il avait besoin pour entendre, sinon il mourrait sur-le-champ, j'approuvai une fois de plus en silence, Massimo continua.

— Tu fais des courses pour la maison *Bâtard et Fils*, enquêtes en tout genre, son travail est de savoir ce qu'on sait pas, tu es maline comme une singe, tu dois savoir comment on fait pour retrouver des causes perdues, retrouve ce cornet au plus preste, sinon je tourne folle et nous perdons notre meilleur cliente, il nous donne des manches que tu te figures pas...

Sans être malin comme un singe, je compris que folle voulait dire fou et je savais déjà que manches voulaient dire pourboires dans le langage du Seigneur Minime (il vivait de pourboires, moi aussi), je fis un beau sourire, il se rassura.

— Si tu retrouves son cornet perdu, il te donnera sûrement une belle manche, retrouve *sto maledetto cornetto*, mon garçonne.

— J'y vais, Monsieur Massimo. Quel est le numéro de l'appartement ?

— Oune minuto, il faut toujours anticiper ce monsieur à l'avance, je lui parle avant dans le téléphono.

Le Signor Minimo parle au téléphone, écoute, raccroche et me dit : « Il change tout le temps d'appartement, *in questo momento* il est au deuxième stage, numéro 22, va preste. » Je vole jusqu'au deuxième étage, frappe le plus fort que je peux, puisque le fameux monsieur a perdu son cornet acoustique, une plainte douloureuse répond à mes coups. J'hésite à frapper de nouveau, la porte s'ouvre.

J'attendais un vieillard, je vois un homme encore jeune, plutôt grand, plutôt maigre, mal rasé, pâle et inquiet. Il a les cheveux noirs, de grands yeux noirs cernés de noir, il est habillé d'une veste noire, d'un pantalon noir et d'une chemise blanche sans col, d'où s'échappent des morceaux de coton blanc (je saurai bientôt qu'il protège ainsi ce que le portier appelle ses branches, autrement dit ses bronches, qu'il a fragiles).

Le monsieur est surpris d'être obligé de baisser les yeux pour regarder la personne qui vient de cogner si fort. Je lui souris, il me dit d'une voix plaintive « Pourquoi frapper si fort, mon enfant ? » mais son beau regard triste est plein de douceur.

— Je ne suis plus un enfant, Monsieur, je vais avoir dix-huit ans bientôt. Je frappe fort parce que vous avez perdu votre cornet.

— Mon cornet ? Quel cornet ?

— Votre cornet acoustique, Monsieur.

Monsieur Proust, c'était lui, pousse un cri, me fait signe de le suivre et court se rouler sur un canapé couvert de papiers et de journaux pour rire plus à son aise, avec de petits jappements joyeux entrecoupés de halètements dans l'air enfumé de la pièce – le monsieur, qui fait tourner en barrique le personnel et qui occupe deux chambres dans l'hôtel, y fait brûler des produits pour calmer ses branches, de sorte que nous nous apercevons à peine.

Mes bronches en bonne santé ne résistent pas longtemps, je halète autant que le malade au bout de deux minutes et tousse au bout de trois, qu'importe. Je viens de rencontrer celui qui deviendra le plus célèbre auteur français du siècle tout entier, le grand homme de ma vie.

L'écrivain n'a pas quarante ans, je n'en ai pas vingt, ni lui, ni le gamin que je suis, ni personne ne peut imaginer un pareil futur, pour le moment, nous rions. Son rire m'a gagné, nous rions et suffoquons ensemble, nous sommes heureux.

L'AFFAIRE DU CARNET PERDU

— Fermez la porte, s'il vous plaît, je crains les courants d'air, air dont j'aurais pourtant bien besoin, mes poumons n'en ayant pas de grandes réserves malgré que cet hôtel soit situé rue des Réservoirs. Je suis asthmatique, hélas...

Je compris « asthmatique » plus tard (et plus tard encore la raison pour laquelle ce passionné de grammaire utilisait parfois « malgré que » de façon incorrecte, il créait sa propre grammaire), le monsieur continua.

— Depuis plus d'un an, je souffre aussi d'une perte irrémédiable, je croyais ne plus avoir de réserves de rire non plus, je découvre que j'en ai encore grâce au mot que vous venez de prononcer, grâces vous en soient rendues. Ainsi mon carnet perdu est devenu, dans la bouche de l'ineffable Massimo, un cornet ! On comprend que les femmes de chambre qui l'ont cherché, cet après-midi, ne l'aient pas retrouvé. La nuit tombait, j'étais désespéré, Massimo a eu pitié de moi, il m'a dit qu'il allait m'envoyer un spécialiste en recherches de toute sorte. Je vois arriver un jeune homme qui a l'air d'un enfant, pardonnez-moi cette question mais de quelles recherches vous occupez-vous si jeune ?

— Je suis coursier, Monsieur. Le portier de l'hôtel fait

souvent appel à moi parce que je connais bien la ville. J'ai de bonnes jambes, je retrouverai votre carnet.

— Vos jambes ne vous serviront pas à grand-chose dans cet appartement. C'est ici que j'ai perdu mon carnet, c'est ici qu'il faut le chercher.

— J'ai un peu l'habitude des recherches, Monsieur. Un de mes employeurs dirige une maison qui s'occupe d'enquêtes, j'ai une écriture très lisible, il me fait copier des lettres dans son bureau, j'en profite pour écouter, j'apprends des choses. Il commence à me confier des missions, il dit que je me débrouille bien.

— Cet homme vous fait confiance, je vais faire comme lui, contrairement au dicton il ne faut pas se méfier de la première impression, les suivantes en affaiblissent la justesse, il faut la croire, elle est la bonne. Vous me donnez cette impression, je vais me fier à elle et vous expliquer ce qui m'arrive, Monsieur… comment vous appelez-vous ?

— Noël, Monsieur.

— Parce que vous êtes né le jour de Noël ?

— Oui, Monsieur. J'aurai mes dix-huit ans ce jour-là.

— Dix-huit ans, comme je vous envie, s'appeler Noël, comme c'est joli, voilà ce qu'on appelle un heureux hasard en langage de roman. Puisque Noël approche, je vais vous faire une proposition, si vous retrouvez mon carnet, je vous invite ici, le 25 décembre prochain, pour que nous fêtions ensemble votre anniversaire. Si le carnet est perdu à jamais, mon invitation « tiendra » quand même, bien sûr. (Il mettait toujours en valeur certains mots et certaines expressions en les prononçant comme s'ils étaient placés entre des guillemets, je les indique sur ces pages afin de faire entendre cette particularité.) Si vous êtes libre, ce soir-là, je ne reçois que la nuit, si ma santé n'est pas trop mauvaise et si cette invitation vous fait plaisir, bien sûr aussi.

— J'en suis très honoré, Monsieur.

— Vous avez l'air d'un enfant, vous êtes donc porteur d'espoir, pareil à l'enfant Jésus, en ce temps de Noël qui vous a donné votre nom, vous êtes peut-être le messager d'une « bonne nouvelle », ce que signifie le mot évangile, espérons que vous retrouverez mon carnet, jeune Monsieur Noël.

Je n'avais pas encore fréquenté Monsieur Proust, mon vocabulaire était aussi pauvre que moi, j'ignorais la signification du mot évangile. Je ne me crus pas obligé de le confesser (mon patron disait toujours « quand tu ne sais pas quelque chose, tais-toi, le silence impressionne les clients, ils croient que nous réfléchissons à leur problème, ils sont contents »), je gardai le silence.

— Je m'appelle moi-même Marcel Proust, comment s'appelle la maison où vous apprenez tant de choses ?

— *Bâtard et Fils*, filatures et enquêtes en tout genre.

À peine ai-je prononcé les mots Bâtard et Fils, pour moi familiers donc sans surprise, que Monsieur Proust repart dans un nouveau rire, si joyeux et si prolongé que le rire me gagne une seconde fois.

Le client de l'appartement 22 a tant de peine à retrouver son souffle que je finis par me demander si je ne dois pas appeler Monsieur Massimo pour qu'il fasse venir un médecin mais, de petits cris joyeux en grands efforts pour inspirer mieux, de reprise de rire en nouvel étouffement, de nouveaux petits cris en larmes de plaisir et en retour à une respiration plus aisée, le calme revient. Le monsieur s'essuie les yeux avec un beau mouchoir brodé d'initiales et prononce quelque chose que je reconstitue, aidé de mes notes, comme ceci.

— *Bâtard et Fils*, ô merveille des merveilles, oasis dans le désert, don du Seigneur à ses fidèles assoiffés, rire des dieux sur l'Olympe ! comme eût dit Flaubert. (Je compris plus tard Flaubert et Olympe, mots qui revenaient souvent dans la conversation de Marcel Proust.) Comme eût dit Flaubert, « c'est beau comme l'antique », merci, jeune homme, merci !

Le pâle visage du beau monsieur avait rosi, ses yeux tristes s'étaient éclairés, voilà qu'ils se remplissent à nouveau de larmes mais de larmes qui ne sont pas de joie, elles sont de chagrin, je le vois bien (sans doute la perte irrémédiable dont il vient de parler lui est-elle revenue en mémoire). Il revient au temps présent, ses yeux sont encore humides mais il a un beau sourire aux lèvres.

— Ne croyez pas que je me moque de vous en riant ainsi, mon petit Noël, vous apportez au contraire ce dont le valétudinaire que je suis est privé. (Il ne m'expliqua pas « valétudinaire » mais répétait si souvent le mot que je n'eus pas besoin, pour celui-là, de recourir au dictionnaire que je possédais depuis un an seulement, le premier *Petit Larousse illustré*.) Ce qui manque le plus dans cet appartement, scellé comme la chambre funéraire d'une pyramide, enfumé comme la cabane d'un charbonnier ou le Saint des saints d'un temple, l'air frais du dehors et le rire de la jeunesse.

— Vous ne m'avez pas fait de peine, Monsieur, j'ai ri aussi. Je sais pas pourquoi mais de bon cœur.

— Vous avez ri à me voir rire parce que le rire est comme la plupart des maladies, mais la seule que nous devrions jamais contracter, contagieux...

J'entends toujours ce rire inimitable, ces conversations inimitables, je vois toujours cet être indescriptible comme s'il était toujours là.

Ce grand parleur n'écoutait pas que les paroles, il en écoutait la musique (pour lui tout était spectacle et musique, on sait cela). Ses paroles nous enchantaient, ses beaux yeux voyaient tout, ses silences entendaient tout. Je devrais m'inspirer de lui, rester moi-même silencieux puisque, pour Marcel Proust, les détails biographiques s'interposent entre un livre et ses lecteurs. Entrer dans le silence qui va bientôt être le mien sans avoir dit ce que je dois à celui qui a changé ma vie, je n'en ai pas le cœur, je continue...

SUITE DE L'AFFAIRE DU CARNET PERDU

Après avoir tant ri à *Bâtard et Fils*, l'élégant monsieur put parler à nouveau.

— Voyons de suite ce que ces Messieurs Bâtard, de père en fils, vous auront appris. (J'avais appris à l'école qu'il faut dire « tout de suite », non « de suite », je faillis le signaler à mon hôte, me rappelai à temps une chose apprise chez *Bâtard et Fils*, « le client a toujours raison, même quand il a tort : il paie », je gardai le silence.) Je me suis installé ici depuis des mois, fuyant Paris et de tristes souvenirs, le temps qu'on me cherche un nouvel appartement. Je l'ai trouvé, il est toujours en travaux, peut-être pourrai-je m'y installer à la fin du mois prochain, peut-être non, quoi qu'il en soit, j'ai apporté beaucoup d'affaires avec moi. J'ai changé plusieurs fois de chambre dans cet hôtel, mes malles et valises ont été vidées et remplies trop souvent, j'ai déjà perdu plusieurs brouillons de choses que j'écris, car j'écris, vous le voyez aux livres, aux papiers, aux plumes que je laisse partout, je vous souhaite bien du courage. Cet appartement a beau être moins encombré que le précédent, qui comportait jusqu'à deux pianos, il l'est encore assez pour que j'y aie perdu un carnet, trop pour que vous puissiez le retrouver, visitons-le néanmoins.

L'entrée, le salon et la chambre étaient déjà surchargés de meubles et de tableaux (l'hôtel tenait à rappeler le luxe de sa première propriétaire, la marquise de Pomme d'Amour, selon Monsieur Massimo, autrement dit la marquise de Pompadour), l'occupant actuel des lieux y avait ajouté mille choses, livres, papiers épars, lettres et enveloppes sans nombre, photographies encadrées ou sans cadres, mêlées à des journaux et des revues, une tisanière et sa tasse, vêtements posés partout.

— Il y a une autre chambre à côté de la mienne, je ne vous y fais pas entrer, c'est celle de ma domestique Félicie, absente pour quelques jours, elle range ou dérange mes affaires de façon insupportable mais ne les emporte pas dans ses quartiers, heureusement, elle dirait elle-même « manquerait plus que ça » ! L'ennui est que ce carnet m'est indispensable, je suis écrivain, du moins j'essaie de l'être. (Je garantis cette phrase et ce doute, ce jour-là.) Je dois rédiger au plus tôt un article pour un journal, article dont la matière est résumée dans ce carnet perdu que je vais vous décrire car j'en ai plusieurs. Celui-là est de couleur marron, étroit et long, ce qui est commode quand je sors, je peux le mettre dans la poche de ma pelisse. (Mot nouveau pour moi, qui m'enchanta et qui m'enchante toujours, je ne sais pourquoi.) Sauf que je ne sors presque jamais, ma santé n'est pas des meilleures, je vous l'ai dit. J'en profite pour travailler, il me faut donc ce carnet qui contient le plan de mon article, vous imaginez l'importance d'un plan, Monsieur Noël ! Je n'imaginai rien, ignorant ce qu'était un plan et n'ayant lu que de rares articles, quand Monsieur Bâtard m'avait prêté un journal qui parlait de l'une de ses enquêtes, mais je fis oui de la tête, Monsieur Proust continua.

— J'interdis aux femmes de service de toucher à quoi que ce soit, j'ai relu ce plan il y a deux jours, je ne suis pas sorti de cet appartement jusqu'à cet après-midi, je me fais monter mes repas, en ce moment, je suis donc sûr que ce carnet est toujours ici. Je le cherche partout depuis deux jours mais en vain, cher Monsieur, en vain... Je suis descendu après le déjeuner, j'ai demandé au portier qu'on retrouve un long carnet brun dans mon appartement puis je suis sorti par la petite porte qui permet de passer directement de l'hôtel au parc, pour y faire quelques pas et apaiser mes nerfs. À mon retour, on n'avait pas retrouvé ce carnet et pour cause... on avait cherché un cornet ! Comme si l'on ne s'était pas aperçu que je ne suis pas sourd et n'ai jamais utilisé d'appareil de ce genre depuis les mois que je vis dans cet hôtel ! Monsieur Massimo vous adresse à moi, qu'allez-vous faire dans ce capharnaüm, qu'allez-vous faire, jeune Monsieur Noël, je vous le demande ?

Je me le demandai moi-même en découvrant le mot capharnaüm et son illustration, visitant chaque pièce, passant de valises ouvertes allongées en malles ouvertes debout, de piles de livres en vêtements jetés sur des meubles, de découragement en découragement, du salon[1] à la chambre, de la chambre à la salle de bain. Je fus obligé de dire la vérité.

— Monsieur Bâtard vous dirait qu'il faudra un ou deux enquêteurs et une journée entière pour examiner à fond tout ce qu'il y a ici. Cela vous coûtera cher et vous devrez attendre demain, à cette heure la maison est fermée, Monsieur.

— Attendre ? Jamais ! Je dois envoyer mon article dans deux jours...

Il fallait une autre réponse et de l'audace. Un livre prêté par Monsieur Bâtard m'avait été une révélation, il me vint en aide.

---

1. Selon d'autres témoignages, Marcel Proust ne bénéficiait que de deux chambres à l'hôtel des Réservoirs, à la fin de 1906, la sienne et celle de Félicie – ainsi qu'il n'a cessé de nous le dire, aucun témoignage n'est certain...

— Avez-vous lu *La Lettre volée* de Monsieur Edgar Poe, Monsieur ?

— Vous connaissez Poe ?

— Oui, Monsieur, je sais lire, Monsieur.

J'avais répondu en jeune homme blessé dans son orgueil parce qu'on le supposait sans culture… on avait raison ! *Histoires extraordinaires* était l'un des rares livres que j'eusse lus dans ma vie mais j'étais bien décidé à n'en rien dire au beau monsieur environné de tant de pages et occupé à en écrire d'autres. Ce que je peux m'avouer aujourd'hui est que je n'aurais pas pu écrire, à l'époque, « livres que j'eusse lus dans ma vie », j'avais appris les subjonctifs à l'école mais les avais oubliés ; je les réappris en fréquentant Monsieur Proust, il tenait à la concordance des temps.

— Pardonnez-moi, Monsieur, vous avez l'air si jeune et si… si peu fortuné, que j'ai sous-estimé la quantité de vos lectures, non la qualité du lecteur, soyez-en sûr. Oui, j'ai lu ce texte et j'en admire l'auteur, je n'ai pas pensé à sa *Lettre volée*, quand j'ai découvert la perte de mon carnet, mais je l'ai cherché là où il aurait dû se trouver, comme la lettre dans le conte de Poe, là où l'on écrit, en l'occurrence sur la table qui me sert de bureau d'abord, sur mon lit ensuite, j'écris beaucoup au lit, dans les poches de tous mes vêtements enfin, puisque j'y glisse mes carnets. Je n'ai rien vu.

Dans le texte de Poe, on ne retrouve pas une lettre parce qu'on la croit volée, elle est pourtant, légèrement transformée, posée sur une cheminée. Ici, je n'étais pas face à un bureau banal, dans une pièce banale, j'étais dans un monde « sans dessus, dessous », eût dit ma mère. Penser à ma mère fut ce que les romans sans style qui faisaient tant rire Monsieur Proust, je le sus plus tard, auraient appelé « un trait de lumière ».

Quelques années plus tôt, chargé par elle de faire une course importante et muni d'une pièce de cent sous (cinq francs, pour nous c'était beaucoup), j'avais un peu lambiné, comme elle disait. Au moment de sortir, plus de pièce nulle part, dans mes mains, mes poches, sur nos rares meubles, le sol de la cuisine et de la chambre, seuls espaces de notre minuscule palais, rien. J'avais fini, en larmes, par tout confesser à ma mère, elle m'avait embrassé en riant et disant : « Quand on a perdu une chose, il faut la chercher là où on ne pense pas qu'on peut l'avoir mise, as-tu été aux cabinets ? »

J'y étais allé, dix minutes plus tôt. Je courus dans le couloir et ouvris la porte. Dieu merci (si je puis invoquer Dieu à propos d'un lieu aussi terre à terre), à ce moment-là personne n'était enfermé dans les cabinets, communs à tous nos voisins de palier. Nul n'y était entré non plus, depuis mon passage, car la pièce que j'avais tenue de longues minutes dans mon poing gauche bien fermé, afin d'être sûr de ne la point perdre avant de descendre faire la course demandée, la pièce était là, posée sur le sol, à côté de la boîte où nous entreposions les carrés de papier journal nécessaires à nos hygiènes ! J'avais eu sans doute besoin de me servir de mes deux mains pour tirer une feuille de la boîte, j'avais donc posé la précieuse pièce sur le sol sale et l'avais oubliée en sortant, sans penser une seconde que j'avais pu laisser dans un lieu de passage aussi nauséabond mes beaux cent sous…

— Vous ne dites rien, je vous comprends, ce désordre est décourageant, le plus grand détective se refuserait à l'affronter, il n'aurait pas tort, excusez-moi donc de vous avoir dérangé inutilement. Après tout, ce ne sera pas la première fois que je perds quelque chose, j'ai même perdu, ici, le début d'un livre que j'avais commencé à écrire sur la personne que j'ai le plus aimée au monde, ma pauvre chère Maman, preuve qu'il m'est impossible de parler d'elle autrement qu'avec des larmes. Et puis, je dois la vérité à votre candide jeunesse, votre sérieux professionnel et la qualité de vos lectures, je travaille à cet article depuis des mois sans me résoudre à le finir, je suis venu dans cet hôtel fuir un grand drame, je vais avoir le petit drame d'un emménagement dans quelques semaines, mon article peut attendre, mon carnet aussi. Qui sait, peut-être le retrouverai-je quand l'âge m'aura contraint à utiliser un cornet acoustique, cornet que je perdrai tout aussi sûrement que le carnet, j'en suis déjà certain !

— Pardon, Monsieur, mais Monsieur Bâtard ne renoncerait pas si vite, je ne renoncerai pas non plus. Je crois que je sais où est votre carnet.

— Oh, oh, seriez-vous un nouveau Sherlock Holmes, mon enfant ?

Ne connaissant pas ce nom, je donnai à mon regard l'expression la plus fixe possible afin de faire croire à Monsieur Proust que mon esprit était trop absorbé pour avoir permis à mes oreilles d'entendre sa phrase et j'en prononçai moi-même une, de la voix la plus grave et la plus adulte que je pus.

— Votre carnet est ici, Monsieur.

— Bien sûr, je viens de vous le dire, mais impossible à retrouver dans ce désordre, vos efforts seront inutiles.

— Il est ici mais dans le lieu auquel vous pensez le moins, quel est ce lieu, Monsieur ?

Je suis rétrospectivement fier d'avoir interloqué un futur grand homme. J'avais l'air d'avoir quinze ans, malgré sa moustache il eut l'air d'en avoir sept en me répondant, ses immenses sourcils se rapprochant l'un de l'autre sous son front plissé par l'effort, pareil à celui d'un enfant que l'instituteur interroge en classe.

— Le lieu auquel je pense le moins ? Voyons... La salle de bain ? Non, nous l'avons déjà visitée sans rien y trouver.

Il hésita, pensant au lieu auquel je venais de penser moi-même. Il ne me l'avait pas montré, je fus obligé de le nommer.

— Vous oubliez les cab... les toilettes, Monsieur, les toilettes.

— Les W.-C. ? Non, je n'y écris pas, j'y fais... ce que tout le monde y fait !

Il étouffa un rire, je crus que cet homme raffiné était embarrassé de parler d'un lieu qu'on appelait, à l'époque, de façon évasive et plurielle, « les lieux » tout court, en réalité c'est moi qui l'étais. Évitant « cabinets », mot trop voisin du mot « cabins » qui déplaisait à ma mère presque autant que « chiottes » ou « gogues », j'avais employé le mot « toilettes », également au pluriel, tout comme Monsieur Proust avait parlé des W.-C., abréviation du singulier *water closet* anglais, ces mots me contraignent à m'arrêter pour deux précisions.

Première précision, ce qui était anglais était à la mode en 1900. Je venais de découvrir à l'hôtel des Réservoirs l'invention anglaise des toilettes sans odeurs et me boucherais désormais le nez dans tous les autres lieux odorants de ce genre, si j'ai changé de classe sociale, cela n'a pas été pour me donner de grands airs mais pour en respirer un autre et je dus ce changement à Monsieur Proust, raison pour laquelle j'en parle ; il me fit connaître un commissaire qui guida mon entrée dans la police moins d'un an après l'affaire du carnet retrouvé, dix ans plus tard j'étais au Quai des Orfèvres, une grande rencontre avait changé ma vie à partir d'un détail minuscule et trivial.

Seconde précision, en rédigeant ma découverte du carnet d'un grand homme dans un lieu trivial, je me suis dit que j'allais modifier ce détail, je m'aperçois que je ne le peux, car ce lieu joue un rôle révélateur dans le premier volume d'une œuvre elle-même révélatrice. Ce lieu était tenu pour mineur et gênant par les gens comme il faut de l'époque mais cette œuvre parlerait, de façon totalement neuve, de choses en apparence mineures et de réalités gênantes dont ces gens-là ne parlaient pas – ils n'allaient pas aux « cabinets », tout court et au pluriel, pour y « faire leurs besoins », ils allaient « se rafraîchir » dans un « cabinet de toilette » ou une « salle de bain » au singulier (les personnes que la Providence et l'argent ont distinguées de la foule indistincte des personnes vulgaires sont elles-mêmes singulières par définition).

Marcel Proust nommerait un jour par son nom le lieu que j'avais hésité à nommer devant Monsieur Proust, évoquant, dès le premier tome d'*À la recherche du temps perdu*, « le petit cabinet sentant l'iris » où son Narrateur adolescent découvre les émotions du plaisir solitaire. Les écrivains convenables de son temps n'évoquaient jamais ce genre d'émotions dans leurs livres, moins encore des lieux dont ils ne parlaient même pas dans la vie réelle, le Monsieur Proust de l'hôtel des Réservoirs était déjà tout autre. S'il avait ri, en 1906, à l'idée qu'un gamin irait dans ses W.-C. afin d'y poursuivre une enquête, ce n'était pas de honte mais d'amusement, quelques années plus tard Marcel Proust ne rougirait pas de s'intéresser à la grande ennemie de son milieu, la réalité.

En évoquant l'image d'une femme désirée, naissant d'une « fausse position » de la cuisse d'un dormeur dès les premières pages de son livre, en plaçant un peu plus loin, au milieu d'un univers familial rassurant, une brève scène de plaisir et d'effroi située dans un lieu trivial, quoique poétisé par une odeur d'iris, il lançait les premiers signaux d'une révélation à venir. Bien d'autres vérités inattendues naîtraient de son œuvre au cours du long voyage qui commençait, certains lecteurs furent déjà choqués par ces deux-là, quelques autres furent aussitôt sensibles à une voix nouvelle. Moi qui écoutais depuis des années celle de mon Monsieur Proust, fus-je capable d'entendre Marcel Proust, en lisant *Du côté de chez Swann* à la fin de l'année 1913 ? Pareil à tant de lecteurs actuels, je crois que je fus plus sensible aux charmes d'une évocation qu'aux tremblements du vrai.

Ce que m'avait souvent dit celui que j'admirais plus que tout au monde était donc exact, connaître la personne privée empêche de comprendre la personne publique. Il me faudrait des années pour séparer l'une de l'autre – si j'y suis parvenu...

Ce qui me frappa le plus en Céleste Albaret, la servante au grand cœur du grand homme durant les années capitales, fut sa capacité à distinguer le maître qu'elle adorait de l'auteur qu'elle secondait. « Monsieur vous demande à revenir un autre soir, il est épuisé de trap de soucis (trop prononcé *o* ouvert), comprenez-vous, cher Noël ? » était dit avec la douce voix du malade lui-même ; « Monsieur est bien content, Monsieur Gallimard a enfin compris qu'il fallait un peu plus d'un seul mois pour corriger les épreuves du tome deuxième ! » était dit avec la fermeté du créateur ; on retrouvait l'ironique voix du Monsieur Proust de toujours dans la conclusion, « Monsieur Gaston est bien gentil mais corriger une faute par ligne, "ce n'est tout de même pas rien", n'est-ce pas ? »

Je devrais lire le *Monsieur Proust* de Céleste, publié depuis 1971 déjà. J'ai presque aussi peur de la trahir Elle que de le trahir Lui en écrivant mes souvenirs, j'attendrai de les avoir envoyés à un éditeur et je retourne auprès de celui que j'ai connu du temps où j'étais jeune, où Marcel Proust l'était encore.

Nous sommes en 1906, j'ai dix-sept ans, je suis plein d'énergie, d'espoir et de sérieux (on est sérieux quand on est un petit coursier de dix-sept ans qui essaie de gagner sa vie et de faire ses preuves), mon Monsieur Proust de trente-cinq ans espère que je vais retrouver son carnet, je m'y emploie.

L'AFFAIRE DU CARNET PERDU,
PREMIÈRE FIN

Je viens de parler d'un lieu qu'il est inconvenant de citer face à un homme élégant comme lui, il a laissé échapper un rire qui m'a semblé de gêne, j'apprendrai plus tard que les détails de ce genre l'amusent beaucoup, au contraire. L'homme mûr et solitaire dont je venais de faire la connaissance avait peut-être abandonné des pratiques découvertes dans un parfum d'iris, du moins se doutait-il qu'elles pouvaient être connues du tout jeune homme rougissant qu'il avait devant lui, il lui sourit avec embarras, malice et gentillesse puis en revint à la recherche du carnet perdu.

— Beaucoup de gens lisent dans ces lieux, j'y lis quelquefois moi-même, quand ils sont confortables, mais je n'y écris pas, Monsieur Noël, je n'ai donc pas emporté mon carnet dans les W.-C. de cet appartement, j'en suis sûr.

— Vous n'y écrivez pas mais un besoin pressant vous a pris, pardonnez-moi ce détail mais, comme dit Monsieur Bâtard, « examinons les faits, tous les faits ». Vous teniez votre carnet à la main, vous avez eu besoin d'entrer dans les toilettes, il vous a fallu le poser pour être libre de... de vos mains, et vous l'avez oublié en sortant. Il est dans les toilettes, Monsieur, j'en suis sûr.

— Mais enfin, Monsieur Noël, vous pensez bien que, en deux jours, j'ai dû y retourner plusieurs fois ! Si mon carnet avait été là, je le cherchais désespérément, je l'y aurais vu.

— Non, Monsieur.

— Pourquoi non ?

— Parce que vous avez été victime de ce que Monsieur Bâtard appelle « l'effet de la lettre volée d'Edgar Poe ». Votre carnet est resté posé sur une étagère que vous ne regardez plus parce que vous la voyez tous les jours. Monsieur Bâtard dit qu'on ne voit pas un objet quand il semble avoir toujours été là, « il crève les yeux, donc on ne le voit plus ». Mon patron a raison, Monsieur.

— Votre Monsieur Bâtard dit une chose que je sais déjà, mais soit.

Je m'aperçus que je devais aussi à ma mère l'idée des W.-C., « quand on a perdu une chose, il faut la chercher là où on ne pense pas qu'on peut l'avoir mise », je voulus le dire, trop tard... Monsieur Proust avait disparu du côté de la salle de bain. Il ouvrit une porte, poussa un cri et revint, tenant à la main un long carnet marron.

— Il était posé sur une étagère, exactement comme vous l'aviez prévu. Pardonnez-moi d'avoir douté du grand Edgar et du petit Noël !

Il vint vers moi, je crus qu'il voulait m'embrasser, comme si le père que je n'avais jamais eu allait me féliciter d'être devenu un homme. Monsieur Proust était trop jeune pour être mon père, devinait toujours tout, je le sus plus tard, comprit peut-être mon désir mais se livrait rarement à des effusions, je le sus plus tard également. Il posa ses belles mains, petites et pâles, sur mes épaules, rougit un peu (sa peau était si claire et si fine que l'on pouvait voir facilement le sang affluer à son visage ou en refluer) puis m'écarta, comme pour mieux m'observer.

— Un homme de mon âge peut embrasser un enfant sans le connaître, il n'embrasse pas un jeune homme de près de vingt ans mais lui serre la main avec chaleur et reconnaissance, c'est ce que je vais faire.

Il lâcha mes épaules et me tendit la main. Je la serrai, serrant également les dents pour ne pas pleurer.

— Je vais appeler Monsieur Massimo de suite pour lui dire le bien que je pense de vous et le remercier de vous avoir envoyé à moi.

Il alla au téléphone, appela le Signor Minimo, lui annonça la bonne nouvelle et le pria de monter. Le portier arriva bientôt, essoufflé mais jubilant.

— Je vous l'avais bien dit, Monsieur Proust, cette petite est la treizième merveille du monde, il a retrouvé votre cornet, je suis dans la félicité !

— Mon carnet, Massimo, non mon cornet ! Je vous remercie de m'avoir adressé un jeune chercheur aussi efficace mais vous dites qu'il est la treizième merveille du monde, j'en ai oublié cinq, pourriez-vous me « rafraîchir la mémoire », Monsieur Maxime ?

Je savais depuis peu que les merveilles du monde étaient sept, je compris la malice de Monsieur Proust, le Signor Minimo, petit par la taille, grand par l'assurance, triompha de l'épreuve.

— Je les réciterais, même si elles étaient millé, pour faire plaisir à Monsieur, mais Monsieur comprendra que je dois retourner à mon poste… Tiens, voilà pour toi.

Massimo me donna une pièce de vingt sous. Je la reçus sans pouvoir m'empêcher de penser que, si nous n'avions pas été un dimanche, s'il avait fait appel directement à l'agence Bâtard, il en aurait coûté beaucoup plus à Monsieur Proust. Je ne pus m'empêcher de penser aussi que, connaissant mes liens avec l'hôtel, Monsieur Bâtard m'aurait sans doute chargé de l'affaire et m'aurait donné un pourcentage au cas où j'aurais retrouvé le carnet (il m'en réservait toujours un quand j'avais été efficace), j'aurais donc reçu beaucoup plus qu'un franc, au moins cinq...

Je n'étais pas au bout des peines que nous causent les injustices. Logé, nourri, content de mes activités, si ce n'est totalement heureux, privé de père, de frères, de sœurs et de fiancée comme je l'étais, je ne vivais pas dans la misère mais presque, un peu plus d'argent n'eût pas été de trop. Monsieur Proust prit un manteau posé sur un fauteuil et en sortit un porte-monnaie. Je crus qu'il voulait compenser la mesquinerie du Signor Minimo en me donnant cent sous, je me trompais. Le portier, lui, ne se trompa point, s'approcha du riche client, fit disparaître le billet bleu et rose qu'on lui tendait (cinquante francs, somme énorme pour des employés de ce temps-là et cinquante fois plus élevée que celle qui m'avait été donnée), se courba pour un profond salut, dans la mesure où son gros ventre le lui permit, et courut vers la porte en toupillant. On le rappela.

— La salle à manger doit être sur le point de fermer, à cette heure-ci, mais je suis sûr qu'il y a encore quelqu'un qui pourrait m'y servir quelque chose...

Massimo se retourna en trépignant déjà pour s'écrier qu'il était trop tard mais Monsieur Proust n'avait pas fini sa phrase. Il la termina par un « n'est-ce pas » auquel je sus bientôt que ne résistait presque personne, portier ou directeur, ami de toujours, bourgeois ou duc, relation récente ou cocher de passage, « n'est-ce pas » à la fois implorant et autoritaire, interrogatif et affirmatif, auquel on résistait encore moins s'il était accompagné ou d'un billet ou d'un sourire d'enfant (tantôt délicieux d'enfant véritable, tantôt exaspérant de vieil enfant gâté).

— Le restauranté est fermé mais il y a encore des personnes dans la cousine. Si c'est pour Monsieur Proust, le cousinier peut lui faire une petite *collazione*, je descends lui parler, je vous la monterai *personalmente*.

— Deux petites collations, nous serons deux, Massimo, et servie dans la salle à manger, il y a trop de désordre ici.

Massimo me regarda et rougit. Fierté d'avoir procuré un bon enquêteur à un riche client, colère face à une pareille transgression des lois sociales, inviter un inférieur à sa table ? Les deux sans doute.

— Assurez-vous que nous ne serons pas dérangés, notre jeune détective et moi-même. Vous savez comme je hais les ragots, il y aura sûrement des « clabauderies », des potins et des insinuations ridicules parmi le personnel mais vous expliquerez que Monsieur Noël est le détective qui a retrouvé mon carnet, on comprendra qu'il mérite des égards extra ordinaires (il séparait toujours ce mot en deux), n'est-ce pas ?

L'idée de seulement pénétrer dans le fameux restaurant de l'hôtel des Réservoirs me sembla si « extra ordinaire », elle aussi, que je restai muet. Le Signor Minimo s'inclina, retourna vers la porte et sortit en disant « je vais vous faire préparer une chaussette dont vous vous lécherez les badines », Monsieur Proust éclata de rire (pour Massimo chaussette voulait dire chosette, petite chose, *cosetta* en italien), je n'eus pas envie de rire.

Que devais-je faire ? Sortir également ou rester ? Plus sûr de ma réponse que moi, mon hôte ne m'avait pas demandé mon avis, je me sentis plus blessé de l'oubli que flatté de l'invitation. Il était tard, le beau monsieur ignorait forcément la fatigue d'une journée de courses, du moins aurait-il pu penser qu'un jeune homme de dix-sept ans a généralement une famille qui s'inquiète de ses retards.

En vérité, je rentrais toujours à la maison après avoir déjà mangé un morceau, parfois un simple morceau de pain, sans déranger personne, on ne savait donc jamais l'heure de mon retour mais Monsieur Proust l'ignorait. En vérité, il était sensible à la notion de famille inquiète, je ne pouvais le deviner, je fus donc triste de constater que le riche monsieur, si différent de ceux que je connaissais, parlant si longuement, de façon si naturelle et si rare avec un inférieur, était pareil, au fond, à toutes les personnes de son milieu. Je le crus incapable d'imaginer qu'un employé pût avoir un désir différent du sien ni une vie privée, sur ce point comme sur tant d'autres à son propos, je me trompais.

Le monsieur me demanda de patienter un instant et disparut dans sa chambre. J'eus le temps de penser au billet donné à Massimo, non à moi. Peut-être mon hôte avait-il agi ainsi pour obtenir qu'on préparât la collation à laquelle il voulait m'inviter mais le carnet retrouvé me semblait mériter mieux qu'une invitation aussi imprévisible et gênante (rien qu'entrer dans le restaurant de l'hôtel me faisait peur à l'avance, y manger m'était inconcevable), j'aurais préféré quelques sous, non par avidité mais par besoin.

Je ne souffrais pas de jalousie envers la personne qui avait reçu cet argent à ma place, je n'étais pas jaloux par nature et n'ai pas changé depuis, mais d'un sentiment d'injustice que je reconnus aussitôt. J'avais été élevé par mon grand-père dans un respect de la justice fréquent, à l'époque, dans le milieu populaire qui était le sien, il était cordonnier, respect dont il est difficile de se faire une idée aujourd'hui. Que m'est-il resté, tant d'années plus tard, du sentiment d'injustice que j'éprouvai à ce moment-là de ma première soirée avec Monsieur Proust ? Tout. Qu'est-il resté de ma déception ? Rien. Cet homme avait de trop nombreuses qualités pour qu'on pût lui reprocher ses défauts en ce domaine, ils n'étaient que ce que signifie le mot, des manques. Ayant toujours bénéficié de l'argent de ses parents, il ignora toujours ce que c'est qu'en manquer mais se crut parfois ruiné à force de mauvais placements ; c'était alors une longue plainte et ce conseil, même donné à ceux qui n'avaient jamais vu un louis de leur vie : « Méfiez-vous des actions et des prétendues mines d'or du Pérou, le seul or qu'elles recèlent est celui que les fous comme moi y ont jeté, gardez le vôtre ! »

Il s'intéressa passionnément aux sentiments des gens, y compris aux sentiments des petites gens qu'il connut si bien, avec lesquelles il fut toujours généreux jusqu'à l'excès, le fait a été souvent rapporté, il sut défendre la justice, qui a lu la *Recherche* devine son point de vue sur l'affaire Dreyfus, son ignorance de toute échelle des valeurs immédiates et terre à terre n'en était pas moins à la mesure de l'esprit d'injustice propre à sa classe sociale, c'était ainsi. J'étais habitué à me résigner, je le fis, et d'autant plus facilement que je découvris une seconde après la bonté dont il était capable, son souci de l'autre, sa vraie capacité à se mettre à la place des gens quand il s'agissait de leurs peines.

Il revint de sa chambre couvert d'un gros manteau, ce qui me stupéfia pour un simple changement d'étage dans un même hôtel partout chauffé à l'excès, me semblait-il ; Monsieur Proust avait toujours froid, j'allais l'apprendre, il prononça quelques mots qui m'allèrent au cœur.

— Monsieur Massimo aura sûrement obtenu du chef qu'on nous prépare une « chaussette », espérons-la déjà prête et mangeable, vous devez avoir faim, descendons. Mais vos parents s'inquiéteront sans doute de ne pas vous voir rentrer, voulez-vous que je les fasse prévenir ?

Surpris de cette délicate pensée familiale, si contraire à

l'injustice financière que je venais de constater, je répondis que je rentrais souvent quand mes parents dormaient déjà et faillis dire que, devant accéder à ma mansarde par une échelle extérieure, je ne risquais pas de les réveiller, une pudeur me retint ; mon hôte ouvrit la porte, me fit signe de passer devant lui, nous sortîmes. Ma première visite à l'appartement numéro 22 était achevée, ma première soirée avec Monsieur Proust ne l'était pas...

UN DÎNER AVEC MONSIEUR PROUST

Le mince monsieur encore jeune descendit lentement, comme un gros homme ou un vieillard, la première volée d'escaliers et s'arrêta sur le palier du premier étage en haletant un peu. Monsieur Bâtard m'avait appris que la politesse exigeait de monter et descendre les escaliers devant des femmes et des clients, je l'avais fait mais sans penser que j'allais trop vite pour un malade ; je me baissai aussitôt pour renouer le lacet de l'une de mes galoches.

— Merci de ménager mon souffle, cher Noël, si vous me permettez d'appeler par son prénom un grand détective en herbe, voilà une courtoisie charmante. (Cet homme devinait-il toujours tout ?) Hélas, c'est moins descendre cet escalier qui m'essouffle que l'idée qu'il faudra le remonter !

Désireux de me montrer subtil, moi aussi, je recourus à une autre technique chère à Monsieur Bâtard, se donner tort afin de donner au client le plaisir d'avoir raison.

— Je vous demande pardon d'avoir accepté votre invitation trop vite. (Je n'avais rien accepté du tout mais mon silence avait valu acceptation.) J'aurais dû vous prier de conserver vos habitudes, Monsieur. On vous aurait monté votre dîner, vous vous seriez évité des fatigues.

— Mais j'aurais été privé de votre présence et vous avez vu mon appartement, on ne peut y poser un plateau nulle part, pas même s'y asseoir, je mange souvent debout le peu de nourriture que je puis absorber, au grand scandale de la Félicie dont je vous ai parlé, qui est excellente cuisinière et que mes habitudes alimentaires désolent. Je n'aurais donc pu vous convier à partager avec moi le véritable repas qu'il vous faut, nourrissant et pris dans une vraie salle à manger. Celle-là est encombrée de trop de choses, comme tout l'hôtel, mais assez belle quand même, vous allez voir.

Je m'inquiétai de l'effet que mon paletot, ma chemise et mon pantalon usés, retaillés par ma mère dans des vêtements de son père, mes galoches de marche et toute ma personne allait produire dans la belle salle à manger.

— Je ne peux pas vous accompagner, Monsieur, je suis trop mal habillé.

— Ne vous préoccupez jamais de l'effet que vous faites, mon petit Noël, c'est le conseil de l'homme qui vous parle et qui n'a que trop perdu de temps à chercher à produire des effets qui ont été, le plus souvent, inutiles ou même nocifs. (Je me rappelle une phrase de ce genre, si elle fut prononcée plus tard elle a néanmoins sa place ici.) D'ailleurs il n'y aura personne à cette heure-là.

J'aurais dû être un peu triste de découvrir que l'homme qui avait refusé en privé de m'embrasser, comme trop âgé pour ce genre de familiarité, ne craignait pas d'être vu dînant en compagnie d'un petit coursier mal habillé parce que le repas aurait lieu dans une salle à manger vide, je fus surtout soulagé d'une appréhension et heureux de pouvoir enfin manger. Il avait raison, j'avais faim d'un vrai repas.

Le portier nous attendait dans le hall. Il nous fit traverser deux grands salons qui m'impressionnèrent, nous fit entrer dans la salle à manger, déjà vide mais encore illuminée comme pour une fête, et nous guida vers une table brillante d'argenterie et de cristaux (je connus l'argenterie et le cristal plus tard mais il s'agissait bien de cela). Ma faim disparut, tout était trop nouveau pour moi.

Monsieur Massimo nous indiqua nos places, dos à la porte, plutôt l'une à côté de l'autre que face à face, et disparut dans la direction des cuisines tandis que Monsieur Proust s'asseyait. Je demeurai debout, bien sûr (à l'époque, un employé ne s'asseyait jamais en présence d'un patron, à moins d'y avoir été convié, ce qui n'arrivait presque jamais). Qu'allais-je devoir faire et, surtout, ne pas faire ?

— Comptez-vous manger debout, comme je fais souvent moi-même ? Asseyez-vous, je vous en prie, et rappelez-vous, à l'avenir, que vous êtes ce que j'ai dit à Massimo, non pas un domestique ou un petit employé mais un grand détective, digne de tous les égards. (Il souriait avec malice et bonté, je m'assis sans perdre mes effrois.) Vous vous inquiétez de tous ces verres et couverts, je vous comprends, rassurez-vous en apprenant comment mon père surmonta cette inquiétude, l'un des rares souvenirs de sa jeunesse qu'il m'ait racontés. Dans sa famille, à la campagne, on vivait très simplement, devenu docteur en médecine à Paris, il eut l'occasion d'être « reçu » dans le monde, effrayant à ses yeux de petit provincial, des grands médecins de son nouveau milieu. À la première invitation, il consulta un confrère plus âgé, qui lui donna le conseil que je vais vous transmettre... et qui va vous servir à l'instant, regardez.

Le maître d'hôtel en second, André (Hector, le premier, n'officiait plus à cette heure-là), entra suivi d'un serveur que je ne connaissais pas, portant une soupière et une louche. Ces objets m'étaient familiers mais saurais-je m'en servir de façon convenable ? André prit la soupière, en souleva le couvercle qu'il tendit au serveur, plongea la louche dans ce que je pensais être une soupe mais qu'il annonça comme « potage », versa une petite quantité de liquide fumant dans l'assiette du plus âgé des deux convives, « juste une petite louche, je connais les habitudes de Monsieur », tandis que le monsieur finissait son histoire.

— « Ne t'inquiète pas, dit son ami à mon père, tu es le plus jeune, tu seras servi le dernier, tu pourras donc observer ce que feront les autres avant toi, imite-les. » Le jour du premier repas arriva, mon père fit ce qu'on lui avait suggéré, « Tout se passa très bien, me dit-il. Lorsque j'ai épousé ta mère, Parisienne élégante, elle me donna le même conseil pour nos premières sorties dans le monde, je m'en suis bien trouvé. À présent, nous recevons chez nous toute l'Académie de Médecine, jamais personne ne s'est aperçu que je suis né chez des boutiquiers de province, eux-mêmes nés "du cul des vaches", comme disaient les bourgeois de mon village ! » Suivez le conseil qui fut donné à mon père, jeune Monsieur Noël, et tout ira bien.

André avait de l'affection pour moi parce que je ressemblais à son petit-fils. Il me dit à voix basse, en me donnant pour la première fois du « vous » et du « Monsieur » : « Vous êtes fatigué d'une journée de courses dans le froid, Monsieur Noël, je vous ai servi deux bonnes louches de ce potage, il est "esquis" et bien chaud, il va vous faire du bien. » Je le remerciai du coin de l'œil, il disparut, le garçon le suivit mais resta près de la porte. J'allais empoigner ma cuillère pour l'emplir de potage et la porter à ma bouche ainsi que je le faisais d'habitude, la main serrée tout entière autour du manche comme on se sert d'une pelle, je me retins. Comment mon hôte faisait-il ? Il avait pris, se servant seulement de son pouce et de son index, la plus grande des cuillères posées à sa droite, ne la remplissait pas complètement et absorbait le liquide sans bruit (j'étais loin des clappements de langue du compagnon de ma mère, que je n'aimais pas, ou des sonores aspirations de mon grand-père, que j'avais adoré). J'imitai Monsieur Proust et, comme aurait dit son père, « tout alla bien », pour le moment.

Une fois de plus, mon nouveau client (il en était un, puisque j'avais retrouvé son carnet) devina mes pensées.

— Vous avez suivi le conseil de mon père, il était bon, vous le voyez. Ce serait plus difficile, évidemment, si l'on nous servait du homard mais j'en doute, André connaît mon désir de manger rapidement, ou des pêches en dessert, j'en doute aussi, elles ne sont plus de saison. Je vous félicite, vous êtes attentif aux sons, vous avez absorbé deux louches de potage sans le moindre bruit de succion, je connais des dames du plus grand monde qui se seraient crues obligées d'en produire quelques-uns pour mieux prouver qu'elles sont au-dessus des conventions. Elles ont la naissance et l'argent, vous avez ce qu'elles ont perdu, ou n'ont jamais eu, le désir de bien faire et la grâce du naturel.

Marcel Proust adorait faire des compliments excessifs, on le sait, je me rappelle celui-là qui me fit rougir, mon élégant convive ne s'en aperçut pas, quelque chose venait d'attirer son attention en face de nous, de l'autre côté des tables vides. Je vis, dans un miroir en face de moi, le maître d'hôtel entrer, suivi d'un second serveur que je connaissais, porteur d'une bouteille couchée en biais dans un panier. Jouant un rôle que je découvris longtemps après ce premier dîner « dans le monde », celui de sommelier, André vint parler à l'oreille de Monsieur Proust qui répondit « bien, très bien », prit le panier et versa un peu de vin rouge dans l'un des trois verres placés devant mon hôte, qui goûta le vin et fit un signe de tête approbateur. André acheva d'emplir le verre, remplit le verre symétrique face à moi et s'en alla, croisant le premier serveur, qui poussait vers nous une table roulante sur laquelle miroitait une cloche d'argent, ronde et grosse comme une grosse poule. Le second garçon prit sur la table un objet également d'argent, oblong, gros comme un pigeon sans tête mais muni d'une sorte de manche qui faisait penser à une queue d'oiseau.

— Nous allons avoir du rôti froid, le chef n'a pas pu mieux faire à cette heure-ci, mais accompagné d'une mayonnaise récemment montée de sa propre main et d'un vin rouge de Bourgogne qui conviendra parfaitement au bœuf et vous donnera des forces. Nous aurions pu réclamer, pour la même viande, un vin rouge de Bordeaux mais la Bourgogne nous rappellera un poète que vous aimez sûrement, Victor Hugo, né à Besançon, vieille ville espagnole et bourguignonne à la fois. Je me servirai moi-même, Daniel, je veux pouvoir prendre la plus petite tranche, vous me servez toujours trop. Joseph, servez-nous de l'eau, je vous prie, je ne bois guère de vin, notre jeune détective n'en doit pas boire beaucoup non plus.

Une fois encore cet homme devine tout. Je ne connais qu'un seul poète, c'est de lui qu'il me parle, le vin ne m'est pas familier, il le devine, j'ai soif d'eau, il en demande. Du coup, je me crois autorisé à poser une question.

— Comment savez-vous que je ne bois pas de vin, Monsieur ?

— Vous n'attendez pas de pourboire, vous faites votre métier parce qu'il vous intéresse, vous n'êtes pas de cette jeunesse miséreuse qui se console en buvant du « gros rouge ». (Je sens derrière mon dos que Daniel, que j'ai souvent rencontré dans l'hôtel et qui me regarde toujours avec mépris, écoute cette déclaration avec une attention embrasée.) Vous ne prononcez pas de mot vulgaire, vous êtes pauvre mais bien élevé, remerciez-en vos parents et remerciez la nature de vous avoir accordé le plus grand don qui soit, s'intéresser à ce qu'on fait, non à ce qu'on a l'air d'être, à ce qui se passe autour de soi plutôt qu'à soi.

Tandis que j'observe mon professeur de maintien prendre une tranche de bœuf, apparue, cloche enlevée, dans le plat que lui tend le premier garçon, je me dis que, finalement, il est plus généreux que je ne pensais, m'invitant publiquement à sa table et m'enseignant les choses mine de rien avec bonté. J'entendrai, plus tard, dire beaucoup de mal de lui, du fameux snobisme qui aurait obsédé sa vie, de son égoïsme, de sa méchanceté. Je sais bien qu'une légende a toujours plus de force que la vérité mais, si la scène que je suis en train de décrire et d'autres que je vais raconter pouvaient contribuer à contredire cette légende, j'aurai eu raison de rédiger ces souvenirs.

Le second garçon approche l'objet oblong, mon professeur en retire ce qui ressemble à une queue d'oiseau, une longue cuillère qu'il utilise pour en extraire une crème jaune dont il pose un petit monticule tremblant au bord de son assiette. Le premier garçon vient vers moi et me simplifie la vie en posant lui-même deux tranches de viande dans mon assiette à moi. Le second garçon me tend ce que j'apprendrai être une saucière, j'y puise deux cuillerées de la crème jaune qui me fut confirmée plus tard comme mayonnaise. Pas de pêche à éplucher, pas de homard à décortiquer (j'ignore ce qu'est un homard, à l'époque), pas de problèmes. Voyons maintenant comment il faut boire...

Daniel (dont Monsieur Proust connaît le prénom), beau jeune homme arrogant avec tous, en général maussade et tendre à la fois avec le riche client, ce soir, a pris sur la table une carafe et versé de l'eau dans le plus grand de nos verres avant de sortir accompagné de Joseph (dont Monsieur Proust connaît aussi le prénom). Je savais déjà qu'un client est partout chez lui dans un hôtel, celui-là semblait l'être lui aussi, malgré son manteau de voyageur (Marcel Proust était de passage partout, sauf dans son œuvre).

Mon professeur en belles manières prend le grand verre de vin rouge, l'approche de ses lèvres rouges, le hume, le repose, prend le verre d'eau, en absorbe en silence une gorgée, repose le verre, je fais de même. Hélas, il a cessé de lire dans ma pensée, il regarde à nouveau au loin, j'ai faim mais je n'ose pas manger sans l'avoir vu faire, j'attends donc et j'ai raison sans le savoir, puisque l'invité ne doit commencer à manger qu'à la suite de son hôte, je l'apprendrai plus tard. J'attends heureusement peu de temps, Monsieur Proust choisit la plus grande de ses fourchettes et le plus grand de ses couteaux, coupe la viande de la main droite, mange de la gauche, j'essaie de l'imiter. Il ne touche pas à la mayonnaise, que faire ? Tant pis, je trempe dans la crème jaune un morceau de viande et mange le tout, c'est délicieux (et c'est justement ainsi que l'on use de la mayonnaise, je saurai cela plus tard également).

Le monsieur regarde toujours en face de lui tout en mangeant et buvant peu, je mange trop en comparaison de ce que je prends le soir, d'habitude, mais bois du vin pour la première fois avec plaisir (les vins dont j'ai pu goûter une gorgée, jusqu'à présent, m'ont toujours découragé d'en absorber une autre). D'habitude aussi, à cette heure-là je dors, sauf si j'ai eu à faire une course tardive, je devrais avoir sommeil, non. Quelle heure est-il ?

Je jette un coup d'œil à l'horloge placée sur une cheminée en face de nous, sous un miroir, et je découvre ce que regarde si souvent mon voisin, un peu verdi par la profondeur de la glace, mon reflet. Son regard croise le mien mais se détourne aussitôt et je m'aperçois qu'il observe en même temps, avec une espèce de gêne, un autre reflet, celui de Daniel. Le serveur vient d'arriver silencieusement derrière lui pour changer son assiette et ses couverts avec une douceur de mère. Il passe ensuite derrière moi, me débarrasse brusquement de mon assiette, la pose sur le chariot qu'il pousse bruyamment vers la porte, la porte claque, nous sommes à nouveau seuls, Monsieur Proust et moi.

— J'aime à observer les gens et les choses, à découvrir les liens qui les réunissent et les abîmes qui les séparent. (Je reconstitue des phrases à partir de beaucoup d'autres entendues à ce sujet.) En somme, j'aime les énigmes, petites ou grandes, pourriez-vous me raconter l'une de celles qui préoccupent l'ineffable maison *Bâtard et Fils* en ce moment ? Cela m'intéresserait beaucoup et je pourrais peut-être vous suggérer quelques idées, qui sait ? Sauf que la maison, spécialisée dans les filatures, doit s'occuper surtout d'affaires d'adultère, sujet dont je serais embarrassé de parler avec un aussi jeune homme. J'ai peu de compétence, par ailleurs, en adultères – je ne suis pas marié et ne ferais jamais la cour à des femmes qui le seraient !

— La maison s'occupe souvent d'affaires d'adultère, oui, Monsieur, mais aussi d'objets perdus, comme votre carnet. En ce moment elle cherche un sac perdu, un sac de dame.

— Prendrez-vous du fromage ou préférez-vous un dessert dans le petit salon ? Il y fera plus chaud que dans la salle à manger, nous y chercherons plus confortablement ce sac de dame perdu, qu'en pensez-vous ?

— Que je préfère un dessert, Monsieur.

— Parfait.

André entre. Il écoute Monsieur Proust lui expliquer son projet, sourit, retourne vers les cuisines, nous nous levons. Mon nouveau professeur en maintien et enquêtes pose sa main sur mon épaule (chose rare : il ne touche guère les gens, je le noterai, pas même pour leur serrer la main en disant bonjour, il salue de loin), me guide vers le petit salon, nous nous y installons.

Il est chauffé par le calorifère de l'hôtel, comme toutes ses autres pièces, un bon feu brille cependant, au fond d'une cheminée surmontée d'un miroir lui-même surmonté d'une peinture (j'appris plus tard le mot « trumeau » et que le feu avait été rallumé en hâte afin de complaire au capricieux client pour lequel tout le monde se « mettait en quatre », ici comme partout, tel était le charme de Monsieur Proust).

Le même Daniel apporte un grand plateau et le pose sur une table basse. Il jette un regard de haine au vilain petit coursier, un regard interrogatif et désolé, me semble-t-il, au beau monsieur puis se retire, refermant la porte avec une précaution de cambrioleur et nous observant avec une sévérité de justicier.

Sur le plateau est posé un choix de gâteaux tels que j'ai pu en voir aux vitrines des pâtissiers sans en avoir jamais mangé et une corbeille d'oranges, fruits dont je connais l'apparence et le goût, ma mère m'en offre une à chaque Noël.

— Je n'ai pas commandé de liqueurs, elles ne conviennent ni à votre jeunesse ni à ma santé, mangez tranquillement votre dessert, assis, bien sûr. Désormais, asseyez-vous toujours quand nous aurons quelque chose à manger ensemble mais aussi quelque chose à nous dire, évitez-moi de vous le redemander chaque fois et racontez-moi l'histoire de ce sac perdu. Elle m'intrigue déjà.

DÉBUT DE L'AFFAIRE DU SAC PERDU

Je racontai donc à Monsieur Proust que, trois jours plus tôt, un bourgeois d'une cinquantaine d'années, assez bien mis, corpulent et rouge, était venu voir Monsieur Bâtard Fils parce que sa femme ne retrouvait plus un sac perdu depuis une semaine.

— J'étais dans le bureau du directeur. Quand je suis pas en courses pour moi ou en filature pour lui, Monsieur Bâtard me fait recopier des lettres, il m'a pas demandé de sortir, j'ai tout écouté. Il y a quinze jours, la dame de ce monsieur est allée à Paris, en train, pour faire des courses dans un grand magasin. Elle y a acheté un beau châle, l'a payé avec de l'argent qui était dans son sac et a emporté son emplette dans le carton fourni par le magasin. Quand elle arrive chez elle, son mari est là. Elle ouvre le paquet et fait voir le beau châle. Son mari lui reproche d'avoir fait cette dépense, elle s'aperçoit qu'elle a oublié son sac, elle pleure, son mari la reconduit tout de suite à la gare et au magasin. La vendeuse reconnaît la dame et l'article mais elle a pas trouvé de sac oublié. Le monsieur se fâche, il accuse la vendeuse d'avoir volé le sac et fait venir le chef de rayon. Le chef de rayon se porte garant de son employée, l'affaire se termine au commissariat de

47

police. Le commissaire écoute tout le monde, fait remplir une déclaration de perte, une semaine plus tard pas de nouvelles du sac, alors...

— Alors le mari fait appel à la maison *Bâtard et Fils*, mais pardon de vous avoir interrompu, continuez.

— Le mari était en colère, il a dit « la police ne fait rien » et il a demandé à Monsieur Bâtard de la remplacer, oui, Monsieur.

— Beaucoup de personnes font-elles ainsi appel à un détective privé pour ce genre de choses ?

— Oui, Monsieur. Monsieur Bâtard dit toujours qu'il n'y a pas de petite affaire.

— Il a raison, ce qui semble grand est souvent petit, ce qui semble petit est presque toujours grand, l'infime nous en apprend parfois plus que l'immense. (Je n'ai pas besoin de mes notes pour me rappeler ces phrases-là.) Et la maison Bâtard y trouve-t-elle son compte ?

— Non, Monsieur, ces enquêtes-là rapportent pas beaucoup d'argent, mais Monsieur Bâtard aime toutes les affaires, celle du sac perdu l'intéresse.

— Votre patron est un homme d'expérience, un sac de dame donne à penser, il a raison. Savez-vous si ce sac-là contenait de l'argent, des objets de valeur, des souvenirs ?

— La dame a dit qu'il contenait que l'argent du châle, qu'elle l'avait économisé pour ça, qu'il faut pas accuser les gens, qu'elle avait sûrement perdu ce sac, que c'était sans importance. Mais son mari a raconté qu'elle avait les yeux rouges en disant ça.

— Une dame qui prétend que son sac n'a pas d'importance ment, elle serait désolée de l'avoir perdu, elle ne l'a donc pas perdu, premier point de notre enquête.

— Je comprends pas, si elle l'a pas perdu, pourquoi elle dit pas où il est ?

48

— Je vous l'expliquerai plus tard, dites « elle ne dit pas » et passons au deuxième point. Le mari a-t-il parlé du prix du châle ? Un prix qu'il juge trop élevé ?

— Oui, il a dit ça. Comment l'avez-vous deviné ?

— Parce qu'il est en colère et parce que la dame pleure. Dites-moi quelque chose, la dame n'a-t-elle pas été surprise de trouver son mari au domicile conjugal, lorsqu'elle y est revenue avec le beau châle ?

J'étais de plus en plus surpris moi-même. Le gros monsieur avait effectivement dit ceci, que je rapportai aussitôt à Monsieur Proust.

— « Ma femme est une jeune étourdie, elle ne s'attendait pas à me voir à la maison, quand elle est rentrée de ce maudit magasin, qui prétend être bon marché et qui coûte si cher, mais si je ne lui avais pas demandé à voir son sac, elle se serait rendu compte qu'elle l'avait perdu le lendemain seulement, en faisant les courses du ménage. Elle n'a pas de tête, nous n'aurions pas su où chercher, heureusement j'étais là, j'ai pris les choses en main. La vendeuse ne veut pas rendre le sac mais c'est elle qui l'a, nous allons la forcer à le rendre grâce à vous, Monsieur Bâtard. »

— Quelle mémoire et quel talent d'imitation, « on s'y croirait » ! J'aime beaucoup imiter les gens, moi aussi, mais continuez, je vous en prie, je suis de plus en plus intéressé par cette affaire.

— Le monsieur a dit : « La police ne fait rien, comme d'habitude, elle protège les voleurs, comme toujours, nous n'allons pas nous laisser faire. Vous allez perquisitionner chez la vendeuse et nous retrouverons le sac, j'en suis sûr, foi de Justin Cornard ! » Il s'appelle Justin Cornard et sa femme Émilie, née Boucher.

— Le monsieur s'appelle Cornard et sa femme est née Boucher ! Ah, comme c'est bo, comme c'est bo !

Mon professeur de maintien a continué à m'enseigner les belles manières, tandis que je parlais. Assis sur le bord d'un grand canapé, il a mis une petite assiette sur ses genoux, pris un couteau et une orange, pelé délicatement le fruit tout en m'écoutant, retirant chaque fibre blanche du bout des doigts, séparant les quartiers de même. Il a conservé un seul de ces quartiers, dont il a mangé une partie et du bout des dents également, il ne mange pas autrement, puis m'a tendu le reste. Je l'ai posé à côté du gros gâteau à la crème que je ne parvenais pas à finir, n'ayant plus faim et ne sachant pas encore parler en mangeant. Mais l'apparition des noms Cornard et Boucher a mis fin à la distinction de l'élégant client du non moins élégant hôtel, il se roule sur le canapé en riant et agitant les jambes, ouvrant exagérément, comme il le fait souvent, le *eau* de beau, qui devient un *o*, presque un *a*.

— Comme s'est bo, comme c'est bo ! Ah, quel bien vous me faites, mon petit Noël, vous êtes mon plus beau cadeau de Noël depuis des années ! Ah, si Bininuls était là, il adorerait cette histoire !

Je n'ose pas demander qui est ce personnage, je demande seulement : « Que pensez-vous de cette affaire, Monsieur ? » Monsieur Proust ne répond pas, il a épuisé ses réserves de souffle. Je n'ose plus l'interroger mais il se reprend, se redresse, élude ma question et m'en pose de nouvelles.

— Votre patron n'a pas le droit de faire une perquisition dans un appartement, n'est-ce pas ? L'a-t-il dit au gros monsieur ?

— Oui, Monsieur, il a dit que c'est le travail de la police. Le gros monsieur était pas content, il est sorti du bureau en claquant la porte. Monsieur Bâtard m'a dit : « Nous perdons un client, c'est embêtant, venez me tendre la joue pour me consoler », je suis allé m'asseoir sur ses genoux...

— Excusez-moi de vous interrompre mais… mais vous…
vous « consolez » votre patron en vous asseyant sur ses
genoux ?

— Oui, Monsieur. Vous avez l'air fâché.

— Je ne suis pas fâché, mon enfant, je suis surpris, seulement surpris. Expliquez-moi ce… cette habitude, elle m'intéresse beaucoup, je m'intéresse beaucoup aux habitudes.

— Comme je suis de petite taille, que Monsieur Bâtard et
Fils a ni fils ni fille et qu'il est veuf, il aime à me traiter en
enfant. Il dit qu'il trouve plaisir à me prendre sur ses genoux
et à baiser mes bonnes joues rouges, c'est comme ça qu'il dit,
quand il est triste ou quand il est content de moi.

— Et vous acceptez… Avec gêne ou… ou avec plaisir ?

— Ma mère ose plus m'embrasser, l'homme qui vit avec
elle aime pas ça, quand Monsieur Bâtard m'embrasse, il est
content, je suis content.

Monsieur Proust est devenu rouge et respire de nouveau
avec peine sans répondre, j'essaie de m'expliquer.

— Monsieur Bâtard est mon patron, quand il me donne
des baisers, il me donne aussi la pièce. Je suis pas riche, Monsieur, j'accepte, vous comprenez ?

— Je comprends. D'autres messieurs vous donnent-ils des
baisers, mon petit ?

— Des messieurs ou des dames veulent m'en donner souvent mais ils sont pas mes patrons, je dis « je suis pressé » puis
je m'en vais. Il y a pas longtemps, le Signor Minimo a voulu
me faire visiter le cellier, je comprenais pas pourquoi. Il me
tenait par la main pour me guider, d'un coup il pose son bougeoir, il me prend la tête entre ses mains et m'embrasse presque
la bouche. Je me suis écarté tout de suite, je l'aime bien, il me
donne du travail mais je m'attendais pas à un baiser comme
ça. Et puis il sent mauvais, mais il faut pas lui dire, Monsieur.

— Je ne le lui dirai pas, rassurez-vous! Et... que s'est-il passé ensuite?

— Rien, Monsieur. Je me suis essuyé, le Signor Minimo bave toujours un peu. Il a repris son bougeoir, il est remonté dans la cuisine en soufflant, il souffle toujours dans les escaliers parce qu'il est gros, je l'ai suivi. C'était la nuit, il y avait personne, il m'a dit : « Il y a des messieurs qui demandent plus qu'un baiser, il faut se méfier d'eux, mon garçonne, mais moi je t'ai embrassé parce que je te veux du bien, *capisci*, tu comprends? » J'ai répondu oui, il m'a donné la pièce, il m'a dit qu'il fallait en parler à personne parce que c'était notre « pétite sécrète » et on est allé chacun de son côté. Dans ma condition, il faut répondre oui, sans ça on nous donne pas de travail, vous comprenez, Monsieur?

Monsieur Proust me regarde et semble comprendre. Il s'assied de nouveau sur le canapé, il a l'air moins fâché, il commence même à sourire.

— Ainsi, vous appelez le gros Massimo « Signor Minimo » ?

— Le directeur l'appelle comme ça, alors tout le monde fait pareil mais pas devant lui. *Massimo* veut dire grand, en italien, et *minimo* veut dire petit, Monsieur Massimo est italien, il n'est pas grand, il est presque aussi petit que moi mais il aime pas qu'on se moque de ça. Lui dites pas que je vous ai parlé du cellier, Monsieur, il me donnerait peut-être plus de courses à faire.

— Je ne dirai rien, je sais garder les secrets, celui-là « sera tombeau ». (C'était une expression à lui.) Et ne craignez rien pour Monsieur Massimo-Minimo. Vous lui êtes utile, il fera toujours appel à vous, ne serait-ce que pour vous remercier de n'avoir jamais parlé de l'affaire du cellier à personne.

— Mais je vous en ai parlé à vous, Monsieur, je sais pas pourquoi.

— Parce que je vous écoute, mon enfant, les gens ont besoin de parler, on ne les écoute pas, moi, je les écoute. Vous en doutez, je le comprends, pour vous comme pour tout le monde, je suis un bavard ! Je le suis mais pas comme on croit. En réalité je suis un enfant et un homme à la fois. Comme un enfant, je parle pour qu'on fasse attention à moi mais j'observe tout, j'écoute tout afin de tout apprendre, également comme un enfant, afin de tout comprendre comme un homme digne de ce nom se doit de le faire. Je crois avoir compris l'enfant que vous êtes encore, compris l'homme que vous cherchez à devenir et que vous serez un jour, j'en suis sûr, raison pour laquelle je veux vous expliquer quelque chose. À moins que vous ne soyez fatigué de m'entendre, l'êtes-vous ?

— Non, Monsieur, pas encore.

— Ce « pas encore » me ravit, vous êtes délicieusement sincère, intelligent et honnête, bravo ! Le petit Monsieur Minimo l'a bien compris en voyant que vous vous écartiez sans rien dire, dans le cellier. Il a su que vous ne lui demanderiez pas d'argent, ni pour accepter ses baisers ni pour ne pas dire aux autres qu'il vous en a volé un, il n'a pas insisté, il a eu raison. Il n'est pas un méchant homme, votre patron non plus, Monsieur Bâtard a besoin d'affection, vous aussi, vous avez, de plus, besoin de gagner votre vie, je comprends tout cela mais suivez le conseil de Massimo, mon enfant, méfiez-vous des messieurs qui voudront vous embrasser pour commencer et pour bien d'autres choses ensuite. Vous comprenez de quelles choses je veux parler, n'est-ce pas ?

— Oui, Monsieur.

— Alors méfiez-vous de ces choses. À moins que vous ne les aimiez, bien sûr... Est-ce le cas ?...

— Non, Monsieur. J'ai pas encore de barbe, ni de moustache, les jeunes filles me prennent pas au sérieux, j'aimerais en connaître une et qu'elle m'embrasse, pas un monsieur. Mais j'aimerais quand même que...

— Qu'aimeriez-vous ? Dites, dites-moi.

Je ne peux pas lui dire que j'ai regretté qu'il ait renoncé à m'embrasser, tout à l'heure, je m'en tire par une question (système recommandé par mon patron).

— Et vous me direz tout, vous aussi ?

Monsieur Proust me regarde avec surprise puis sourit.

— Vous êtes charmant, jeune Monsieur Noël, charmant et bienfaisant, vous retrouvez mon carnet, votre présence me fait oublier mon grand chagrin, je vous en remercie et voudrais vous faire plaisir à mon tour. Serait-ce possible en vous disant tout ? Je crains que non, mon enfant, je crains que non.

Il se lève, écarte le rideau d'une fenêtre, observe la lumière des réverbères qui éclairent la rue (déjà électriques, la ville avait abandonné le gaz très tôt), puis se retourne vers moi. Sa voix est douce, ses yeux sont tristes.

— J'avais fait serment, dans ma jeunesse, de tout dire à deux grands amis à moi en leur demandant la même chose en retour, je me suis aperçu que c'était impossible, et même dangereux, croyez-moi, cher petit.

— Vous m'avez demandé de vous dire tout, j'ai pas le droit de faire pareil ?

Une fois de plus, il est surpris et il rit. (Monsieur Proust passait du rire à la tristesse et de la tristesse au rire avec une rapidité que je n'ai connue qu'à lui.)

— Vous avez raison, je me suis contredit ! Je me contredis souvent, excusez-m'en.

— Vous excusez pas, Monsieur, j'ai trop parlé, je suis bête, excusez-moi, moi.

— Si vous me permettez un conseil, ne dites pas « excusez-moi, moi », ce n'est pas joli à entendre, dites seulement « excusez-moi », lorsque vous avez quelque chose à vous reprocher, ce qui n'est pas le cas en la circonstance, et ne dites pas que vous êtes bête, vous ne l'êtes pas, je peux vous le dire, j'en connais long sur la bêtise, je suis moi-même souvent très bête ! (Il disait souvent, en riant, qu'il était bête, qu'il prononçait « beûte », on riait aussi, on savait bien que la bêtise n'était pas son fort.) Vous êtes simplement très jeune encore, je vous envie, mais cette seule raison suffit pour que je ne vous dise pas tout, je risquerais de vous choquer ou de vous blesser. Je vous promets cependant de vous en dire le plus que je pourrai, et le plus exactement possible, faites de même avec moi, dites ce que vous n'osez pas me dire, je vous écoute.

— Je sais pas si je peux...

— Pourquoi ne le pourriez-vous pas, cher Monsieur Noël ?

— Je vois bien que vous êtes pas comme les clients qui veulent m'embrasser pour les choses que vous parliez. J'ai dit quelque chose de mal ?

— Non, non, j'ai seulement fait un geste pour vous suggérer de dire plutôt « les choses *dont* je parlais », ce sera plus français, choses dont nous ne devrions plus parler, je ne peux m'empêcher pourtant de vous demander comment vous les avez connues, vous qui êtes encore si jeune, mon enfant, voulez-vous me le dire ?

— Je connais la vie, je sais les choses que font les gens quand ils embrassent pour autre chose que pour embrasser, Monsieur.

— Et vous pensez que je ne suis pas comme ces gens ?

— Oh, non, Monsieur, vous êtes pas comme eux !

Le monsieur auquel je parle de certains autres messieurs rougit, ouvre la bouche pour parler puis se détourne et réfléchit. Je réfléchis aussi, je me dis que j'ai sans doute eu tort de parler des baisers de Monsieur Bâtard mais je ne comprends pas pourquoi.

Je n'ai plus repensé à cette scène depuis près de quatre-vingts ans, elle me revient comme intacte, peut-être parce que je ne l'ai pas usée à force de me la rappeler, sûrement parce qu'elle m'a frappé, également parce que je n'avais jamais parlé de moi à personne auparavant (on ne parlait pas de soi dans mon milieu, encore moins à mon âge). Peut-être ne devrais-je pas rapporter une conversation embarrassante, sans liens apparents avec les enquêtes que nous fîmes ensemble, Monsieur Proust et moi, mais elle en a avec l'une d'entre elles, on le verra bientôt, je continue donc.

— Et comment ces gens sont-ils, mon enfant ?

— Pas comme vous, Monsieur. Avec vous, on parle, avec eux, non. Quand je porte un message à une dame seule, elle me donne la pièce, des fois elle me caresse la joue en riant fort, des fois elle me propose de boire un verre de vin à la cuisine. Je dis « non, merci, je suis pressé, Madame », elle insiste pas. Quand je porte un message à un monsieur seul, des fois il me propose de boire un café ou un alcool dans son salon, je dis pareil qu'à la dame. Des fois il insiste, il me demande mon âge, je réponds pas. Il dit que je suis bien mince et bien jeune, il me tâte le bras, il veut me pincer les joues mais je recule et je m'en vais. Vous, vous êtes pas une personne comme ça, Monsieur.

Mon hôte rougit à nouveau, rit à nouveau et me donne plusieurs conseils à la fois.

— Permettez-moi de vous corriger une fois de plus, vous oubliez parfois les négations, dites « vous *n*'êtes pas une personne comme ça », dites même « une personne comme *cela* », et continuez d'être prudent avec les dames et les messieurs que vous me décrivez. Souhaitons aussi que vous ne vous trompiez pas sur mon compte et laissons un sujet dont je n'aurais pas dû vous faire parler, au risque de vous choquer, mon enfant.

— Que voulez-vous dire, Monsieur ?

Il s'éloigna et cessa de parler, je m'en souviens parce que je ne compris pas son embarras. Je me tus à mon tour, craignant d'avoir choqué un monsieur trop distingué pour connaître les choses que je venais d'évoquer, plus que je n'en étais choqué moi-même, quand j'en étais témoin (j'y étais habitué depuis l'enfance, je me doutais que nous n'avions pas eu la même enfance, Monsieur Proust et moi).

Arrivé à ce point de mon récit, je pourrais supprimer ce passage d'une longue conversation (je n'en avais jamais eu d'aussi longue avec personne, Monsieur Proust parvenait à voler au Temps des moments qu'on ne pouvait connaître qu'avec lui), je devrais peut-être me limiter à l'affaire du sac perdu. Cependant, même si je coupe les passages sur les baisers de certains messieurs d'autrefois, les lecteurs actuels de Marcel Proust se rappelleront son œuvre et, surtout, ce qu'on a raconté de sa vie. Contrairement à l'adage, en matière de secrets sexuels les paroles prononcées pèsent plus que les paroles écrites ; s'ils lisent, un jour, l'histoire d'entretiens qu'il aurait eus, seul à seul, avec un petit coursier dans un appartement d'hôtel, ils penseront forcément aux désirs de son baron de Charlus et à ceux que l'on suppose à l'auteur plus encore ; je préfère donc dire ce qui a été dit, ce qui eut réellement lieu entre lui et moi, plutôt que laisser imaginer autre chose.

À PROPOS DES BAISERS
DE CERTAINS MESSIEURS EN 1900

Nous bénéficions aujourd'hui de libertés inconcevables il y a un siècle, les riches contemporains de Marcel Proust bénéficiaient de libertés encore plus inconcevables aujourd'hui, en particulier dans leurs rapports avec la classe sociale dont je faisais partie. De nos jours, les inégalités sont toujours immenses mais nous les croyons destinées à disparaître, tandis que pour la plupart des familiers de Proust elles étaient un fait. Un fait contre lequel ils ne pouvaient, ne devaient rien faire, sauf bénir le ciel de les avoir fait naître dans une couche supérieure de la société, les couches inférieures devant se résigner à leur sort, servir la vie d'en haut, qui ne pouvait avoir lieu sans celle d'en bas.

En ce début de XX\ e siècle, agriculteurs d'une grande exploitation, ouvriers d'une usine, artisans d'un quartier, domestiques d'une famille, personnel d'un hôtel, tous étaient au service des maîtres, la Révolution chère à mon grand-père n'avait presque rien changé à cette grande loi. Aujourd'hui un employé peut changer de place, de métier, de salaire, de vie, au moins en théorie; en pratique, un employé du temps de Marcel Proust était une sorte d'esclave lié à la mine où le destin l'avait fait naître pour qu'il creuse sans fin, au service d'une personne ou d'une autre, peu importait.

Pour Monsieur Proust cet employé était lui-même une mine, riche filon de plaisirs secrets et de renseignements essentiels, raison pour laquelle il n'hésitait pas à le couvrir d'or afin de franchir la barrière qui les séparait et qui était, pour lui, le contraire de ce qu'elle était pour les autres, c'est du moins ce que je crois. Pour les gens de la même classe sociale que lui, franchir cette barrière était descendre de leur Olympe, pour lui c'était monter vers une sorte de ciel inaccessible, défendu et délicieux. Pour lui rien n'était trop beau quand il s'agissait d'engager l'un de ces personnages célestes à descendre dans sa sphère, nul effort, nulle somme d'argent, prix toujours trop faibles à ses yeux pour un tel miracle ; je ne fus pas l'un d'eux pour plusieurs raisons : la première est que nous nous connûmes d'abord à cause d'une enquête, d'une réflexion, il en demeura toujours quelque chose entre nous.

Abolir, un instant, la barrière infranchissable qui les séparait, ce personnage et lui-même, semblait lui permettre un accès provisoire et miraculeux au niveau interdit de l'Autre par excellence, celui qui est différent, en l'occurrence plus pauvre, moins favorisé, par là même plus naturel, plus vrai, plus mystérieux, donc plus désirable. De sorte que, de ces deux mondes, le grand et le petit, le plus inaccessible ne fut pas celui qu'on pourrait croire, pour le Monsieur Proust que j'ai connu.

Je crois pouvoir dire que, nous fréquentant et nous observant sans cesse, jetant des ponts au-dessus des différences de fortune et de classe, il nous connaissait, nous, les petits, mieux qu'aucun des hommes de son monde. Pour un lecteur d'aujourd'hui les barrières sociales font partie de l'Histoire, la portée universelle de la *Recherche* met sur le même plan la servante et la duchesse, toutes deux soumises aux lois de leur milieu et de leur temps, c'est le miracle et le charme de l'œuvre. Plus le temps passera, plus les différences sociales biographiques paraîtront secondaires, je les ai vécues de près, je peux en témoigner.

Mon Monsieur Proust n'est qu'une image tremblée du grand Marcel Proust, je me dois d'être d'autant plus exact avec l'homme que je me rappelle, avec les lieux, les moments, les faits que je raconte, la voix que j'ose évoquer. L'époque et les circonstances me reviennent comme si elles étaient toujours présentes, j'écris mes souvenirs l'un après l'autre sans me poser de questions, soudain je me dis « comme tout a changé, comment ces choses étaient-elles possibles ? », il me faut donc replacer les choses que je décris dans leur temps et leur lieux, la conversation que je viens d'évoquer plus encore.

Pour nous, en 1986, des baisers imposés par un adulte à un très jeune homme ou à une très jeune fille sont un abus de pouvoir qui répugne, même si cet adulte n'est pas allé plus loin. Pour nous, gamins du peuple dont je faisais partie en 1900, ces baisers étaient déplaisants ou amusants, ils ne nous choquaient pas plus que les autres abus de pouvoir de l'époque, même ce qu'ils pouvaient entraîner de pire nous semblait naturel. Pour qu'il y eût réprobation morale, condamnation religieuse, scandale, il fallait monter plus haut dans l'échelle sociale, jusqu'à la bourgeoisie (si l'on montait plus haut encore, chez les très riches ou les aristocrates, on retrouvait quelque chose de l'indulgence populaire, les deux échelons extrêmes de la société se rejoignant, un baron de Charlus se sentant plus d'affinités, ainsi que le montra Marcel Proust, avec un souverain ou un valet de chambre qu'avec un bourgeois, petit ou grand).

Comme dans *À la recherche du temps perdu*, tout était affaire de « côtés ». De l'un, on parlait avec horreur des « mœurs antiphysiques », de l'autre, on les pratiquait sans scrupules. Si elles avaient lieu entre adultes consentants, elles étaient permises par la loi ; si elles avaient lieu entre personnes de la même classe sociale, elles étaient difficiles ; si c'était entre classes sociales différentes, l'argent faisait taire la réprobation, comblait les abîmes ; la familiarité entre maîtres et domestiques n'abaissait pas les barrières mais donnait l'occasion de les franchir.

Il y avait des domestiques partout, la suite de ce récit montrera qu'on pouvait parfois leur plaire, la règle générale était l'argent et l'autorité. On achetait faveurs ou silence, la barrière des classes était franchie, celle des âges et des lois aussi, un gamin payé se taisait, c'était tout simple (certains de nos contemporains retrouvent ce « tout simple » dans des pays pauvres, comme le fit Gide en Algérie à la fin du XIXᵉ siècle, certains autres dans nos grandes villes, en payant de jeunes immigrés venus de ces mêmes pays, c'est « tout simple »).

Dix-sept années de vie presque misérable m'avaient fait connaître bien des choses mais ne m'avaient pas donné d'expérience directe des relations qu'on appellerait aujourd'hui homosexuelles.

J'avais refusé les petits jeux entre gamins, je connaissais ces relations à travers ce que je voyais autour de moi, les propositions des messieurs dont je venais de parler à Monsieur Proust et les conversations de camarades coursiers ou jeunes employés de la maison Bâtard. Plusieurs d'entre eux avaient été d'une précision qui me confirma que j'avais raison de me méfier de certains pinçages de biceps, quelques-uns évoquaient ce sujet avec dégoût, d'autres avec amusement, d'autres avec cynisme. « Quand y ont du pèze, j'leur dis pas non, j'y gagne et ça me vide les couilles, tu devrais faire pareil. Avec ta gueule d'ange, t'es déjà le chouchou du patron, si t'es pas encore son jésus, t'en prive pas, t'auras une bonne clientèle, entre tantes ils se r'filent leurs mômes... »

De si petite taille que je fusse, je savais me battre et l'avais fait chaque fois qu'un garçon de la maison avait fait allusion à ma situation auprès de Monsieur Bâtard, j'étais son « chouchou », peut-être, mais ni un « jésus » (nom qu'on donnait aux gamins qui se prostituaient aux hommes) ni un « môme » (nom qu'on donnait aux favoris des « marles », les souteneurs de ces petits prostitués). En ce soir de novembre 1906, je ne pensai donc pas une seconde que mon nouveau client pût être une « tante ». Je ne lui attribuerais toujours pas cet adjectif maintenant, j'emploie le vocabulaire d'autrefois parce qu'il me faut être précis, surtout à propos d'un homme qui avait la passion des mots ; on ne disait pas encore « homosexualité », on disait, mélangeant pratiques physiques et sentiments, « amours interdites », « mœurs spéciales », « péché de Sodome », « inversion », « pédérastie ». Gide aimait les gamins, nous le savons par lui, mais préférait « uranisme », il était bien le seul, me semble-t-il.

Je viens de citer Gide deux fois, son apparition me permet de répondre à une question que, lecteur d'aujourd'hui, je me poserais en lisant le récit que je suis en train de rédiger : comment le client d'un hôtel pouvait-il recevoir quelqu'un dans une chambre d'hôtel, des heures durant, sans que ce quelqu'un rencontrât jamais personne d'autre qu'un domestique ?

La réponse est que l'écrivain cloisonnait sa vie ; il avait à Versailles un ami qui vint le voir presque tous les jours aux Réservoirs, je ne l'y ai pas rencontré une fois. Plus tard à Paris, je ne connus que ceux qu'on désira me faire connaître, il n'y eut pas de rencontres dues au hasard, sauf celle d'André Gide (encore qu'un hasard fût peu imaginable de la part du maître de la maison ou de celle qui en contrôlait la porte, Céleste Albaret – on avait peut-être désiré que je fusse entrevu). Voici ce qui se passa.

C'était un soir de 1921, la dernière année où je vis Monsieur Proust. Nous étions dans son appartement de la rue Hamelin, qui fut également le dernier de sa vie. Il n'y avait plus le piano du boulevard Haussmann, plus de tabouret, j'étais assis sur l'unique siège de la pièce, un fauteuil près du lit. Céleste vint annoncer Monsieur Gide, je me levai pour sortir, on ne me demanda pas de le faire par l'autre porte de la chambre, ainsi qu'il était arrivé, quelquefois, lorsque j'étais encore là au moment d'une visite programmée après la mienne, on me pria de rester « un instant, mon cher Noël », et l'on me présenta.

J'étais curieux de rencontrer l'auteur d'un roman qui m'avait plu, *Les Caves du Vatican*, le personnage que je vis me déplut, je ne sais pourquoi (à cause d'un certain air cadavérique ?). Lui-même parut étonné de rencontrer un membre de la Préfecture de Police chez son hôte, surtout si jeune (j'avais trente-deux ans mais toujours l'air d'un adolescent). Je pris congé, l'hôte ne me retint pas, le regard que l'invité posa sur moi sembla exprimer de la surprise, peut-être une sorte de jalousie et un peu de regret.

J'admirai, plus tard, des textes courageux, le *Voyage au Congo*, le *Retour de l'URSS*, et fus très choqué de découvrir, plus tard encore dans son *Journal*, le peu de sympathie que l'auteur de *Si le grain ne meurt* avait eue pour l'auteur d'*À la recherche du temps perdu* et pour son œuvre (chaque compliment est aussitôt compensé par une critique injuste), comme s'il se fût agi d'un rival.

On n'imagine pas la stupéfaction d'écrivains qu'on ne lit plus, en cette fin du XXᵉ siècle, face à l'admiration que suscita Proust, en très peu de temps, avant même sa mort et la publication totale de la *Recherche*, face au surgissement d'un auteur qui les effaçait chaque année un peu plus; illustres avant lui, souvent encensés par lui, ils lui survivaient, le vrai vivant était pourtant le jeune complimenteur qu'ils avaient méprisé ou ignoré. En fut-il de même pour Gide, malgré son prestige, si célèbre, si respecté? Peut-être. D'abord hostile à la publication d'un mondain, il demanda ensuite son entrée à la NRF et proclama son admiration, on le sait, comprit-il tout à fait la valeur et le retentissement de la *Recherche*, on se le demande en lisant son *Journal*.

Éprouva-t-il un sentiment de rivalité, une jalousie? En tout cas, ce ne fut pas réciproque. Si j'en juge par mes souvenirs et par sa correspondance, Marcel n'éprouva rien de tel pour André, admira sans crainte une intelligence qu'il respectait, une œuvre romanesque trop ténue pour faire de l'ombre à la sienne et chercha toujours l'amitié de l'homme, en vain.

Étrangement, quand on se pose des questions sur la vie amoureuse de Marcel Proust aujourd'hui, on ne trouve pas de réponses dans la correspondance du seul vrai grand témoin, Reynaldo Hahn (ce qui pourrait les donner a été détruit ou ne sera publié que dans des lustres), on n'en trouve que dans les confidences qu'il fit à Gide, justement (rapportées sans grand effort de compréhension dans son *Journal*), au cours de quelques conversations et dans la lettre qu'il lui écrivit à propos de la mort d'« un jeune homme que j'aimais » (le fameux Agostinelli dont j'ai dit que je parlerai), dommage.

Pour le moment, nous sommes dans un hôtel en 1906, Monsieur Proust et moi. J'ai commencé une phrase sans la finir, il ne l'a pas oubliée, il n'oublie rien, il n'est pas non plus homme à renoncer. « Vous alliez dire quelque chose, vous vous êtes interrompu, de quoi s'agissait-il, mon enfant ? » J'étais jeune et embarrassé, je croyais encore qu'il faut répondre aux questions, même embarrassantes, j'ai répondu.

UN DÎNER AVEC MONSIEUR PROUST,
SUITE ET FIN

— Tout à l'heure, dans votre appartement, j'ai cru que
vous alliez m'embrasser pour me remercier d'avoir retrouvé
votre carnet, vous avez dit qu'un monsieur de votre âge
n'embrasse pas un jeune homme du mien, ça m'a fait de la
peine.

— Dites-moi pourquoi, mon enfant, parce que personne
ne vous embrasse ?

— Oui, Monsieur, sauf ma mère en cachette et Monsieur
Bâtard, une fois de temps en temps, comme un fils. Vous
m'avez invité à dîner, merci, Monsieur, mais j'aurais été
encore plus content, si vous m'aviez embrassé comme un ami.

— Ainsi, vous pensez que nous pourrions devenir amis ?

Il m'a regardé avec émotion et surprise, il y a une minute,
voilà qu'il me regarde avec l'attention presque effrayante qui
pouvait être la sienne, je commence à la connaître. Je continue avec le courage des timides lorsqu'ils ont commencé
quelque chose.

— Nous avons déménagé, il y a pas longtemps, il *n*'y a pas
longtemps. Je n'ai plus mes amis de Paris, je ne m'en suis pas
fait d'autres ici. Mes collègues disent rien, *ne* disent rien
d'intéressant, j'ai compris en vous écoutant que je n'avais pas

66

d'amis du tout. Quand vous n'avez pas voulu m'embrasser, j'ai pensé qu'un monsieur comme vous ne peut pas avoir un ami comme moi, ça m'a fait de la peine, *cela* m'a fait de la peine. Mais moi non plus je ne peux pas avoir un ami comme vous, il est tard, je vais rentrer, Monsieur.

Je me lève et j'attends que Monsieur Proust me dise au revoir. Il se tourne à nouveau vers la cheminée, sa voix est très douce quand il parle à nouveau.

— En toute logique un monsieur comme moi ne peut pas avoir un ami comme vous ni l'embrasser en ami, vous avez raison selon la logique mais la logique n'est pas tout. Écoutez, mon enfant, je ne sais que penser des choses que nous venons de dire, je vais y réfléchir, il est tard, allez dormir. Retrouvons-nous demain soir, si vous le voulez, si vous le pouvez. Nous reparlerons du sac perdu et nous verrons également si nous pouvons devenir amis, pourquoi pas, au fond ?

Je dis alors quelque chose que je n'aurais peut-être pas dû me permettre.

— Vos amis sont pas comme moi, ils sont des beaux messieurs comme vous, avec des beaux costumes et des belles moustaches.

— Ah, ah, vous êtes bien un détective, vous avez vu la photographie encadrée qui est près de mon lit, en visitant ma chambre pour retrouver mon carnet !

— Oui, Monsieur, un monsieur avec une belle moustache et des mots écrits sous son portrait, je les ai pas lus, j'étais venu pour trouver votre carnet, pas pour être indiscret. Vous avez dit, une fois, « Ah, si Bininuls était là ! », ce monsieur s'appelle Bininuls ?

— Un détective « a l'œil », il a aussi la mémoire, ce mot est difficile à retenir, vous l'avez fait, bravo ! Non, Bininuls n'est pas le nom du monsieur de la photo, c'est le surnom que je donne à un autre grand ami à moi, mon meilleur et plus cher ami. Il s'appelle Reynaldo, il est musicien, il est bel homme, il a une moustache, je lui parlerai de vous, il voudra vous connaître et vous adorera comme je vous adore déjà, car vous êtes adorable (il prononce « adarable »), mais je ne vous présenterai pas au monsieur de la photographie, que je ne vois d'ailleurs presque plus, car il est très beau, en effet, très élégant, mais très « snob » ! Un mondain riche et titré comme lui ne peut imaginer qu'un petit coursier soit un grand détective intelligent, encore moins qu'on puisse le fréquenter, encore moins qu'on ose le lui présenter.

Je ne compris ni « titré » ni « snob », mais très bien que je ne deviendrais jamais l'ami du monsieur de la photo, je n'en fus pas triste, je ne me demandai même plus si je deviendrais l'ami du beau monsieur assis en face de moi. La journée avait été longue, j'avais découvert trop de choses nouvelles, trop mangé, trop bu de vin. J'étais troublé d'avoir tant écouté et d'avoir parlé de moi, je me rassis dans mon fauteuil, tout d'un coup fatigué comme je ne l'avais jamais été.

— Il faut nous séparer, vous avez sommeil. Vous allez rentrer dormir et moi, je vais remonter dans ma chambre. Quant au sac perdu, voici ce que je peux vous dire dès ce soir. Vous allez profiter de votre position dans la maison *Bâtard et Fils* pour dire à votre patron quelque chose qui l'intéressera, j'en suis sûr, ce que vous m'avez raconté de lui le prouve à l'avance. Dites-lui que ce n'est pas chez la vendeuse qu'il faudrait perquisitionner, comme le vilain mari le voudrait, c'est chez lui, le sac perdu y est, j'en suis presque certain. Mais que Monsieur Bâtard ne le dise pas à Monsieur Cornard, s'il revient le voir, qu'il se montre galant homme en protégeant les secrets d'une dame qui n'est pas heureuse.

68

— Vous croyez qu'elle a perdu son sac chez elle ?

— Je crois qu'elle ne l'a jamais perdu. En rentrant au domicile conjugal, elle a été surprise d'y trouver son époux, n'est-ce pas ? Il est avare, il ne lui donne pas d'argent, il a été surpris lui aussi, surpris qu'elle ait pu s'acheter quelque chose de cher. Elle a eu peur qu'il ne regarde dans son sac, elle l'a tout de suite dissimulé pour que son mari ne découvre pas qu'il contenait encore, peut-être, un reste d'argent dont elle n'aurait pas pu expliquer la présence et, peut-être aussi, d'autres choses qu'un mari ne doit pas voir. Elle a caché le sac quelque part dans l'appartement, il y est toujours, elle a peur que son mari ne le retrouve, c'est pour cela qu'elle pleure, comprenez-vous ?

— Non, Monsieur. Quelles autres choses pourrait contenir ce sac ?

— Votre patron le devinera sûrement quand vous lui soumettrez mon hypothèse, interrogez-le. Espérons que le mari ne découvrira jamais le sac et quittons-nous, mon enfant, vous devez être fatigué d'une longue journée et d'une longue conversation. Moi-même, j'ai marché pour la première fois depuis bien des jours, cet après-midi, j'ai à remonter deux étages une fois de plus le même jour, je voudrais économiser ce qui me reste de force afin de relire les notes de mon carnet retrouvé grâce à vous. J'écris de plus en plus durant la nuit, je dors donc le jour, je vis à Versailles depuis des mois mais n'étais plus allé me promener dans le parc avant aujourd'hui, je crois vous l'avoir dit, il ferme quand je me lève. Je n'y suis pas resté longtemps, je le regrette. J'admire cette belle nature modifiée par la main du roi qui fit faire ces jardins, en entendant le vent murmurer dans les arbres dénudés des allées, je croyais voir passer des personnes disparues dont l'absence me fait trop de peine. J'aurais mieux fait d'imaginer, dans ces lieux hantés par tant de souvenirs historiques, les personnages d'autrefois dont parle un grand écrivain que j'admire, le duc de Saint-Simon, qui a vécu dans le palais et connu Louis XIV. Vous ne savez sans doute pas qui est ce duc, vous savez sûrement qui est Louis XIV, ce roi d'il y a longtemps.

J'avais un peu entendu parler de Louis XIV à l'école et beaucoup à Versailles, j'entendis, ce soir-là, le début d'une phrase pareille au début des histoires que ma mère me racontait pour m'endormir, du temps de mon enfance, « il était une fois un roi... » et je m'endormis.

Il me sembla que Monsieur Proust venait près de moi, me prenait dans ses bras comme il aurait pu bercer un enfant, mais je n'en suis pas sûr. Nous ne savons jamais tout de personne, même pas d'un auteur que nous lisons et relisons sans cesse, qui a écrit tant de lettres, dont la vie a été scrutée plus que toute autre. Je l'ai rencontré de nombreuses fois durant de longues heures, écouté avec passion, je ne le connaîtrai jamais tout entier, cependant, je ne saurai même pas ce qu'a été un événement vécu avec lui, s'il a bercé ou non mon sommeil dans le petit salon de l'hôtel au soir de notre première rencontre. Nous ne savons pas tout de nous-mêmes non plus.

On connaît le séjour de l'écrivain à Versailles, en 1906, grâce à sa correspondance et à des témoignages, on en déduit qu'il ne serait pas allé une seule fois dans le parc du château durant ces mois-là. Je me rappelle pourtant bien la visite que je viens de citer, j'en rapporterai plusieurs autres, je raconterai aussi plusieurs événements ignorés de tous, qui eurent lieu à l'hôtel des Réservoirs, à la fin de décembre 1906 ; non par indiscrétion ou parce que j'y fus mêlé mais parce qu'ils montrent le futur auteur de la *Recherche* tel qu'il fut, déjà retiré du monde extérieur et toujours capable, du fond d'un appartement, de s'intéresser à la vie des autres, de la respirer de loin, de l'attirer à lui, de la comprendre et de l'aimer, dans ses petitesses, souvent, sa majesté, parfois.

Si le temps m'en était donné, je pourrais faire d'autres révélations à propos de faits dont je ne fus pas directement témoin, le devrais-je ? Je pense au premier voyage de Marcel Proust à Venise, en 1900, par exemple, bien connu des biographes mais suivi, la même année, d'un second voyage en Italie, demeuré secret aujourd'hui encore. Pourrais-je évoquer ce que j'en sais, un jour, sans trahir les secrets de personnes disparues ? La réponse sera, une fois de plus, celle du Temps : s'il me permet d'ajouter un second volume à celui-ci, je ne résisterai sans doute pas au désir de raconter pourquoi l'écrivain retourna à Venise.

Voici d'abord la fin de l'histoire du sac perdu. Sa fin provisoire, car elle en eut bientôt une autre, définitive, qui confirma les craintes de celui qui voyait en la jalousie un mal aux conséquences dramatiques.

Un étrange et douloureux rebondissement ajouta également une seconde fin à l'affaire du carnet perdu, je la raconterai au moment où elle eut lieu, lorsque Monsieur Proust quitta l'hôtel (point final de mon récit, puisque ce premier volume n'est consacré qu'aux aventures versaillaises du grand détective en chambre de l'appartement numéro 22). Je découvris alors comment une jalousie stupide peut conduire au meurtre, je découvris aussi un visage inconnu de moi à l'amour.

Lorsque je me réveillai dans le petit salon, mon hôte n'était plus près de moi mais sur le seuil et parlait avec le Signor Minimo. Je ne voulus pas être indiscret en les écoutant sans révéler que je ne dormais plus mais, le sommeil me quittant lentement, j'entendis quand même à peu près ceci avant de pouvoir intervenir.

— Merci d'être venu à mon appel, Massimo. Ce jeune homme s'est endormi, je ne sais pas quoi faire. Selon lui, ses parents ne s'inquiéteront pas de son absence mais il ne peut pas finir la nuit dans ce salon, réveillez-le. S'il habite assez près, il rentrera à pied, sinon appelez un fiacre, je paierai la course. Et demandez-lui de revenir demain soir, j'ai encore à lui parler.

— Il habite loin mais plusieurs chambres à domestiques sont vides au dernier stage, je vais le transposer moi-même sans le réveiller, Signor Proust. Cette petite n'est pas bien pesante, que Monsieur ne se sourcille pas. Regardez comme il dort, un vrai *bambino* Djésou ! C'est une bonne garçonne, il a des bonnes joues, rondes et rouges comme des *pomodori*, des tomates, *non è vero* ?

— J'aime beaucoup les bonnes joues rouges moi aussi et un jeune être endormi est un joli spectacle, c'est vrai.

— Oui, ioli, trrès ioli. Cette garçonne est très ioli et rend des bonnes services, je suis contente pour votre cornet.

— Parlez-vous de vous-même et de ce garçon au féminin à cause de votre accent italien ou pour une autre raison, Signor Mi... Signor Massimo ?

— Je suis italienne, Signor Proust, je parle pas bien française mais je suis pas oune de ces messieurs *travestiti* ! Cette petite vous a dit du mal de moi ?

— Pas le moindre. Auriez-vous quelque chose à vous reprocher, Massimo ?

Je crus nécessaire de m'éveiller définitivement à ce moment-là.

— Pardonnez-moi de m'être endormi, je vais retourner chez mes parents.

— No, no, va dormir au stage des domestiques, il y a des chambres vides au fond du corridor, je ne te fais pas la conduite, j'en peux plus de monter les escales. Viens me voir demain matine, je te donne des courses à faire et tu reviens le soir, Monsieur veut te parler. À quelle heure, Monsieur Proust ?

— À neuf heures, si vous le voulez bien, Monsieur Noël.

— Oui, Monsieur, merci de ce bon dîner, bonne nuit, Messieurs.

Je saluai les deux hommes et montai me coucher de la façon que m'avait indiquée le Signor Minimo. Ma première rencontre avec Monsieur Proust, commencée tard, finie plus tard encore, en tête à tête presque total, venait d'avoir lieu.

Les souvenirs de ce premier jour débordent de ma mémoire, rien n'indique mes sentiments dans mes notes d'alors, je les déduis aujourd'hui de la situation, ils importent peu, je vais passer à ce qui va faire voir mon Monsieur Proust à l'œuvre. Je veux cependant signaler ma joie et ma fierté, lorsque je sus qu'un personnage si impressionnant désirait revoir si vite et en privé l'infime personnage que j'étais.

Le phénomène a été vécu par beaucoup de contemporains de Marcel Proust, quels qu'ils fussent, à toutes les époques de sa vie et de la leur, la gloire n'y changea rien. Ils étaient soudain élus, s'en réjouissaient ou non, répondaient ou non. Ceux qui lui furent fidèles jusqu'à la fin durent déployer des qualités à la mesure de ce que réclamaient un cœur toujours blessé, une intelligence effrayante.

Répondre à l'amitié du petit Marcel ou à celle du grand Proust fut toujours difficile (ses sentiments pour les autres n'étant pas moins difficiles pour lui), rares étaient ceux qui résistaient à l'épreuve. Leurs témoignages montrent l'ami follement empressé puis follement susceptible, follement jaloux, toujours présent durant des mois puis totalement absent durant des années ou pour toujours. Certains témoins ont été de vrais proches, d'autres ont su se servir de leurs souvenirs,

73

surtout s'ils avaient conservé quelques-unes des lettres écrites par celui qui, « exilé en plein Paris » (ainsi que disait de lui l'un de ses vrais amis) par la maladie et le travail, en écrivit des milliers. D'autres n'ont jamais rien dit ; s'ils ont reçu des lettres, ils ne les ont pas publiées, ils n'ont pas témoigné, ils n'appartiennent pas à une légende mais ils ont fait partie d'une vie. J'ai connu très peu de ceux qui ont compté dans cette vie-là, je ne peux leur rendre hommage en citant leurs personnes, je le regrette, moi qui suis sans doute le dernier d'entre eux. Je ne parlerai pas à leur place mais je peux évoquer cette place obscure, je le fais.

RETOUR À L'AFFAIRE DU SAC PERDU

Le lendemain soir à neuf heures, après avoir fait des courses pour le portier et vu monsieur Bâtard qui me fit des révélations sur le sac perdu, je frappai à la porte de l'appartement 22. Une voix joyeuse me dit d'entrer, j'entrai et fus stupéfait.

On avait tout rangé, une des tables qui servaient de bureau à Monsieur Proust, débarrassée de tout papier, livre, carnet, porte-plume, encrier, était transformée en table de restaurant avec nappe blanche, argenterie, cristaux et bougies allumées dans un bougeoir à plusieurs bougies.

— J'ai profité de la leçon que m'a donnée la perte de mon carnet pour faire tout ranger afin de ne plus rien perdre, au moins jusqu'au moment où je quitterai l'hôtel, puisque je dois m'installer bientôt à Paris dans un nouvel appartement. On m'a certifié que les travaux y étaient presque terminés, je sais qu'il n'en est rien, tant pis, j'y serai à la fin de l'année. Il ne m'apportera pas le bonheur, il est triste, sombre et trop vaste mais j'aime les pièces où l'on ne va pas, le clair-obscur et les souvenirs. Il y en aura dans celui-là, mes parents l'ont connu, j'aurai le confort dont j'ai besoin pour ma santé et mon travail, vous-même, asseyez-vous confortablement, je vous en prie.

— J'ai des nouvelles du sac perdu, Monsieur.

— Ah, ah ! J'appelle pour qu'on vous monte à dîner et vous me racontez tout, j'ai hâte de savoir si ma « version des faits », ainsi que l'on dit en langage policier, est la bonne.

J'étais passé voir ma mère avant de revenir à l'hôtel et lui avais raconté mes récentes aventures. Elle m'avait aidé à me faire beau ou, plutôt, moins laid, costume noir, retaillé un peu trop grand dans un costume acheté au fils d'un voisin pour l'enterrement de mon grand-père, devenu à ma taille deux ans plus tard mais demeurant d'occasion, chemise blanche, cravate noire, chaussures marron noircies grâce à du cirage, cheveux lissés à l'eau sucrée. Monsieur Proust m'en fit compliment, il avait changé de tenue également mais lui, il était vraiment beau. La couleur était toujours la même, le noir, les revers de sa veste courte, à la fois ouverte et très ajustée, étaient couverts d'un tissu brillant, une fleur blanche fixée sur l'un d'eux (elle me parut fausse, elle était vraie), aucun coton ne dépassant plus de son col blanc fermé par un nœud papillon, blanc lui aussi.

Je n'osai lui dire combien je le trouvais beau et changé. Son visage était moins pâle, les yeux étaient toujours cernés mais il semblait heureux et bien portant.

Il téléphona pendant que je m'asseyais puis vint s'asseoir en face de moi.

— On nous montera le dîner dans dix minutes, maintenant dites-moi tout mais dans l'ordre et en prenant votre temps, je veux pouvoir réfléchir à chaque détail. Chaque détail compte, vous le savez sûrement par votre Monsieur Bâtard.

— Oui, Monsieur, il dit toujours : « Si les gens faisaient plus attention aux détails, personne n'aurait besoin de faire suivre personne, je n'aurais plus qu'à fermer boutique. » Je suis allé recopier du courrier dans son bureau, cet après-midi, la dame est arrivée à cinq heures.

— Ah, ah, l'affaire se « corse » ! Décrivez-la, jolie mais mal mise, n'est-ce pas ?

— Mal mise, je sais pas, jolie, je crois. Elle portait un manteau d'hiver et un chapeau avec voilette, on voyait quand même qu'elle était inquiète. Monsieur Bâtard m'a demandé de sortir puis, quand la dame est repartie, il m'a rappelé et tout raconté. Vous aviez raison, Monsieur, le sac était chez elle.

— Pas si vite, pas si vite ! Essayez de me répéter ce que vous a dit votre patron mot pour mot, les mots sont les cailloux du Petit Poucet, ils permettent de retrouver son chemin dans la forêt, connaissez-vous ce conte ?

— Oui, Monsieur, mon grand-père m'appelait Poucet à cause de ma taille. Monsieur Bâtard m'a dit : « Le sac était chez elle, votre ami avait raison, faites-le-moi connaître, je l'engage ! » Je m'étais permis de dire, en arrivant au début de l'après-midi, qu'un ami de ma famille m'avait raconté une histoire de dame qui avait perdu un sac mais, en réalité, le sac était chez elle, j'espère que vous m'en voudrez pas, Monsieur.

— Je vous en voudrais si vous aviez présenté l'hypothèse comme venant de vous, mais vous avez été honnête et c'est très bien. Cependant, à l'avenir, soyez-le moins. Je m'explique.

Monsieur Proust se leva et parla en allumant une poudre répandue dans une petite coupe (j'ai oublié de dire que la pièce avait également changé parce qu'il n'y flottait plus de fumée). La poudre brûla un peu puis s'éteignit, je pus continuer à respirer.

— Je suis flatté de la proposition de votre patron, dites-le-lui. Je ne peux, hélas, l'accepter mais vous, dans l'hypothèse

77

où une autre affaire mystérieuse se présenterait et où vous auriez la bonté de me la raconter, si j'ai une idée, je vous la soumettrai et, si elle peut vous être utile, dites qu'elle est de vous, mon enfant, c'est vous qui commencez une carrière d'investigateur, pas moi. Il est vrai que j'en ai commencé une, de mon côté, mais mon investigation est d'une autre nature, je ne sais pas encore où elle me mènera, continuez à me raconter celle de la jolie dame, je vous en prie.

— Elle venait voir Monsieur Bâtard parce qu'elle était très ennuyée. Son mari est retourné plusieurs fois au commissariat, il a menacé la police d'aller chez la vendeuse, si la police y va pas. Il croit que le sac est chez elle, « il n'y est pas, il est chez moi, Monsieur Bâtard, chez moi depuis le début », ce sont les mots de la dame, mon patron me les a répétés, c'est ce que vous aviez pensé, Monsieur.

— Oui. Laissez-moi imaginer la suite de son récit. Le sac est chez elle parce qu'il contient des lettres, j'en suis sûr, des lettres que son mari ne doit jamais lire, des lettres d'amour d'un monsieur, un monsieur qui a peut-être aussi donné à la dame l'argent nécessaire pour acheter le beau châle, je me trompe ?

— Vous vous trompez pas, Monsieur, il y avait des lettres d'un monsieur dans le sac, et de l'argent, elle l'a dit. Elle a pas dit que ce monsieur lui avait donné cet argent mais que son mari lui en donnait presque pas, comment avez-vous deviné tout ?

— En apprenant que le mari avait reproché à sa femme d'avoir fait une dépense et en vous écoutant raconter la façon dont il accusait la vendeuse et la police. J'ai pensé qu'il était un coléreux, un avare et un jaloux, donc soupçonneux, donc malin. Sa femme a des secrets, il veut profiter du sac perdu pour demander à un détective de le retrouver afin de savoir ce qu'il y a dedans. Vous avez dit aussi qu'il était plutôt vieux, lui-même parlait de sa femme comme d'une jeune écervelée, vous avez précisé qu'elle pleurait, la plus banale des conclusions s'est imposée. Vieux mari avare désagréable, jeune épouse malheureuse, amant secret, lettres d'amour qu'il faut cacher quelque part, quoi de plus sûr qu'un sac dont on ne se sépare jamais, quoi qu'il arrive ? Elle ne pouvait donc l'avoir perdu, il était donc chez elle.

— Exact, exact ! Son mari était dans l'appartement, quand elle est rentrée du magasin. Il a vu le paquet, il a demandé ce que c'était, elle a montré le châle. Il a dit : « Avec quel argent avez-vous acheté un si beau châle ? » Elle a dit : « Avec les économies que je fais sur les courses du ménage, mon ami. » Elle savait qu'il voudrait regarder dans le sac pour voir s'il y restait de l'argent, elle l'a caché.

— Où et quand ?

— Dans le carton du magasin, sous le papier de soie qui enveloppait le châle, en même temps qu'elle le montrait à son mari.

— Elle a donc recouru à une variante du système de *La Lettre volée*, habile, très habile ! On dit qu'on a perdu un sac en achetant un paquet, on montre le paquet... qui peut imaginer que le sac est dedans ?

— Mais le mari l'a forcée à remettre le châle dans le paquet pour le reporter au magasin, quand elle a dit qu'elle avait perdu son sac.

— Il a donc fallu le dissimuler ailleurs et discrètement, où ?

— C'est un petit sac, elle l'a dissimulé dans sa... sous ses jupons.

— Ah, ah... au lieu d'accuser la police de ne rien faire, le mari aurait mieux fait de l'imiter ! La police dit toujours qu'il faut chercher l'arme sur le lieu du crime, il aurait dû la chercher dans les environs du lieu qui... pardonnez-moi, je m'égare !

Je vois à nouveau Monsieur Proust rire et rougir à la fois, je rougis moi-même en repensant à l'endroit où la dame a caché son sac, endroit proche d'un autre qui affole ma jeune imagination, et je reprends ma narration au plus vite.

— Cette dame est de plus en plus embarrassée parce que son mari se fait mal voir du commissaire en accusant une innocente, elle a peur d'une enquête, elle est venue demander conseil à Monsieur Bâtard, il lui en a donné un.

— Laissez-moi deviner, rendre les lettres à l'amant, retrouver le sac au plus tôt et le montrer au mari ?

— Exact, toujours exact. Mais la dame a refusé. « Je ne peux pas rendre ces lettres à la personne qui me les a écrites, elle est à l'étranger en ce moment, il faudrait les confier à une personne sûre, je n'en vois qu'une à Versailles, vous, Monsieur Bâtard... – Impossible, chère Madame, impossible, je ne peux risquer de me rendre coupable de ce qui constituerait un recel, si la police faisait une enquête. Mais je vous propose deux choses, la première est d'accepter que cette consultation soit gratuite... – Ah, non, Monsieur Bâtard ! Je suis allée demander de l'argent à un am... à une amie qui m'en a donné, je connais votre tarif par mon mari, voici la somme. – Tu, tu, tut (mon patron dit souvent « tu, tu, tut »), achetez-vous une autre jolie chose avec cet argent, mais moins visible qu'un châle, et acceptez ma seconde proposition. Je vais prendre ces lettres mais pour les remettre à une personne de confiance, une personne qui vous les rendra si vous les lui redemandez. »

— Vous a-t-il dit à quelle personne il pensait ?

Je rougis à nouveau sans répondre et fis un geste dont mon hôte ne sembla pas s'apercevoir (tâter la poche intérieure de ma veste), parce qu'il leva la tête vers le plafond pour en rapporter une sorte de conclusion mélancolique.

— Ce monsieur Bâtard est un malin, je suis sûr qu'il a dans ses relations une personne qui se chargera de ces lettres,

voilà cette affaire finie, je le regrette. J'attendais un autre
« coup de théâtre », il n'y en a pas eu, vous voyez que je ne
devine pas tout !

— Qu'est-ce qu'un coup de théâtre, Monsieur ?

— Un événement qu'on n'attendait pas et qui modifie le
cours d'une histoire.

— Alors, Monsieur, vous devinez bien tout, il y a eu un
événement inattendu dans le bureau de mon patron, un coup
de théâtre.

Nous entendîmes, au même moment, frapper à la porte.
Monsieur Proust cria « Entrez ! », les deux serveurs de la
veille entrèrent, poussant une table roulante devant eux, un
peu rouges de l'avoir montée des cuisines jusqu'ici, Daniel
agité, Joseph placide. Le client du 22 sembla surpris de revoir
les mêmes personnes mais les remercia en leur donnant une
ou plusieurs pièces, déjà prêtes dans sa poche de veste.

Je détournai la tête assez vite pour ne pas voir la somme
exacte, pas assez pour ne pas voir le regard furieux que
Daniel me jeta, comme la veille.

Je compris alors quelque chose que j'aurais dû deviner dès
hier, connaissant bien les rivalités entre inférieurs et supérieurs dans la petite société de l'hôtel comme dans la société
tout entière, donc les jalousies qu'elles entraînent. J'avais
dîné, le jour précédent, au restaurant avec un riche client
célibataire, je dînais, ce soir, dans sa chambre, Daniel était
sans doute jaloux de moi. Mais pour quelle raison précise ?
Seulement parce que j'étais plus jeune, situé plus bas que lui
dans l'échelle des métiers, et que je tirais avantage de la générosité de quelqu'un qui avait été son client avant d'être le
mien ? Parce qu'il me suspectait de bénéficier de faveurs plus
particulières ? En avait-il horreur, aurait-il aimé au contraire
en bénéficier lui-même, comment savoir ?

Si je repensais à sa façon d'être avec Monsieur Proust, hier soir, à la fois servile et autoritaire, je pouvais le supposer prêt à tout pour son plaisir ou pour de l'argent (à notre niveau, c'était à peu près la même chose). Encore jeune, toujours bien vêtu et bien coiffé, caressant souvent une imperceptible moustache blonde, les yeux sans cesse inquiets, cet homme me semblait pouvoir appartenir à l'espèce des messieurs dont j'avais parlé à mon hôte, hier, ou du moins à la catégorie de leurs protégés.

Je me rappelle que j'eus ces doutes dès le début du deuxième dîner. Revoyant en pensée la tendresse maussade de ce garçon envers le riche client, j'allai même jusqu'à me demander s'il n'avait pas, durant les mois précédents, obtenu ce qu'il souhaitait et craignait d'en être privé à cause de moi; dans ce cas, les regards qu'il me lançait n'auraient plus seulement exprimé de la jalousie envers un rival potentiel mais de la haine envers un remplaçant avéré. Infidèle au conseil de Monsieur Bâtard, « n'oubliez jamais que tout est possible, tout le monde est capable de tout, y compris vous-mêmes », je repoussai une hypothèse qui eût diminué mon respect pour mon nouveau client, l'admiration que j'éprouvais déjà pour lui sans pouvoir encore en mesurer la force et l'étendue. Je me refusai donc à conclure que Daniel serait parvenu à obtenir des faveurs particulières, le soupçon demeura quand même.

L'attitude de Monsieur Proust face au serveur de ces deux soirs-là n'était pas contraire à l'éventualité d'une liaison dont j'avais déjà vu des exemples dans cet hôtel, le surveillant dans le miroir, tentant de conserver son pouvoir sur lui en le blâmant, « vous me servez toujours trop », et en lui donnant de l'argent, ce soir (je commençais à découvrir qu'il avait la passion des pourboires distribués sans mesure ni discernement, il n'en demeurait pas moins que certains services étaient toujours rétribués).

Ces doutes inimaginables, une minute plus tôt, envers un homme que j'admirais, que j'aimais déjà comme un père spirituel (expression que je ne connaissais pas encore mais qui exprime exactement le sentiment que je ressentais), me firent mal. Il m'était insupportable de le comparer aux messieurs dont il m'avait conseillé de me méfier, ces messieurs que le Signor Minimo avait traités, la nuit dernière, tandis que je me réveillais dans le petit salon, de *travestiti*, voulant dire, sans doute, « invertis » plus que « travestis ». Devais-je soupçonner de ce vice, hautement réprouvé en public dans son monde, d'autant mieux pratiqué en secret, je le savais, celui dont j'aurais tant voulu devenir l'ami ? Devais-je me soupçonner moi-même d'éprouver une affection suspecte ? Monsieur Proust me paraissait au-dessus des petitesses de la vie, je n'avais pas l'habitude de m'interroger sur moi, j'étais jeune, j'avais faim, mes pensées changèrent de direction.

Un repas d'un nouveau genre allait avoir lieu, le terrible Daniel et l'inoffensif Joseph avaient disparu, mon hôte tournait autour de la table roulante comme un chat devant un objet enveloppé, je fus tout à la découverte de plaisirs nouveaux pour moi, le luxe des riches, une vraie conversation, l'admiration envers une personne plus nouvelle encore, admiration toujours vivante quatre-vingts ans plus tard.

DEUXIÈME DÎNER
AVEC MONSIEUR PROUST

Le monsieur élégant, plus élégant encore qu'un maître d'hôtel, s'empare de la table et la fait rouler vers moi, je me lève pour l'aider.

— « Tu, tu, tut », comme dirait votre patron, rasseyez-vous ! Ce soir, pareil au roi Louis XV qui préparait lui-même son café dans une pièce du palais qui n'est qu'à quelques mètres de nous, quand il voulait éviter la présence des domestiques, présence que je veux également éviter ce soir, c'est moi qui fais le service ! Il ne sera pas au-dessus de mes faibles capacités, j'ai vu que vous mangiez peu, je mange moins encore, notre festin sera modeste et facile à servir, j'espère qu'il vous plaira.

Je me rassieds, très gêné d'être servi par un monsieur mais avant tout obéissant (les maîtres étaient si souvent capricieux que nous étions résignés à tout). Le monsieur prend une carafe d'eau sur la grande table, emplit chacun des deux plus grands verres posés devant nos deux assiettes, tire un papier de l'une de ses poches et le lit en riant.

— Je n'ai pas l'habitude de servir. (Non seulement Monsieur Proust n'avait jamais servi personne mais ne s'était jamais servi lui-même, ayant toujours eu des domestiques, si je n'avais assisté à la scène, je n'y croirais pas.) Mais le cuisinier m'a fait monter des notes, par quoi commencer, par quoi continuer, par quoi finir. Je vous lis la première, « soulever le casque de la soupière, servir la soupe ». Le mot casque me ravit, ce couvercle ressemble, en effet, à un casque à pointe prussien, et le mot soupière me fait rire à cause de son orthographe, S, O, U, P, I, A, I, R, E, avec un *a* et en capitales, Dieu sait pourquoi ! Mais le mot soupe est écrit comme il faut et la soupe elle-même a été faite également comme il faut. André, qui vous nourrit parfois, je l'ai appris avec plaisir, m'a dit que vous aimiez particulièrement cette recette-là.

Il soulève le couvercle de la « soupiaire », le repose sur la table roulante, prend une louche posée sur cette table et me sert deux rations de ce que j'aime par-dessus tout, en effet, une soupe de légumes emplie de pain trempé, autrement dit une panade, plat commun aux pauvres, je le sais, donc tel que le beau monsieur élégant n'en a sans doute jamais vu (pas plus qu'il n'a tenu de louche, probablement, mais il est d'une adresse manuelle surprenante, je le constaterai souvent). Avant de commencer à manger, j'attends que mon serveur et hôte s'attable avec moi, il s'en aperçoit et s'assied.

— Mangez tranquillement, je vous accompagnerai pour le plat suivant, un plat dont vous me direz « des nouvelles », comme eût dit une merveilleuse cuisinière de mon enfance, à la campagne, Ernestine, Ernestine Gallou, qui se rappelle encore son nom, aujourd'hui, si ce n'est moi ?

Je retiens le nom et me lance dans ce nouveau repas avec l'élégance apprise la veille, Monsieur Proust se lève, il a besoin d'un médicament dans la salle de bain, j'ai donc le temps d'expédier ma soupe, ainsi que disait mon grand-père : « Expédie, mon garçon, nous avons du pain sur la planche, il faut repiquer les salades, expédie ! » Il louait un petit potager sur la butte Montmartre, où nous habitions, qui se souvient de lui, près d'un siècle plus tard, si ce n'est moi, quasi centenaire ?

Celui dont le monde entier se souvient encore aujourd'hui, plus de cent ans après sa naissance, revint, les yeux rouges. Avait-il pris un médicament ? Je crois plutôt que le souvenir d'Ernestine lui avait rappelé une autre personne de son passé, une personne dont le souvenir le traversait si régulièrement et de façon si violente qu'on pouvait, si on le connaissait un peu, en deviner l'approche, le passage, le ravage, le lent départ jamais total, sa mère, disparue l'année précédente.

Lorsqu'il parlait d'elle, il disait « maman », afin de pouvoir encore faire résonner ces syllabes chéries. Je n'éprouvais pas ce besoin (jamais je ne pus parler de ma mère, après sa mort, en l'appelant « maman », mot réservé à elle seule, je disais « ma mère ») mais je le comprenais. Je cherchai donc, de plus en plus souvent au cours des années, l'occasion d'évoquer avec Monsieur Proust le souvenir de sa chère disparue, passant de « Madame votre Mère » (expression que m'avait apprise Monsieur Bâtard), à « votre mère », puis à « votre maman », sachant le plaisir douloureux mais indispensable à sa vie que lui causait ce mot.

Il s'approcha de moi, vit que j'avais fini ma soupe, reprit son papier et lut « changer les assiettes ». Je me levai pour l'aider, il me força à me rasseoir, enleva mon assiette creuse de la grande table, la posa sur la petite où trois piles attendaient. Il m'en nomma la fonction, grandes assiettes pour le plat principal, assiettes plus petites pour le fromage, plus petites encore pour le dessert, il posa devant moi une des grandes assiettes puis reprit son papier, m'en fit la lecture, « soulever la cloche du plat à poisson posé en bas de la table », et, passant comme toujours, en un éclair, d'un sentiment à un autre, retrouva sa gaieté du début.

— J'ai prononcé « poisson » parce que mon esprit sait que le second plat est du poisson mais ce que lisent mes yeux est « poison », figurez-vous ! Libérons donc ce poison de sa cloche et mangeons-le, poison que j'aime entre tous, une sole.

Il voulut prendre, à l'étage inférieur de la table roulante, un long plat couvert d'une cloche ovale. N'ayant pas vu que ce plat reposait sur ce que j'appris être un chauffe-plat, il se brûla le bout d'un doigt de la main droite, poussa un petit cri mais posa le tout sur la table, trempa son doigt dans son verre d'eau et continua en riant.

— J'aurais dû vous lire aussi la suite et en tenir compte, « attention, le plat est chaud », chaud écrit *c*, *h*, *o* !

Il ne s'était pas brûlé gravement mais je m'arrangeai, dès lors, à partager le service avec lui et découvris, en un soir, l'usage des couverts à poisson, celui d'un objet destiné à maintenir la chaleur des nourritures et celui d'un objet chargé du contraire, maintenir la fraîcheur d'un vin, le seau à glace, le goût délicieux d'une sole et d'un vin blanc, la difficulté de manger avec lenteur et distinction lorsqu'on a faim...

Mon hôte quitta la table après l'unique sole dont serait constitué son dîner, me laissant manger seul, revenant me servir du vin, ne buvant lui-même qu'une gorgée d'eau, pareil à un oiseau qui passe au-dessus d'un bassin, s'éloignant au moment du fromage, se rapprochant au moment du dessert, me laissant revenir de moi-même à l'affaire du sac perdu, écoutant un détail, en devinant un autre, m'interrogeant peu, préférant réfléchir. Réfléchir était sa vie, tout voir aussi, j'en avais eu la preuve à mes dépens, lorsque nous avions commencé à manger les soles. Revenant sur les instructions du chef, il avait dit : « Mangeons ce poison comme s'il s'agissait des "fruits miraculeux dont votre cœur a faim" dont parle Baudelaire, vous connaissez le traducteur d'Edgar Poe, peut-être pas le poète des *Fleurs du mal*, il n'écrivait pas pour la jeunesse... », et avait ajouté avec malice : « Mais votre jeunesse en sait déjà beaucoup grâce à vos différents métiers, vous avez même les lettres d'amour d'un amant à une femme mariée dans votre poche, le monde des adultes n'a plus de secrets pour vous ! »

Il m'avait donc vu rougir à propos des lettres provenant du sac de Madame Cornard et porter une main à ma poche de poitrine ! Contrairement à ce qu'il venait de dire, j'avais encore beaucoup à apprendre, je me promis d'éviter les gestes révélateurs à l'avenir et voulus prouver que je savais déjà faire comme lui, hier, parler en mangeant, impossible... L'élégant monsieur ne mangeait plus depuis longtemps, il me regardait en souriant, je me sentis rougir à nouveau (il est très difficile de ne pas rougir), il ne me restait plus que la solution la plus banale, quand on veut dissimuler une émotion, parler (je pouvais le faire, j'avais fini la sole).

— Il y a bien eu « un coup de théâtre » dans le bureau de Monsieur Bâtard, Monsieur. Il m'a demandé de prendre ces lettres, elles sont dans ma poche, en effet, comment avez-vous deviné ?

— Un fameux détective anglais répond toujours à cette question en disant « élémentaire, mon cher Watson », je répondrai en vous disant « en observant, mon cher Noël ». Quand je vous ai demandé à qui votre patron pensait les confier, vous avez rougi et porté la main à votre cœur, autrement dit à la poche intérieure gauche de votre veste, celle où nous mettons le plus facilement les choses, quand nous sommes droitiers, choses aussi précieuses que notre portefeuille, notre carnet de notes, les lettres d'amour reçues d'une dame... En l'occurrence des lettres d'amour reçues *par* une dame !

— Monsieur Bâtard me les a confiées provisoirement, on ne sait jamais ce qui peut se passer avec la police et le mari.

Si on cherche des lettres sans les trouver chez les Cornard et si on apprend que la dame est allée chez *Bâtard et Fils*, on peut soupçonner le patron et ses employés d'avoir ces lettres. Monsieur Bâtard me les a remises pour que je les donne à garder par une personne de confiance.

— Il est malin, bravo. Pouvez-vous me dire qui est cette personne ?

— Oui, Monsieur. C'est vous.

Une fois de plus, j'étais parvenu à surprendre Monsieur Proust. Il me regarda avec stupeur puis s'éloigna, parlant fort (je ne l'aurais jamais imaginé élevant la voix).

— Que me racontez-vous là ? Pourquoi me confier ces lettres ? Ne me dites pas que c'est une idée de vous !

— Une idée de mon patron, Monsieur, « un ami de votre famille a connu un cas semblable, confiez-lui les lettres », ce sont ses propres mots...

— Sauf que cet ami est imaginaire, je vous le rappelle !

Mon nouveau client m'avait toujours semblé la courtoisie même (ce qu'il était, en effet), sa vivacité me surprit. Il m'expliqua par la suite qu'il avait craint de s'encombrer d'une responsabilité dont il voulait d'autant moins qu'il allait bientôt quitter Versailles mais, sur le moment, je pris sa réaction pour de la mauvaise humeur, spécialité de l'ami de ma mère, cauchemar que j'avais appris à fuir. Je me levai, sortis le paquet de lettres de la poche de ma veste, allai le poser sur un meuble (ce type de meuble s'appelle commode mais ne l'est pas, il faut se baisser pour manipuler des tiroirs qui coincent toujours, qu'on les ouvre ou qu'on les ferme), puis je retournai vers la table. Une soupe et une petite sole ne m'avaient pas suffi, je me servis l'une des deux soles qui restaient et commençai à la manger sans me préoccuper de mon hôte, impolitesse dont je ne me serais pas cru capable une minute avant.

Monsieur Proust ouvrit avec peine un tiroir de la commode, y prit une cigarette, l'alluma à l'une des bougies qui brûlaient sur la table, toussa un peu et se promena dans la pièce, toujours de mauvaise humeur, en apparence, toujours capable de lire en moi.

— Certaines personnes me conseillent de fumer des cigarettes pour ouvrir mes bronches, d'autres me disent qu'elles les encombrent, je ne sais plus c'que faire, comme on disait dans ma campagne, ce que vous avez à faire, vous, est plus simple. Vous avez encore faim, prenez de la salade, du fromage et du pain tandis que je pense à ces lettres, j'ai besoin d'y réfléchir quelques minutes.

Je mangeai salade et fromage en même temps, avec beaucoup de pain et en buvant deux verres d'eau et un plein verre de vin. Ma faim s'apaisa, mon sentiment de malaise changea de nature. J'avais mécontenté une personne qui comptait déjà beaucoup pour moi, comment éviter de recommencer ?

La personne me donna la réponse en soulevant, avec une joie d'enfant déballant un cadeau, une serviette qui recouvrait un plat posé sur la table roulante.

— Voici notre dessert ! J'ai vu hier que les gâteaux à la crème ne vous plaisent pas, ils me déplaisent également, je leur préfère une simple tarte aux fruits semblable à celles que faisait Ernestine, rustique dessert de mes vacances d'alors, à la campagne. La fidèle Félicie dont je vous ai parlé, elle s'occupe de moi en attendant que j'aie trouvé un valet de chambre, a été la cuisinière de ma mère et fait de délicieuses tartes, elle aussi, mais c'est impossible à l'hôtel. Ce soir, elle est revenue tard de Paris et très fatiguée, grâce à quoi elle dort déjà « comme une pioche », expression que j'adore sans savoir pourquoi, sinon elle s'agiterait autour de nous et refuserait que je fasse quoi que ce soit, comme si j'étais toujours l'enfant qu'elle a connu, incapable de soulever une autre pioche que celle qu'on donne à un bébé pour jouer dans le sable. Elle n'a pas tort, je ne me sers de mes mains que pour écrire, la chose doit vous choquer, vous, si actif que vous prenez à peine le temps de manger, raison de plus pour que vous vous nourrissiez au moins dans cet hôtel. J'ai commandé la tarte au cuisinier, j'espère qu'elle vous plaira.

Ainsi la chambre d'à côté était-elle occupée par une domestique, qui nous entendait peut-être parler en ce moment même, ainsi Monsieur Proust se renseignait-il sur moi. Par qui, je ne parvenais pas à le deviner, le voyant mal descendre aux cuisines interroger le personnel au sujet d'un coursier, même prétendument détective, auquel André ou Fernand (le cuisinier) donnent souvent à manger, il est vrai.

Ces questions furent vite oubliées, la tarte aux pommes était déjà découpée, mon hôte n'eut pas de peine à en poser une portion dans une assiette qu'il me tendit puis dans une autre qu'il plaça sur la table. Il s'assit devant moi, utilisa une petite fourchette pour découper deux ou trois minuscules morceaux de tarte, les porter à sa bouche et les manger précautionneusement, je fis de même mais moins lentement, avec des morceaux moins minuscules et plus nombreux.

Il reposa bientôt sa fourchette et me regarda manger avec une attention souriante qui aurait dû m'intimider, elle acheva au contraire de chasser mes craintes, cet homme était bon et voulait mon bien. Il alla s'asseoir dans un fauteuil près d'une petite table, alluma une seconde cigarette et me fit signe de le rejoindre. Un autre fauteuil était en face du sien, je m'y assis. Allais-je m'y endormir, comme hier soir dans le fauteuil du fameux salon avec cheminée ?

SUITE DE L'AFFAIRE DU SAC PERDU

— Votre patron vous a demandé de remettre à un personnage imaginaire des lettres bien réelles et probablement compromettantes pour la dame qui les a reçues, je refuse de jouer le rôle de ce personnage complaisant, mon enfant, comprenez-le. Mais je ne veux pas vous mettre dans l'embarras, je vous propose donc une solution. Je vais les garder cette nuit et les donnerai demain à Massimo, sous pli fermé, en lui disant de le garder jusqu'à ce que vous veniez le chercher. Si la dame redemande ses lettres à Monsieur Bâtard, il vous préviendra, vous les reprendrez plus rapidement dans un hôtel où vous passez tous les jours que si vous étiez obligé d'aller à Paris les chercher chez moi, n'ai-je pas raison ?

— Oui, Monsieur. Merci de bien vouloir m'aider, Monsieur.

— Votre frais visage demeure triste, mon enfant, puis-je savoir pourquoi ?

Mon frais visage ne put changer d'expression, je ne sus pas répondre. J'avais été de mauvaise humeur, à présent j'étais triste, en effet, pourquoi ? Je le compris en regardant les lettres posées sur le meuble à tiroirs, hier couvert d'objets, aujourd'hui orné d'un simple vase vide. Monsieur Proust allait bientôt donner ces lettres au Signor Minimo, la pièce autour de moi, hier en désordre, était aujourd'hui rangée, prête à recevoir un autre client. À peine rencontré, le monsieur aux grands yeux attentifs, aux lèvres rouges et rieuses d'où sortaient tant de paroles intéressantes, allait partir. Je resterais à Versailles, ville que je n'aimais pas, l'occupant de l'appartement 22 retournerait à Paris, ville que j'aimais, où il m'était facile de retourner par le train, je l'avais déjà fait pour aller saluer un vieil ami de mon grand-père, mais pour aller voir Monsieur Proust, il aurait fallu qu'il me le demande, il ne le ferait pas, je le craignais.

Un monsieur comme lui ne deviendrait pas ami avec un gamin comme moi, j'en étais conscient et triste à l'avance, mais je m'y résignais déjà. Je me le rappelle car ce moment-là fut le premier où je fus enfin conscient de ce qui m'arrivait depuis vingt-quatre heures, qui n'aurait pas dû m'arriver, en tout cas qui ne durerait pas, une relation avec une personne d'un autre milieu que le mien, supérieure à moi de toutes les façons possibles. Le vieil ami de mon grand-père, Monsieur Charpentier, qui était musicien, avait été bon pour moi, il m'avait donné des leçons de musique gratuites à Paris, Monsieur Bâtard et Monsieur Massimo m'avaient pris en amitié à Versailles, ils me donnaient du travail, c'était déjà une grande chance, il ne fallait pas espérer mieux.

Mon grand-père m'avait parlé de la Révolution française et de la Commune de Paris, pour sa fille et pour lui la devise républicaine, « Liberté, égalité, fraternité », était un horizon lointain mais sacré. Des trois notions, celle qui avait le plus d'écho en moi, en un temps où il n'était pas question de révolte dans le monde qui m'entourait, où la fraternité n'avait guère de place, était l'égalité. En répondant aux questions de notre instituteur à l'école, en demandant une explication sur un terme musical à Monsieur Charpentier, je n'avais pas l'impression que l'élève était inférieur au maître par nature, seulement par l'âge et le savoir de l'âge. Lorsque je rencontrai Monsieur Proust, je sentis la différence de classes sociales qui nous séparait, il ne me la fit jamais sentir une seconde ; il fut, en somme, le premier révolutionnaire que j'aie connu car il me donna l'expérience d'un rapprochement réel (mon instituteur avait beau se considérer comme un « rouge », jamais il ne m'aurait offert de partager un repas chez lui, ne se serait jamais soucié de savoir pourquoi j'étais triste).

Nos soucis n'étaient ni la liberté, ni l'égalité, ni la fraternité, nous luttions pour survivre au jour le jour, nous autres petits coursiers de moins de vingt ans sans futur. Nous nous demandions parfois ce que nous ferions dans quelques années mais nous n'avions pas appris de vrai métier, le souci de la course à faire tout de suite l'emportait sur celui de la course de demain et la peur de ne plus pouvoir courir après-demain. Il n'y avait aucune place dans nos petites vies, nos petites occupations, nos petites têtes ignorantes, pour des visions d'avenir, de changement, même seulement d'espoir. Dans ces conditions, le fait stupéfiant d'être invité à dîner par un riche client avait pu se produire, il avait même pu se reproduire, il pouvait même donner l'impression de la liberté, d'une disparition momentanée des différences, il ne pourrait modifier ma vie par la suite, il me fallait m'en rendre compte dès maintenant.

Mon hôte fumait en réfléchissant. Réfléchir donne un air triste, je me souviens d'avoir espéré qu'il fût causé par la pensée que j'allais lui manquer, à lui aussi, d'avoir même espéré qu'il me le dirait, mais sans y croire. Qu'était un gamin comme moi pour un homme tel que lui ? Un divertissement passager, rien d'autre, sans aucun doute.

— Je viens de dire que l'affaire Cornard était terminée, je crains que non, cher Noël. Je crains que la jalousie du mari n'ait pas disparu avec la réapparition d'un sac, c'est une maladie qui peut durer longtemps et provoquer des drames plus graves qu'une colère à propos d'un objet perdu ou volé.

— Quels drames, Monsieur ?

— Même si sa femme mourait demain d'un accident ou d'une maladie, son mari dont le nom nous fait rire mais dont le mal devrait nous faire pleurer, ne cesserait peut-être pas d'être jaloux d'elle. Certains de nos sentiments survivent aux personnes qui les ont fait naître, peut-être souffrirait-il encore durant des années.

— Comme moi de la mort de mon grand-père ?

— Et comme moi de la mort de ma pauvre maman, oui. Le contraire existe aussi, nous rencontrons aujourd'hui celle que nous aimions encore passionnément, un an plus tôt, nous nous demandons comment nous avons pu aimer cette femme, qui n'a pourtant pas changé, la réponse n'est que trop évidente à mes yeux, vous êtes trop jeune pour pouvoir l'imaginer, heureusement.

— Quelle réponse, Monsieur ?

— Le temps a passé, ce n'est pas cette femme qui a changé, c'est moi, car nos cœurs sont changeants. Mais cette expérience peut vous être épargnée, cher Noël, il y a des gens qui demeurent fidèles à une même personne toute leur vie, je souhaite que vous en fassiez partie, un jeune homme de votre âge ne doit pas désespérer de l'avenir.

Je me levai et marchai dans la pièce, peut-être pour la dernière fois si mon hôte ne souhaitait plus me revoir.

— Vous dites « nos cœurs sont changeants, mais cette expérience peut vous être épargnée, cher Noël, il y a des gens qui demeurent fidèles à une même personne toute leur vie, je souhaite que vous en fassiez partie », il y a quelque chose que je comprends pas, Monsieur.

— Quelle mémoire, gentil Noël, quelle mémoire ! Vous me citez mot pour mot, vous imitez même ma voix et mes virgules ! Je ne note presque jamais les virgules en écrivant mais je suis obligé d'en marquer en parlant, afin de reprendre un peu de ce souffle qui me manque tant, je respire donc de virgule en virgule...

— Vous dites « je souhaite que vous en fassiez partie », parce que vous en faites pas vous-même partie ?

— Vous faites attention aux mots, je vous félicite, la fidélité éternelle n'est pas toujours possible, l'attention l'est, pratiquons-la, elle donne du prix à tout. Nous ne pouvons faire la même chose avec la mémoire, hélas, elle ne dépend pas de la volonté, nous ne pouvons la forcer à nous rendre le vrai souvenir de ceux qui ont disparu, il y faut un hasard miraculeux, essayez-vous de vous rappeler votre grand-père, parfois ?

— Oui, Monsieur, ça marche pas. Vous essayez pour Madame votre Mère, vous ?

— Oui, mais en vain, jusqu'à présent, je ne revois que les souffrances de sa fin et les peines que je lui ai causées depuis ma naissance, j'ai été un mauvais fils. Je le constate avec horreur, avec désespoir, désespoir inutile, horreur qui me poursuivra toute ma vie, je le sais, je ne le sais que trop.

Je me suis arrêté de marcher, j'essaie d'imiter Monsieur Proust quand il écoute quelqu'un et le regarde, la tête un peu penchée de côté comme un oiseau. Je penche un peu la tête mais je ne trouve rien à dire pour le consoler.

— Pardonnez-moi une seconde fois, je vous attriste inutilement, le souvenir de votre grand-père vous reviendra sûrement quand vous ne l'attendrez pas, quand vous aurez cessé de le poursuivre. Les souvenirs sont des oiseaux craintifs, s'ils passent par hasard près de nous, il ne faut pas les effrayer. (On aurait dit qu'il avait entendu le mot oiseau dans mon cerveau, la chose lui arrivait souvent, nous avions l'impression qu'il entendait nos pensées.) Pardonnez-moi aussi de vous avoir fatigué en vous faisant veiller deux soirs de suite, je vais vous « rendre votre liberté » mais j'ai encore quelque chose à vous dire, attendez-moi une minute, j'ai besoin d'un mouchoir.

Il entra dans sa chambre en éteignant la lumière électrique, je me demandai pourquoi mais ne fus pas capable de réfléchir. Si mon hôte ne me l'avait pas signalé, je ne me serais pas rendu compte que j'étais fatigué, je l'étais. Je m'assis, fermai les yeux, au risque de m'endormir, et le souvenir inattendu dont on venait de me parler m'envahit aussitôt, comme par miracle. Les bougies éclairaient à peine la pièce, je ressentis à travers mes paupières baissées une sensation d'obscurité douce qui m'en réveilla une autre, celle de la chambre où je ne parvenais pas à m'endormir lorsque j'étais malade, enfant. J'entendais la respiration de ma mère, dormant à côté de moi dans le lit, le ronflement de mon grand-père dormant dans l'autre lit, ce souvenir me rappela qu'il était mort dans ce même lit, dans cette même chambre. Je ne voulus pas revivre ces moments, je me levai.

Monsieur Proust revint et lut sur mon visage, tout comme il entendait mes pensées.

— Vous avez l'air ému, mon enfant, par un souvenir malheureux, j'en ai peur, j'en suis désolé pour vous. Voulez-vous m'en parler ou préférez-vous aller dormir tout de suite ? Le sommeil nous apporte parfois les consolations que la veille nous refuse.

— La lumière des bougies m'a fait penser à la mort de mon grand-père, il y a trois ans, je préfère pas en parler, Monsieur.

— Je vous comprends, ma pauvre maman est morte, il y n'y a pas beaucoup plus d'un an, mes souvenirs d'elle sont encore des souvenirs de souffrance. Il faut être patient, mon cher petit, le souvenir d'heures heureuses reviendra, celui de moments de bonheur passés avec votre grand-père vous reviendra, n'en doutez pas. Avez-vous une photographie de lui ?

— Ma mère en a une, je le reconnais pas, ça me fait de la peine.

— Je comprends cela aussi, et puis nous pouvons user une photographie à force de la regarder, elle ne nous fournira pas ces hasards dont je vous parlais, qui seuls nous rendent le vrai souvenir. Celui de votre cher grand-père vous reviendra un jour, mon enfant, non plus à cause de la lumière d'une bougie qui vous fait de la peine mais grâce à quelque chose qui vous rappellera des heures joyeuses et vous rendra heureux.

Il avait raison, je retrouvai, quelque temps plus tard, un souvenir vivant et heureux de mon grand-père en me fredonnant un air qu'il aimait. Ce n'était pas un hasard, je venais de croiser une belle jeune femme blonde, il adorait les femmes, j'avais donc entendu logiquement, dans ma tête, sa voix chanter *Auprès de ma blonde*, mais je n'avais prévu ni la rencontre, ni la chanson, ni le miracle de la résurrection ; un instant, je revis et j'entendis un disparu comme s'il avait été présent devant moi. L'instant passa mais je me rappelai, à cette occasion, ce que m'avait dit Monsieur Proust à l'hôtel des Réservoirs, une joie de plus me fut ainsi donnée, avant que la lecture de moments semblables dans *À la recherche du temps perdu* ne leur donnât tout leur sens et le pouvoir, non de provoquer les souvenirs involontaires, bien sûr, mais d'en reconnaître et d'en saisir à la volée l'apparition.

Je m'étais promis d'éviter de rapporter des choses que les lecteurs de Marcel Proust connaissent déjà par son œuvre, je devrais peut-être supprimer ce passage, il me pose la même question que l'audace de faire parler un grand auteur. Faut-il renoncer à tout témoignage pour autant ? J'ai attendu soixante ans, de 1927, date de publication du *Temps retrouvé*, jusqu'aux derniers jours de 1986, avant d'oser commencer la première ligne, j'en suis maintenant à plusieurs dizaines de pages, ma réponse sera celle-ci, pour l'instant : il sera toujours temps de couper plus tard.

Mon hôte tire de la poche intérieure de sa veste le carnet retrouvé et le feuillette.

— À propos de ma chère Maman, la perte de mon carnet m'attristait surtout parce qu'il contient des pages où j'avais tenté de reconstituer des moments de conversation avec elle. Je n'ai pas encore osé les relire par crainte de souffrir, je vais le faire ce soir, peut-être seront-elles, au contraire, une occasion de bonheur. Quant à vous, votre chambre de la nuit dernière est prête, j'ai demandé à Massimo de la faire chauffer régulièrement car j'espère vous revoir souvent avant mon départ. Je ne peux vous dire les jours exacts, nous avons à faire, vous et moi, mais votre compagnie me fait du bien.

Je veux aussi me renseigner mieux sur l'hôtel, vous y connaissez presque tout le monde, votre avis me sera très utile, si vous consentez à me le donner et venez me voir lorsque je vous ferai prévenir. Je parle de mon départ, il aura lieu après votre anniversaire, j'espère que vous n'avez pas oublié mon invitation pour le jour de Noël, cher Noël.

— Oh non, Monsieur !

— Ce cri du cœur me touche beaucoup. Vous êtes réellement désireux de parler avec moi, je le vois bien, vous n'attendez pas d'argent, vous ressemblez peu à ceux des jeunes gens de votre âge et de votre milieu que je fréquente, qui me plaisent parfois, me déçoivent souvent. Espérons que vous ne me décevrez pas et que je ne vous décevrai pas moi-même. Car ce ne sont pas seulement ceux que je rencontre qui sont décevants, c'est aussi moi qui le suis, trop souvent moi, sachez que je le sais.

Je fus étonné qu'il pût se considérer comme décevant et qu'il n'ait pas oublié sa promesse. Cette preuve de mémoire et de gentillesse ne me rassura cependant pas, je n'avais pas oublié ce que m'avait dit le portier, « on ne sait jamais ce qu'il veut, il change d'idée tout le *tempe* ». Le capricieux client s'était rappelé mon anniversaire, je voulais croire qu'il ne l'oublierait pas mais il se méfiait des jeunes gens de mon âge, une fois de plus je craignis de ne plus le revoir après son départ.

— Votre visage est à nouveau triste, vous vous méfiez des promesses des personnes telles que moi, je le comprends... Nous nous reverrons à Versailles, n'en doutez pas, et nous nous reverrons à Paris, je vous l'ai promis. Je laisserai mon adresse à Massimo, il me laissera la vôtre, je vous écrirai quand je serai installé dans mon nouvel appartement et vous recevrai avec plaisir. Comme ce sera la nuit, vous ne pourrez pas rentrer à Versailles, je ferai retenir une chambre pour vous dans un hôtel près de chez moi, vous y dormirez après notre rencontre et pourrez ainsi reprendre le train et retrouver, à Versailles le lendemain matin, votre maman et votre travail. Ce projet vous convient-il ?

— Oui, Monsieur, je vous remercie. Oui, j'aimerais bien vous revoir à Paris, j'ai de l'attachement pour vous, Monsieur, et du respect.

— Je préfère le premier au second et vous prouverai l'attachement que j'éprouve moi-même pour vous, n'en doutez pas, gentil Noël. Tenez-moi au courant de cette affaire du sac perdu dès que vous en aurez des nouvelles, je ne sais pourquoi mais j'ai l'impression qu'elle n'est pas finie, bonne nuit, mon petit.

— Bonne nuit, Monsieur, merci pour le dîner.

PREMIÈRE FIN DE L'AFFAIRE
DU SAC PERDU

Le lendemain matin, je me réveillai à la même heure que chaque jour, malgré une seconde soirée de veille, et descendis aux cuisines pour manger une tranche de pain et boire un café.

La veille, le Signor Minimo avait pris son petit déjeuner avec moi, ce matin-là il était de repos, ce fut André, le maître d'hôtel, qui m'accueillit. Il lisait un journal en mangeant un croissant, qu'il trempait dans un grand bol de café au lait.

— Bonjour, mon garçon. Mange un croissant et regarde ce qui vient de se passer dans notre ville, un mari vient de tuer sa femme.

Je pris le journal et lus un gros titre, « Drame de la jalousie à Versailles, un Monsieur Cornard étrangle sa femme ». Je parcourus l'article avec effroi et tristesse, avec embarras également, son auteur ne cessait de répéter le nom du mari trompé pour faire rire, je me disais qu'on ne doit pas rire de ces choses-là dans des moments pareils (on voit que je n'étais pas habitué à lire la presse). Madame Cornard avait été tuée dans l'appartement conjugal, la veille, peu de temps avant que j'apporte à Monsieur Proust les lettres adressées à cette femme par son amant. Son mari l'avait étranglée puis était allé se livrer à la police en disant au commissaire, l'article rapportait ses paroles : « Je vous avais bien dit qu'il fallait chercher le sac de ma femme ! Je l'ai retrouvé, il était plein d'argent, un argent que je ne lui donnais pas. Elle le recevait de ses amants, elle n'a pas nié, je l'ai punie. »

Ainsi Monsieur Proust avait-il eu raison de s'inquiéter, de penser que l'affaire Cornard n'était pas finie et que la jalousie était dangereuse. Je fus partagé entre l'admiration et l'inquiétude. L'article annonçait qu'une enquête serait bientôt « diligentée », je pensai à la pauvre jeune femme que j'avais entrevue, si peu de jours plus tôt, mais aussi aux lettres que j'avais laissées à Monsieur Proust. Que faire ? Impossible de le réveiller, il devait dormir, à présent. Je courus chez *Bâtard et Fils*. La maison commentait le drame, Monsieur Bâtard me fit venir seul dans son bureau.

— As-tu donné les lettres à l'ami de ta famille ?

— Oui, Monsieur.

— Ce monsieur sait-il le nom de la personne à laquelle ces lettres étaient adressées ?

— Oui, Monsieur.

— Dommage, il va peut-être se croire obligé de les communiquer à la police après avoir lu les journaux. A-t-il le téléphone ? Je dois lui parler tout de suite.

— À cette heure-ci, il dort, Monsieur. Il écrit la nuit et dort le jour.

— Tant mieux, cela nous laisse un peu de temps. (Monsieur Bâtard ne s'étonnait jamais de rien.) Tu iras chez lui à l'heure de son réveil et lui diras de ma part que ces lettres m'ont été confiées dans le cadre de ma profession, je dois le secret à mes clients. Madame Cornard n'a pas été tuée par son amant mais par son mari, ces lettres ne serviraient qu'à salir la mémoire d'une malheureuse, à impliquer quelqu'un dans une affaire dont il n'est pas directement responsable. Il a une famille, peut-être une femme, inutile de les mêler à un drame dont elles sont encore moins responsables que lui. Dis à ton ami de détruire ces lettres afin de recouvrir d'un voile de paix définitive une triste affaire dont nous ne reparlerons plus.

— Sauf si Monsieur Cornard dit à la police qu'il vous a consulté, Monsieur. Elle viendra vous voir, vous serez bien obligé de reparler de cette affaire, n'est-ce pas ?

— Je dirai la vérité. Monsieur Cornard m'a demandé d'entrer par effraction dans l'appartement de la vendeuse, j'ai refusé, comme la police avait refusé de donner suite à sa plainte contre cette vendeuse. Nous sommes toujours du même côté, la police et moi, fiston.

— Et si la police apprend que Madame Cornard est venue vous voir ?

— Je dirai toujours la vérité, rien que la vérité, mais pas plus. Cette femme n'avait pas perdu son sac, elle l'avait caché parce qu'il contenait des choses qu'elle ne voulait pas montrer à son mari, elle ne voulait pas non plus qu'on accuse une innocente, elle m'a demandé conseil, rien de plus. Ce qu'elle m'a dit ne laissait pas présager la violence dont elle vient d'être victime. Quant à toi, sache que j'ai aussi l'habitude de respecter les confidences de mes clients. Cette cliente m'a confié des documents inutiles à la justice, le coupable s'est livré, ne parlons donc plus de ces lettres que je t'ai confiées justement parce que j'ai confiance en toi. Reviens me voir demain pour me dire qu'elles sont détruites, l'affaire sera close. Voici un beau billet, tu en auras un second si tu continues à être digne de ma confiance, ce dont je ne doute pas.

Il ne demanda pas à baiser mes joues, l'heure n'était pas aux tendresses (mais aux surprises, jusqu'alors Monsieur Bâtard m'avait donné des pièces, jamais de billet, cinquante francs était une somme énorme pour une récompense et pour moi, preuve que cette affaire de lettres n'était pas si close que ça dans son esprit). Je sortis de la maison, fis quelques courses et retournai à l'hôtel sans avoir le courage d'attendre la fin de l'après-midi. Le Signor Minimo était là.

— Te voilà plus tôt que dans tes habitudes, c'est une fortune. Monsieur Proust est à nouveau sorti pour une passade dans le parc, il m'a dit que, si tu viens à l'hôtel avant ce soir, je dois te prévenir qu'il t'attendra sur le premier banc près de l'entrée de la rue des Réservoirs, à quatre heures. Il veut encore parler avec toi, c'est bien, un monsieur de la haute est une bonne relation pour nous autres personnes de la basse. Il est quatre heures moins cinq, cours vite. Et s'il te donne une manche, n'oublie pas de me donner une *percentuale* (il voulait dire pourcentage), c'est grâce à moi que tu connais cette monsieur, *non è vero* ?

Je courus, c'était mon métier, Monsieur Proust était assis sur le banc.

— Vous vouliez me voir, Monsieur, je suis là.

— J'avais entendu courir sur le gravier, j'espérais bien que c'étaient vos jambes de valeureux coursier, jeune Achille ! Je vous expliquerai « Achille » en marchant, marchons un peu, aujourd'hui mes jambes et mes bronches sont valeureuses, elles aussi, mais j'ai un peu froid. Je voulais revenir dans ce parc avant mon départ, j'ai revu ces allées où passèrent tant d'illustres, il me semblait en apercevoir les ombres en vous attendant sans vous attendre, je n'étais pas sûr que vous vinssiez, occupé comme vous l'êtes. Je ne cesserai plus de l'être, moi aussi, j'ai écrit toute la nuit, je n'ai plus rien à faire d'autre qu'à continuer, désormais. Rentrons, voulez-vous ? J'ai décidément un peu froid, nous prendrons un thé à l'hôtel.

Il marchait lentement mais sans s'appuyer sur sa canne,

portait un chapeau gris, des gants gris et ce qu'il appelait une « pelisse », un gros manteau marron clair qui le faisait paraître gros lui-même, le cou enfoncé dans une écharpe rouge foncé, pour la première fois moins beau, me sembla-t-il, mais il faut dire que je n'avais aucune idée de ce que pouvaient être élégance et beauté. Pour moi, les gens étaient divisés en deux catégories, celle des maîtres, les bourgeois (j'ignorais encore la différence entre aristocrates et roturiers), et la mienne, qui dépendait des riches, je ne jugeais ni l'une ni l'autre d'un point de vue visuel, elles étaient ce qu'elles étaient, avec une exception : les dames qui me plaisaient, je les trouvais belles ; les hommes que je respectais, je les admirais, Monsieur Proust était le plus admirable d'entre eux.

Nous sortîmes du parc, mon compagnon regarda une dernière fois les allées où il n'y avait plus personne, à cette heure-là, sauf les ombres dont il avait parlé.

— J'ai peu dormi, on m'a monté le journal avec mon bol de café au lait habituel vers deux heures, j'ai lu la terrible nouvelle. Je vous disais que l'affaire du sac n'était pas finie, je ne me trompais pas, hélas. Cette pauvre jeune femme a été victime de la Jalousie, déesse cruelle et têtue. Qu'a dit votre patron au sujet des lettres ?

— Qu'elles n'apporteraient rien de nouveau à l'affaire, sauf de la peine pour le monsieur qui les a écrites et pour sa famille. Il pense qu'il faut les détruire.

— Je ne les ai pas encore confiées au Signor Minimo. Si j'étais véritablement responsable de ces lettres, j'hésiterais entre mon devoir de citoyen, qui serait de les remettre à la police dans le cadre d'une enquête sur un crime, et mon devoir de galant homme, qui serait de respecter les secrets d'une femme. Mais je n'ai eu ces lettres qu'à la suite d'un demi-mensonge de votre part, comme ami prétendu de votre famille, je vais donc vous les rendre, vous laissant ainsi la responsabilité du choix que vous ferez, obéir à votre patron ou à votre conscience, mon enfant.

— Si je suis un enfant, je suis trop jeune pour décider, Monsieur.

Mon compagnon s'arrêta, éclata de rire, me prit par le bras et reprit sa marche.

— Vous êtes malin ! Et intelligent, ce qui n'est pas la même chose.

— Qu'est-ce que c'est, être intelligent, Monsieur ?

— Ah, ah, nouvel Achille aux pieds légers et nouvel Alcibiade à l'esprit curieux, vous me demandez d'être un nouveau Socrate et de vous enseigner la pensée en marchant... Pour le moment, sachez qu'Achille est un héros de l'Antiquité grecque, dont Socrate fut le grand philosophe, un homme qui cherchait à vivre intelligemment en pensant intelligemment. Alcibiade était son élève, ils parlèrent souvent en marchant dans les jardins ensoleillés de l'Académie d'Athènes, nous sommes dans les sombres rues de Versailles où la nuit tombe, nous parlons en marchant, cela fait-il de moi un homme capable de répondre à votre question ? Non !

Ainsi Monsieur Proust m'enseignait-il, peu à peu, quelques notions, quelques noms que je recopiais ensuite, aidé de mon dictionnaire, ainsi commença le long chemin de mes apprentissages, il dure toujours.

— Voici l'hôtel, nous n'y trouverons pas la réponse à votre question mais un thé qui nous réchauffera.

Monsieur Proust oublia de me demander si je voulais un thé et de retirer son bras de dessous le mien, nous arrivâmes ainsi dans l'entrée de l'hôtel. Si Daniel avait été là, il aurait encore imaginé des choses. Il n'était pas là, le Signor Minimo nous vit et vint nous accueillir comme de vieux amis au retour d'un long voyage.

— Vous voilà toutes les deux ! Avez-vous fait une bonne passade ?

— Excellente. Le petit salon est-il vide ?

— Non, Monsieur, la dame anglaise qui habite juste au-dessous de la chambre de Monsieur, Madame Béconne, qui voudrait tant faire l'encontre de Monsieur, prend le thé dans le *salottino*. Monsieur devrait la rejoindre pour lui régaler ce plaisir pendant que je parlerai avec Noël, j'ai des chaussettes à lui demander, et puis on ne doit pas voir Monsieur prendre le thé avec oune coursier, *non è vero* ?

— Pour moi Monsieur Noël n'est pas un coursier, Monsieur Massimo, je vous l'ai déjà dit, mais le détective qui a retrouvé mon carnet et que j'ai chargé d'autres recherches, vous le direz vous-même autour de vous, n'est-ce pas ? (Il lui glissa une pièce ou un billet, je ne sais plus.) Vous lui parlerez plus tard de vos chosettes, faites-nous d'abord servir un thé dans ma chambre et ne parlez pas de moi à Mademoiselle Deacon, et non Bacon, que je ne veux pas voir aujourd'hui.

Mon nouvel employeur ne lâcha pas mon bras, me conduisit vers l'escalier des clients et en monta les marches plus vite qu'il ne les avait descendues le premier soir (je ne compris jamais où en étaient sa santé, ses maux, ses forces, tantôt affaibli et vieilli sans cause apparente, tantôt rajeuni et vigoureux sans raison non plus).

— Le Signor Minimo connaît le mot anglais *bacon*, une sorte de jambon, préférant le connu à l'inconnu il appelle donc du même nom Miss Deacon, D, E, A, que l'on prononce « di », et C, O, N, que l'on prononce « cone », comme le « con » final de « bacon », et non comme il est écrit, « con » sans *e* final, comme « balcon » ou comme...

En entendant résonner dans son esprit la syllabe qu'il s'apprêtait à prononcer, Monsieur Proust partit dans l'un des plus joyeux fous rires que je lui ai connus, je ne pus m'empêcher de rire aussi.

— Si nous avions eu cette crise en présence... en présence d'un client de l'hôtel... Massimo aurait eu raison... on se serait scandalisé de voir un... un monsieur théoriquement « distingué »... prononcer un mot vulgaire en présence d'un... d'un employé. (Il s'était arrêté juste à temps pour ne pas prononcer le mot domestique, craignant à tort de me blesser ; s'il l'avait fallu, je serais devenu domestique en attendant mieux, comme j'attendais de devenir mieux que coursier.) Et on se serait scandalisé plus encore de les voir rire tous les deux, « bras dessus bras dessous », comme deux vieux amis et comme nous le faisons !

Nous entrâmes, riant encore et sans avoir croisé personne, dans l'appartement 22. La table du dîner d'hier soir était redevenue un bureau, couvert de papiers et de carnets, mais la pièce était toujours en ordre et sans fumée, le paquet de lettres toujours posé sur la commode.

— Pouvez-vous m'aider à retirer mon manteau, mon petit ? Je ne veux pas déranger Félicie, qui est un peu enrhumée, ni déranger ses microbes, ils pourraient sauter sur moi pour se distraire un peu, ou même sur vous, évitons cela.

Je compris alors pourquoi le mince monsieur m'avait semblé si gros, il portait son manteau sur un autre manteau, plus sombre. Je voulus l'en débarrasser aussi.

— Non, non, j'ai encore un peu froid, Félicie m'aidera à le retirer plus tard, lorsque ses microbes auront commencé leur nuit. Mais donnez-moi le vôtre, je vais le poser dans la salle de bain avec le mien, asseyez-vous en m'attendant.

Il faisait un peu moins chaud que d'habitude dans la pièce, je m'en souviens, mon hôte revint, rose et joyeux, s'assit derrière la table-bureau et me parla en imitant un maître d'école.

— J'ai réfléchi à votre question sur l'intelligence, jeune homme. Hélas, je crains qu'il n'y ait pas de réponse à une question pareille, en tout cas, moi, je n'en ai pas !

Monsieur Proust disait souvent qu'il ne dirait rien sur un sujet et en disait long quand même. De son refus de traiter celui-là me reste un exemple qui me frappa, puisé à son bestiaire favori, celui des insectes, je reconstitue le reste à partir d'autres conversations.

— Avant de définir l'intelligence par ce qu'elle est, j'essaierais de voir où elle n'est pas, je me demanderais pourquoi nous tous, êtres humains, nous faisons tant d'erreurs. Pourquoi suis-je si souvent incapable d'agir efficacement, et même d'agir tout court, au moment où il le faudrait ?... Au fond, un animal censément privé d'intelligence sait mieux qu'un homme ce qu'il faut faire ou ne pas faire dans telle ou telle situation, vous avez sûrement admiré la rapidité avec laquelle une araignée s'empare de sa proie ou va se cacher, à peine a-t-on effleuré sa toile, invisible piège à nourriture et merveille d'art, n'est-ce pas ? D'où ces questions : y a-t-il une intelligence universelle qui imprègne le monde entier jusqu'au minuscule cerveau d'une araignée, une intelligence qui serait celle d'un dieu, par exemple, créateur de l'insecte et de tout le reste ? Pourquoi nous éloignons-nous si constamment de cette grande intelligence, nous autres humains ? Parce que nous nous croyons la petite nôtre plus grande qu'elle n'est ? Orgueil ou vanité, je ne sais, mais je sais une chose, une seule... Ah, voici notre thé.

UN THÉ AVEC MONSIEUR PROUST

Mon hôte alla ouvrir la porte avant même qu'on y eût frappé (elle était protégée du bruit par une lourde tenture mais il avait l'ouïe très fine, sans doute avait-il entendu des pas sur le parquet du couloir, pourtant recouvert d'un tapis en ruban), un homme entra, portant un plateau. J'avais craint le jaloux Daniel, je fus rassuré, c'était mon ami André.

— Bonsoir, Messieurs, voici le thé.

Il y avait un peu de place sur la table, André y posa le plateau en souriant gentiment et se retira trop vite pour recevoir un pourboire (je ne pus m'empêcher de penser : « Si Daniel nous avait servis, nous n'aurions pas eu droit au même sourire, il aurait attendu une gratification, il l'aurait reçue »).

Monsieur Proust se leva et fit à nouveau le service, je n'osai intervenir. Je n'avais jamais bu de thé, je regardai afin d'apprendre.

— Un peu de sucre et de lait vous adouciront l'amertume de cet « exotique breuvage ». Voilà. Buvez, vous goûterez plus tard ces gâteaux, j'espère que ce sera comme pour la tarte d'hier, « vous m'en direz des nouvelles » !

Il s'assit, nous bûmes notre thé, je découvris un breuvage

effectivement exotique pour moi et passai vite aux petits gâteaux, longs et poreux, de ceux que l'on appelait des « boudoirs » ou des « champagne », à l'époque (en existe-t-il encore aujourd'hui, je ne sais), lisses dessous, grenus dessus, jolis à voir mais un peu secs. Je vis mon hôte en tremper un morceau dans sa tasse puis le porter à sa bouche, je fis de même. Le plaisir que j'en éprouvai me revient, au moment où j'écris ces lignes, aussi présent que le devient, pour le Narrateur de la *Recherche*, le village de son enfance ressuscité par un morceau de madeleine trempé dans un peu de thé.

— L'intelligence est liée à mille choses, je vous disais que je n'en savais qu'une, la voici. Je crois que notre intelligence dépend, comme notre marche peut être conditionnée par le bon état des muscles de nos jambes, du muscle mental dont la nature a doté notre esprit. Exerçons notre muscle mental, cher Noël, comme vous le fîtes pour retrouver mon carnet perdu, voilà mon conseil... et la fin de la leçon de votre professeur !

Mon professeur de philosophie mangeait rarement plus que quelques bouchées, il se leva bientôt et regarda les réverbères allumés dans la rue à travers le voilage d'une fenêtre (on avait dû profiter de sa promenade pour aérer, on avait refermé les fenêtres, pas les doubles rideaux, pour une fois la pièce n'était pas isolée du monde extérieur).

— Je n'ai pas répondu à votre question, essayez d'y répondre vous-même, quelle est votre propre définition de l'intelligence, cher Noël ? Ne craignez pas de répondre un peu au hasard, l'intelligence humaine est si vaste que vous tomberez nécessairement dedans, elle est une toile d'araignée si étendue que nous n'arriverons jamais à en atteindre les limites. Il nous faut seulement apprendre à sauter de fil en fil pour la parcourir sans y demeurer collés, pareils à une pauvre mouche, comprenez-vous ?

Un lecteur des premières pages de la *Recherche* apprend avec délices les techniques de la guêpe fouisseuse, j'appris à Versailles les leçons de l'araignée. Petit citadin borné, je vivais en aveugle à côté d'un parc plein de merveilles, un élégant mondain me fit voir la nature dont il était privé.

— Vous hésitez, rappelez-vous simplement comment vous est venue l'idée de chercher mon carnet dans un lieu où il n'aurait pas dû se trouver, l'intelligence n'est rien d'autre que cela.

— L'idée n'est pas de moi mais de ma mère, Monsieur, je voulais vous le dire, le premier jour. Elle me disait que quand on a perdu une chose, on ne la retrouve pas parce qu'on la cherche là où elle devrait se trouver; si elle y était, on ne l'aurait pas perdue, il faut la chercher dans les endroits où elle ne devrait pas se trouver, j'ai pensé aux cab... aux toilettes parce que j'ai retrouvé dans celles de chez nous une pièce de monnaie que j'avais perdue, un jour.

— Ce chez-vous ressemblait-il à cet appartement ?

— Oh, non, Monsieur !

— Vous avez cependant fait un rapprochement entre une situation et une autre, vous avez distingué le semblable dans le différent, vous en avez tiré une conclusion, vous avez retrouvé mon carnet. Pour moi, l'intelligence est ce mouvement-là, qui ne s'arrête pas à des dissemblances apparentes, découvre des ressemblances cachées, tire une conclusion de ce qui paraissait inexplicable à première vue, en déduit des lois et s'en sert à l'avenir, comprenez-vous ?

— Quelles lois, Monsieur ?

— Le conseil de votre maman est une loi, mon petit, vous avez retrouvé mon carnet grâce à elle.

— Grâce à l'effet de la lettre volée aussi, Monsieur.

— Oui, les lois se complètent. Je cherchais inutilement mon carnet là où il aurait dû être, il était dans un endroit inattendu, on ne voit pas qu'avec les yeux du corps, on voit aussi avec ceux de l'esprit. Je connaissais déjà ces grandes lois, je ne les ai pas appliquées pour mon carnet, merci de me les avoir rappelées, j'essaierai de ne plus les oublier mais il faudra lutter, nos esprits nous désobéissent souvent!... Exerçons sans cesse le muscle mental dont je vous parlais, cherchons sans cesse, chercher toujours, telle est notre vie.

Je vis qu'il regardait avec angoisse, tout en parlant, les doubles rideaux ouverts.

— Voulez-vous que je ferme les rideaux, Monsieur?

— Ce serait gentil, cher enfant, je sais comment l'on sert une part de tarte et une tasse de thé, j'ignore le fonctionnement de ce qu'on appelle « les cordons de tirage »!

Je tirai les cordons, mon hôte me fit un petit signe de la main pour me remercier, je voulus prendre congé, il se rappela soudain quelque chose.

— Vous oubliez les lettres de Madame Cornard, elles sont toujours sur la commode, prenez-les, confiez-les au portier ainsi que je vous l'ai suggéré, c'est le mieux, croyez-moi.

— Je ne les avais pas oubliées, Monsieur. J'hésite à les confier à Massimo, j'ai peur qu'il les lise, il est trop curieux.

— Il ne faut pas se méfier de tout et de tout le monde, il faut réfléchir mais agir, également. Je passe mon temps à le perdre en hésitant, ne m'imitez pas. Au revoir, mon petit, merci de ces bons moments passés avec vous.

— Merci à vous, Monsieur.

Je pris les lettres, au moment d'ouvrir la porte, j'entendis un petit cri, je me retournai, Monsieur Proust avait disparu. Il revint avec mon manteau.

— J'avais oublié les lettres, vous pas, vous vous inquiétez de la peine qu'elles peuvent faire à des gens, vous pensez à eux, c'est bien, mais vous avez oublié votre manteau, vous ne pensez pas assez à vous-même, c'est moins bien, ne penser qu'à soi est égoïste et très bête, on s'ennuie vite en compagnie de soi-même ! Je suis heureux d'avoir pensé à votre manteau, il est rare que je sois attentif à ces choses-là, je ne suis qu'un égoïste, hélas, et je le regrette.

— Vous avez dit que vous parlez de votre mère, de Madame votre Mère, dans ce que vous écrivez, n'est-ce pas, Monsieur ?

— Je parle de beaucoup de choses et de beaucoup de gens mais j'aimerais y parler surtout de ma mère, en effet, ma pauvre petite Maman, morte si tôt.

— Alors, si vous pensez à elle, vous ne pensez pas qu'à vous, Monsieur.

Il me regarda en silence, posa sa main droite sur mon épaule gauche puis me conduisit doucement vers la porte. Je l'ouvris, me retournai vers lui pour le saluer, il avait les yeux brillants de larmes, je me le rappelle. Il ne chercha pas à les dissimuler, il cherchait autre chose, qu'il essayait de voir avec les yeux de l'esprit, comme il avait dit.

Il était sur le pas de sa porte, j'étais déjà dans le couloir, une femme de service sortit d'une chambre, chargée d'une pile de draps. Elle s'immobilisa, nous observa puis continua son chemin vers notre gauche, tourna et disparut. Je signale cette rencontre parce qu'elle aura une grande importance quelques jours plus tard. La phrase que je vais faire prononcer à Monsieur Proust a peut-être été dite un autre jour mais elle est exacte aussi et témoigne de l'une de ses plus grandes angoisses.

— Voyez-vous, ma chère Maman m'aimait d'un tel amour que, souvent, je ne sais plus si c'est à elle que je pense ou à l'amour qu'elle avait pour moi. Dans cette dernière hypothèse, je demeure un égoïste, j'en ai bien peur, même lorsque je m'intéresse aux ouvrages d'autres personnes. J'ai publié, l'an dernier, un travail sur un écrivain anglais mais c'est ma pauvre Maman qui m'avait aidé à traduire les textes de cet auteur, que suis-je sans elle, à présent, je me le demande...

La femme de chambre revint à ce moment-là, suivie de quelqu'un qui poussait une table roulante sur laquelle étaient posés les draps. Ce quelqu'un était le terrible Daniel. Il salua le client de l'appartement 22 sans me regarder, Monsieur Proust répondit à ce salut d'un simple signe de tête, la femme, l'homme et le chariot disparurent derrière l'angle du couloir de droite. Je me suis demandé plus tard si cette rencontre sur le pas d'une porte avait contribué à provoquer les événements qui se produiraient quelques jours après, on en jugera.

— Bonsoir, cher petit. Je n'oublierai pas notre rendez-vous de Noël, je vous le promets.

Il ferma la porte. Il m'avait dit qu'il voulait me revoir souvent avant Noël, voilà qu'il ne se rappelait plus que ce jour-là, je le constatai avec tristesse en hésitant dans le couloir. Si je tournais à droite, je risquais de rencontrer Daniel dans l'étroit escalier de service, je tournai donc à gauche vers le grand escalier, réservé aux clients donc interdit aux autres personnes, donc à moi, mais plus encore aux employés de l'hôtel, donc à l'homme aux yeux jaunes. (Daniel avait des yeux d'un marron très clair qui pouvaient paraître jaunes, le phénomène me frappa tout particulièrement lors de cette rencontre dans le couloir.) Je descendis le grand escalier.

Je croisai une belle dame en descendant les dernières marches, elle me regarda avec une surprise que nota aussitôt le portier. Assis derrière une table placée près d'une fenêtre, il pouvait non seulement contrôler la rue et les clients qui entraient dans l'hôtel mais aussi les voir monter et descendre le grand escalier menant à leurs chambres. Cet escalier était sacré, il fallait que la chose me fût rappelée devant la belle dame, Monsieur Massimo se leva et m'ordonna de venir près de lui avec une sévérité que je ne lui connaissais pas. La belle dame s'éloigna, je m'approchai du Signor Minimo devenu grand grâce à un haut tabouret et à ma petite taille.

— *Attenzione*, mon garçonne, Monsieur Proust te veut du bien, je te veux du bien aussi mais je ne veux pas que le *Direttore* me réprouve si Madame Béconne lui dit qu'elle t'a vu dans l'escale des clientes. Les clientes ne doivent pas rencontrer un coursier dans leur escale, *capisci* ?

— Je comprends, Monsieur Massimo, mais je suis descendu par là parce que j'avais peur de rencontrer Daniel dans l'escalier de service, il ne me veut pas de bien...

— *Certo*, avant que tu retrouves le cornet, il était le garçonne préféré de Monsieur Proust, maintenant qu'il t'invite tout le tempe dans sa chambre, Daniel est jalouse, c'est *normalé*. Mais bientôt, *finita la commedia*, Monsieur Proust retourne à la capitale à la fin de l'année. Finis aussi les bonnes pourboires qu'il te donne. Il t'en donne ? Tu peux me le dire, je ne le dirai pas à personne.

— Non, Monsieur Massimo, pas de pourboires.

— Il te régale des dîners et des thés, c'est déjà bien pour oune pauvre garçonne comme toi. Ne sors pas par la porte des clientes, Daniel m'a fait toute *una storia* parce que je t'avais fait dormir dans une chambre de la *servitù* (mot italien prononcé « servitou »), je ne veux pas de problèmes avec lui...

— Qu'est-ce que c'est que la « servit tout », Signor Mi... Monsieur Massimo ?

— Les serviteurs. Daniel et moi nous sommes au service du *Direttore*, toi tu es à mon service à moi, escappe-toi par la porte derrière ma personne, des clientes arrivent.

J'ouvris la porte derrière la personne du portier, elle donnait dans la cour de la *servitù*, qui donnait elle-même dans la rue. Le mot de Massimo me rappela un personnage majeur de mon enfance, tandis que je marchais vite, dans le froid, pour rentrer dans mon grenier glacé, l'instituteur de mon école. Il nous parlait souvent de la servitude, nous ne comprenions pas le mot mais, enfants de pauvres dans un quartier de pauvres, nous connaissions la chose. Nos parents servaient tous quelqu'un, du matin au soir, tous les jours ou presque, pour quelques sous.

Il nous disait : « La Révolution française avait aboli la servitude et les privilèges, les riches ont rétabli les privilèges, ils tiennent toujours les pauvres en servitude, ils ont écrasé la Commune, n'oubliez jamais cela, mes enfants... Vos parents ne vous parlent pas de la Commune, ils ont peur d'être massacrés par les riches, comme les communards en 71, mais le peuple vengera leur mort, un jour. (Cet instituteur était ce qu'on appelait « un rouge », à l'époque, et il était fier de notre quartier.) Vous êtes les fils de la libre commune de Montmartre, mes enfants, n'oubliez jamais cela. Maintenant, chantons *Le Temps des cerises*, le temps de la révolte contre l'injustice, ce temps-là reviendra et, cette fois... nous vaincrons ! »

Je rapportais les paroles de l'instituteur, à la maison, le soir, mon grand-père était content, ma mère me demandait de ne pas les répéter, je fredonnais *Le Temps des cerises* mais ne savais que penser. En ce soir de décembre 1906 à Versailles, la Commune était loin, elle avait eu lieu près de vingt ans avant ma naissance, je ne comprenais pas ce que signifiaient les mots Commune et Révolution mais servitude me disait quelque chose. Je me rendais bien compte que je venais de rencontrer un de ces riches bourgeois que mon instituteur accusait de tout, j'éprouvais cependant un sentiment de reconnaissance envers lui, non pas pour deux dîners et un thé mais pour m'avoir fait des dons qui ne dépendaient ni de son argent ni de son milieu, je le sentais bien.

De riches clients m'avaient parfois parlé, eux aussi, en m'ouvrant eux-mêmes leur porte pour prendre le pli ou le paquet que je venais leur apporter, ils m'avaient parfois récompensé généreusement, parfois dans l'espoir d'une faveur. Que m'avaient-ils appris ? rien, sinon à leur être reconnaissant de leur générosité ou à me méfier d'eux quand ils me tâtaient un bras et voulaient m'offrir un verre. Cette fois, il me semblait que l'un d'eux m'avait donné autre chose qu'un pourboire et qu'il m'avait déjà beaucoup appris. Trop jeune pour être mon père, il m'apparaissait pourtant comme une sorte de père. Le reverrais-je avant le jour de Noël, le reverrais-je après son départ ? Je n'osais l'espérer mais j'étais jeune et optimiste (sans connaître cet adjectif), je décidai d'espérer quand même.

APPARITION DE LA MYSTÉRIEUSE
DAME DU PARC

Je découvre en me relisant que, amené à parler de la mort affreuse de Madame Cornard, je me suis conformé à la règle suivie par la plupart des auteurs de romans policiers, ne pas s'attarder sur les sentiments afin de ne pas retarder la narration de l'enquête ni attrister le lecteur en parlant du chagrin des survivants. Une seule phrase suffit à la grande Agatha Christie, « Miss Marple jeta un dernier regard au cadavre, conduisit la pauvre veuve dans le petit salon, la réconforta en lui préparant un pot de thé (bizarrement, les traducteurs ignorent le mot "théière" et traduisent littéralement le mot *teapot*) puis rentra dans son petit cottage », j'en ai dit à peine plus sur l'assassinat de la malheureuse Madame Cornard. Je pourrais tenter de corriger cette sécheresse, je préfère montrer le petit Noël comme il fut, à ce moment de sa vie, moins préoccupé par les enquêtes de son patron que par celles que son nouveau client allait sans doute lui confier, puisqu'il lui avait parlé de choses qui l'intriguaient dans l'hôtel. Attendre une semaine lui fut difficile car, après l'avoir vu deux soirs de suite, Monsieur Proust sembla l'oublier une semaine entière...

D'habitude, je ne rendais pas visite à Monsieur Massimo chaque soir. Si j'avais marché tout le jour, je préférais éviter qu'il ne me demandât une course de plus et rentrais directement chez l'ami de ma mère. Depuis ma rencontre avec le client du 22, je passai devant l'hôtel non seulement tous les soirs mais chaque fois que je pus durant la journée. Les fenêtres de l'appartement étaient toujours closes, le Signor Minimo n'apparaissait jamais à la porte pour me faire signe. Ou il n'était pas de service ou il n'avait pas besoin de moi, Monsieur Proust non plus, s'il avait voulu me revoir, il se serait arrangé pour que le portier m'en avertît, j'étais donc déjà oublié. Je ne m'en étonnai pas, je l'avais prévu, j'étais habitué aux caprices des clients. Je n'en fus pas moins triste.

Une semaine plus tard, j'ai fait des courses le matin, je n'en ai pas l'après-midi, je me rends chez *Bâtard et Fils*. On n'y parle déjà plus de l'affaire Cornard, mon patron ne me demande pas ce que j'ai fait des lettres, il n'a pas de travail à me donner, j'ai du temps. Je décide de faire un tour dans le parc du château, j'y entre par le bas de la rue des Réservoirs (je ne veux pas aller du côté de l'hôtel en vain, une fois de plus), je m'assieds sur le banc qui est déjà devenu, dans mon esprit, le banc de Monsieur Proust, je regarde autour de moi.

Quelques femmes se promènent avec des enfants qui courent et crient autour du bassin de Neptune, quelques hommes passent en marchant vite, ils font, selon l'expression d'alors, une promenade hygiénique, quelques autres marchent lentement. On raconte que des dames viennent se promener ici afin d'y rencontrer des messieurs, vais-je assister à quelque chose de ce genre ?

Il y a peu de monde, je discerne de l'autre côté de l'immense bassin, en contrebas, les silhouettes d'un homme et d'une femme. Celle de l'homme me semble familière, je me lève pour mieux voir et découvre qu'il s'agit de Monsieur Proust en personne. Il marche derrière une dame et lui parle, il semble même la poursuivre.

Ainsi, ce reclus qui ne sort jamais, ce malade qui craint l'air et la fatigue, cet écrivain qui a décidé de ne plus se consacrer qu'à l'écriture, ce monsieur que j'aimerais tant connaître mieux, que je voudrais voir plus souvent, voir sans cesse, ainsi ce monsieur est revenu dans le parc mais pas pour s'asseoir sur un banc, il a rencontré une femme, il lui fait la cour...

Je n'avais pas encore l'habitude de ce qu'on appellerait l'introspection (pas encore lu Marcel Proust !), je fus donc incapable de définir ce que je ressentis. Repensant à cette scène un peu plus tard, je croirai avoir traversé une petite crise de jalousie, tant d'années après je pense qu'il s'agissait plutôt d'un sentiment de privation et de solitude.

J'avais été souvent témoin de la sexualité des autres (on vivait « les uns sur les autres » au sens propre, dans mon milieu à l'époque, la nôtre s'effraie que ses enfants puissent découvrir le sexe à travers le cinéma, les enfants de mon temps et de mon monde le découvraient en direct), ma sexualité personnelle était encore sans expérience. Je savais cependant qu'un homme peut être amoureux d'un autre, étais-je amoureux de Monsieur Proust, je ne le crois pas, il me semble que mon sentiment passionné pour lui n'avait rien de sexuel. Ce qui me troublait, en observant ce couple, n'était pas un éventuel échange entre ces deux corps (échange que je reportais, pour moi, à plus tard, avec des jeunes filles de mon âge), mais l'échange des esprits, que je venais de découvrir.

Pour la première fois de ma vie, j'avais rencontré quelqu'un qui me faisait partager sa pensée, sa vie intérieure, en quelque sorte son être même. L'expérience avait été totalement neuve et bouleversante, ce que je vis dans le parc me fit croire, une fois de plus, qu'elle ne se renouvellerait pas entre ce quelqu'un et moi. La personne avec laquelle j'aurais tant voulu parler se plaisait en compagnie d'une autre personne, une femme que Monsieur Proust semblait poursuivre, qui devait le distraire plus que moi. Il m'avait promis de fêter mon anniversaire, il le ferait peut-être mais quitterait Versailles dans peu de temps, ce que je craignais déjà, après une semaine de silence seulement, allait probablement se produire, nous ne nous reverrions plus par la suite. Il faut que je m'éloigne, je ne peux pas. Quelque chose me fait mal dans la poitrine, je me demande ce que c'est, je demeure immobile et je regarde.

La femme est plutôt mince et assez grande, de loin elle me paraît belle et jeune. Elle parle et marche avec agitation, l'homme l'écoute et la suit avec des arrêts qui ont l'air d'exprimer l'étonnement. La dame s'arrête à son tour, se retourne, se sert de son parapluie fermé pour indiquer la direction du Petit Trianon et du Hameau (j'y suis allé plusieurs fois, je connais les lieux), elle prononce quelques paroles, désigne à présent le château puis repart. Son compagnon tient un parapluie, lui aussi, et s'en sert comme d'une canne pour suivre la dame avec un peu de peine, semble-t-il.
Cette femme refuse-t-elle de l'écouter ou le guide-t-elle quelque part ? Impossible de le deviner, à moins de suivre le couple. Je me reproche soudain de surveiller quelqu'un qui est libre de faire ce qu'il veut, je me détourne à regret, il ne me reste qu'une possibilité, fuir.

J'étais jeune, habitué à renoncer à ce qui était hors de ma portée, habitué aussi à la lutte et à l'espérance. Je me retournai et vis que l'homme saluait la dame. Elle se dirigea rapidement vers le château, lui-même se dirigea dans ma direction, je sortis du parc et l'observai à travers la grille.

Monsieur Proust marchait de plus en plus lentement, cherchant son souffle et réfléchissant visiblement à quelque chose de pénible (je commençais à discerner son visage et connaissais déjà l'expression de ses yeux dans les moments où il se posait des questions sans parvenir à y répondre). Désirant probablement se reposer, il alla s'asseoir sur son banc. Que désirais-je moi-même ? Demeurer derrière la grille afin d'en savoir plus sur une personne qui m'intéressait déjà tant, ou surprendre des secrets par simple curiosité ? Étais-je déjà un voyeur qui transformerait un jour cette passion inavouable en métier ? Je n'aurais pas su répondre à ces questions à l'époque, je crois aujourd'hui que, s'il s'était agi d'un inconnu, je n'aurais pas bougé non plus.

J'observai en réfléchissant. L'élégant monsieur que j'avais imaginé en quête d'aventure avait suivi une femme, en effet. Elle l'avait peut-être quitté en lui demandant de cesser de la poursuivre ou, au contraire, en lui donnant un rendez-vous pour plus tard mais le visage que j'avais devant moi n'exprimait ni l'espoir d'un futur ni la colère que j'avais vue à des hommes repoussés par des femmes, il indiquait plutôt de la fatigue, de la surprise et de l'interrogation. Je restai donc par goût de l'observation mais aussi pour une raison que j'étais encore incapable de définir : ayant compris que la dame n'était pas une rivale, je me reprenais à espérer que je reverrais à nouveau le monsieur...

Il respirait avec peine sur le banc, je respirais avec soulagement derrière ma grille. Le soleil se couchait, sa lumière n'éclairait plus que le haut des arbres, le gardien commença à fermer la grille, les mères, les nurses, les enfants et les derniers promeneurs se dirigèrent vers la sortie. Un rayon de soleil, réfléchi sur l'eau du bassin, illumina un instant l'homme assis, de plus en plus courbé sur son banc, me sembla-t-il. Pensant qu'il devait être fatigué, je voulus aller le chercher pour l'aider à rentrer à l'hôtel, le gardien m'empêcha de retourner dans le parc et cria « On ferme ! », ce cri réveilla celui auquel je m'intéressais tant. Il se leva et sortit assez rapidement, je n'eus que le temps de m'éloigner dans la rue. Je ne voulais pas qu'il me vît l'espionner mais il marchait sans regarder autour de lui, je pus donc ralentir et le suivre d'assez près.

Nous arrivions à l'hôtel, Monsieur Proust s'immobilisa soudain devant la porte en apercevant deux femmes qui s'avançaient dans notre direction. Je reconnus aussitôt l'une d'elles, la dame avec laquelle il avait parlé dans le parc.

Vue de près, elle est encore assez jeune, son visage est doux, elle est blonde, elle me semble jolie. Elle aperçoit Monsieur Proust, se penche vers l'autre dame et lui dit quelques mots. Les deux femmes s'approchent et inclinent la tête vers l'homme. Lorsqu'ils rencontraient des personnes de connaissance dans la rue, les hommes de l'époque se découvraient de différentes façons, selon l'âge, le sexe, la position sociale de ces personnes, la leur et les circonstances ; l'élégant monsieur pourrait porter la main au bord de son chapeau et entrer dans l'hôtel, non, il retire complètement son couvre-chef et fait un large salut. Il a donc l'intention de parler aux dames, il me faut éviter d'être vu.

La rue est déjà sombre, minuscule et habillé de vêtements foncés, je me dissimule sans peine dans l'embrasure de la porte la plus proche de celle de l'hôtel pour entendre ce qui va se dire. Monsieur Proust s'adresse d'abord à l'autre dame (moins jeune que sa compagne, moins jolie mais assez belle, me sembla-t-il, brune et imposante).

— *Miss Moberly, I presume ?*
— *Exactly. Mister Proust, I suppose ?*

— *Yes, Miss, yes, in fact.*

— *I am glad...* Je souis heureuse de rencontrer vous, Monsieur.

— Je suis moi-même heureux que votre excellent français vous épargne mon mauvais anglais, Miss, mais je vous prie, toutes deux, de bien vouloir m'excuser. J'ai un rendez-vous urgent et serais charmé de vous présenter mes hommages demain, en début d'après-midi, si cela vous convient. Je ne vois pas le groom mais le jeune Noël, qui se cache dans l'ombre derrière nous, vous tiendra la porte à sa place et vous accompagnera jusqu'à l'intérieur de l'hôtel, n'est-ce pas Noël?

Il refait un grand salut aux dames, en fait un petit dans ma direction, ouvre la porte et disparaît dans l'hôtel avec une rapidité dont je ne l'aurais pas cru capable. Je ne l'aurais pas cru non plus capable de « repérer » ma filature.

Stupéfait d'avoir été découvert, confus mais obéissant, je sors de ma cachette, soulève ma casquette, passe devant les dames, leur ouvre la porte et les fais entrer. Les demoiselles anglaises (elles sont anglaises et demoiselles, puisque Monsieur Proust les appelle *miss*, à Versailles on connaît ce mot-là), entrent dans l'hôtel au moment où le terrible Daniel apporte quelque chose au portier. Il m'aperçoit, me lance un regard de haine et disparaît, le Signor Minimo accourt.

— *My ladies, my laidises!... Very happy to see you!...* Do you want a good english tiea in zé pétite salone?

— *Yes*, répond Miss Moberly, *yes, we need it, in ze* pétite salone, yes... *Thank you,* Monsieur Massimo.

Elles étaient sans doute moins snobs que l'ami dont Monsieur Proust gardait une photographie dans sa chambre et dont il m'avait dit : « Il ne vous verrait même pas », car elles me saluèrent de la tête avant de se diriger vers le « pétite salone ».

— Ne reste pas ici, mon garçonne. Si tu as faim, descends dans la cousine, le cousinier te fera manger des bonnes chaussettes. Je n'ai pas de courses pour toi, cette soir, reviens demain à les neuves (neuf heures), Monsieur Proust m'a dit qu'il voulait te voir dans son appartement, je te donne la permissione mais tu monteras par l'escale de service, Daniel ou pas Daniel, *capisci* ?

Je fais oui de la tête, passe derrière le trône du Seigneur Minime, ouvre la porte de service et me rends dans les cousines.

L'AFFAIRE DE LA MYSTÉRIEUSE
DAME DU PARC, SUITE

J'ai signalé plusieurs fois le don de divination de Marcel Proust, ce don était celui de l'observation, bien sûr, sa façon de faire semblant de ne pas me voir le suivre dans la rue et de me découvrir au dernier moment, mal caché dans mon embrasure de porte, en était la preuve. J'en eus bien d'autres par la suite mais nous avions beau connaître sa capacité à tout voir, tout retenir, et son art de la déduction, nous étions toujours émerveillés du résultat, comme d'un tour de magie. Nous n'ignorions pas la vélocité de son esprit, la sûreté de son regard, nous étions pourtant toujours surpris qu'il eût été capable d'avoir observé tant de détails et envisagé tant d'hypothèses à la fois, de sorte que sa conclusion semblait toujours la seule bonne.

Le secret d'une autre de ses particularités, sa connaissance de tant de choses dans tant de domaines divers, était non seulement son immense mémoire et la rapidité de son intelligence mais une sorte de sens pratique dont il n'était peut-être pas conscient lui-même, une façon d'utiliser son temps sans encombrer son espace. Il n'achetait pas de livres, n'en accumulait pas, les empruntait, les lisait d'un trait et les rendait deux jours plus tard, ayant tout engrangé dans cette fameuse mémoire, tout trié, tout compris.

Bien plus que sa capacité à tout retenir, le tri véloce au sein d'une masse d'informations, le bon choix d'une seule conclusion de préférence à d'autres pourtant possibles, étaient sa grande force. De sorte que l'écrivain de la lenteur patiente, le malade reclus, était, en réalité, le général qui voit le champ de bataille d'un coup d'œil, choisit l'unique bonne manœuvre, lance immédiatement ses troupes dans des directions multiples et surprenantes, enveloppe l'ennemi sans possibilité de fuite, triomphe en un éclair et se replie pour tirer les leçons de sa victoire, préparer une prochaine campagne, écrire ses mémoires de guerre...

Cet intellectuel mondain et malade était un guerrier. Le secret de ce chercheur de temps fut de considérer le Temps comme un espace à conquérir. Par l'attention, d'abord, en observant les lieux et les êtres qui passaient devant lui, par la mémoire, ensuite, en explorant le passé, l'occupant en pensée comme un chef d'armée occupe un pays, le parcourant et le dominant dans toutes les dimensions possibles, en éclaireur puis en conquérant, puis en philosophe, en écrivain enfin.

Nous vivions selon le temps des horloges de tous, il vivait selon un temps à lui, le creusant et l'élargissant de telle sorte qu'il avait duré plus et mieux que le nôtre au cours d'un même nombre d'heures. Ainsi s'explique l'extraordinaire quantité de connaissances qui fut la sienne en même temps que leur extraordinaire qualité. Nous avions besoin d'une semaine pour lire un livre, une heure lui suffisait à en absorber trame, substance, architecture, portée. Nous avions lu un livre, il avait lu et envisagé un monde.

Ainsi n'avons-nous pas vécu les mêmes heures, lui et nous. Ainsi aurons-nous vécu en esclaves du temps sans presque jamais parvenir à l'immobiliser un seul instant, passants rapides d'un monde fugitif et presque toujours privé de sens, ainsi Marcel Proust aura-t-il vécu en observant tout, extrayant une vérité générale d'un détail insignifiant à tout autre œil, transformant le plomb en or. Ainsi fit-il de sa courte vie une sorte d'éternité, l'œuvre qui en découla, porteuse de temps retrouvé, d'espaces ressuscités, de sens et de beauté, ne devant plus cesser de couler, d'année en année, de lecteur en lecteur.

L'histoire des Anglaises ne comporta ni perte d'un objet ni assassinat d'une personne mais fut un exemple de ce mystère qui passionna Monsieur Proust plus que tous les autres, celui du Temps. Cet exemple le conduisit à une sorte d'enquête plus passionnée qu'une enquête policière et plus dangereuse pour moi, elle faillit me séparer de lui pour toujours.

Descendu au sous-sol, je fus bien accueilli, dans la cuisine, par le chef cuisinier. Comme André, Fernand m'aimait bien, il me proposa un coup à boire, je refusai, préférant un verre d'eau, un casse-croûte, j'en fus heureux, et la permission d'assister à la préparation du dîner, spectacle que j'adorais.

Je n'avais pas encore lu les pages de Marcel Proust sur l'élaboration des bonnes choses à manger, sur les cuisines familiales ou les restaurants pleins de promesses et d'animation, ces pages étaient encore à rédiger et seraient parmi celles que j'aimerais tout particulièrement plus tard, non pas devenu gourmand de nourriture mais de livres. Je lui en parlai après avoir lu *À l'ombre des jeunes filles en fleurs*, la part la plus voluptueuse de son œuvre.

— Comment pouvez-vous si bien décrire ce dont vous êtes privé ?

— Justement parce que j'en suis privé, cher Noël ! Je vous l'ai dit souvent, un auteur n'est pas dans ce qu'il vit mais dans ce qu'il écrit.

Ainsi, sans doute, s'étant éloigné peu à peu de la plupart des plaisirs habituels de la vie, l'auteur les décrivit-il d'autant mieux qu'ils appartenaient désormais au monde du souvenir, donc de l'écriture, « les vrais paradis sont les paradis qu'on a perdus »…

Je vécus sans le savoir la préparation du dîner de ce soir-là, à l'hôtel des Réservoirs à Versailles, en 1906, comme une préparation à la lecture du grand livre qu'un écrivain préparait déjà, sans le savoir non plus, deux étages plus haut. Je retournai, le lendemain, dans la même cuisine où Fernand me proposa de « manger un morceau », que j'acceptai avec joie. Lorsqu'il me dit qu'il était presque neuf heures (je n'avais pas encore de montre), je passai par l'escalier de service sans rencontrer le terrible Daniel, parcourus le couloir des clients sans en croiser aucun et frappai à la porte du 22.

Monsieur Proust vint m'ouvrir, me salua d'un signe de tête, alla s'allonger sur le canapé et garda le silence en m'observant.

Je ne l'avais pas revu depuis une semaine. Il me sembla redevenu l'homme pâle et souffrant qui m'avait ouvert la même porte pour la première fois, moins de quinze jours plus tôt. Il avait marché dans le parc et haleté à la poursuite d'une Anglaise, la veille, j'attendais un nuage de fumigations, non, l'air était respirable. La pâleur de mon hôte n'était donc pas due à des ennuis de santé mais à des soucis moraux que je ne sus déduire ni de son aspect (il portait sa fameuse pelisse malgré la chaleur de l'appartement) ni de celui de la pièce (le désordre était revenu autour de lui). Son silence me fit croire qu'il était fâché contre moi, j'avais tort, à ce moment-là, il n'était fâché que contre lui-même – il ne se fâcha contre moi que le lendemain, j'en tremble déjà…

— Vous êtes pâle, avez-vous pris quelque chose ?

À l'époque, prendre pouvait vouloir dire manger, mon grand-père disait toujours, à la fin d'une journée de travail, « il faut rentrer à la maison, j'ai besoin de prendre ».

— Oui, Monsieur, aux cuisines, le chef est toujours très gentil avec moi.

— Tant mieux, nous allons pouvoir parler. Un des gâteaux que je me suis fait monter avec un thé, après un long téléphonage, m'a servi de dîner, je viens de commander une tisane qui m'aidera, je l'espère, à le digérer. Il y a une tisanière et une seconde tasse sur la table, si vous aimez le tilleul, buvez-en.

Il se renversa sur le canapé, tenant à la main une tasse vide, leva les yeux vers le plafond décoré de stucs (j'ignorais le mot stuc, Monsieur Proust me l'enseigna plus tard, ainsi que le mot « téléphonage », qu'il employait pour désigner ce que nous appelons de façon brutale un « coup de téléphone », ses lecteurs le savent, je le signale pour ceux qui ne l'ont pas encore lu et me liront peut-être, un jour, au XXIᵉ siècle, qui sait ? Attirés par le mot « enquêtes » du titre, ils liront peut-être mon livre avant de lire ceux de Marcel Proust, s'ils en tirent le désir de découvrir *À la recherche du temps perdu*, je n'aurai pas tout à fait perdu le mien).

Je connaissais un Monsieur Proust aimable et bavard, je ne l'avais jamais connu sec et muet, que faire ? Le service. Je versai un peu d'infusion dans la tasse de mon hôte, il en but quelques gorgées et garda le silence. Je remplis l'autre tasse et la bus lentement, elle me rappela des souvenirs. Il y avait des tilleuls dans une rue voisine de la nôtre, sur la butte Montmartre où j'avais habité jusqu'à l'année précédente, le tilleul était notre thé à nous, celui-là ne ressuscita pas mon grand-père comme l'avait fait une lumière de bougie, la semaine précédente. Je me rappelle ce moment où un souvenir a réellement eu lieu : oui, j'ai bu de nombreuses fois la même infusion avec mon grand-père, je le revois mais je n'éprouve pas la sensation de sa présence, l'homme silencieux près de moi a raison, le vrai souvenir ne revient pas à volonté, il faut attendre une autre occasion.

J'étais resté debout, Monsieur Proust ne voyait rien, ne disait rien, j'avais quelque chose à me faire pardonner, je crus nécessaire de parler le premier.

— Je suis passé tous les jours devant l'hôtel mais le Signor Minimo n'était pas de service, je n'ai pas eu de vos nouvelles, Monsieur. Comme j'étais libre, hier après-midi, je suis allé me promener vers le parc, je vous ai vu en sortir par hasard, vous aviez l'air fatigué. Je me suis permis de vous suivre dans la rue pour vous aider à rentrer à l'hôtel, au cas où vous auriez eu de la peine à marcher, mais sans me faire voir, pour pas vous forcer à parler, vous sembliez essoufflé.

— L'air de la rue se refusait à mes poumons à cause des efforts que j'avais faits pour parler avec une dame tout en marchant dans le parc, je ne le regrette pas, elle m'a raconté une histoire qui m'a « coupé le sifflet » ! et fait réfléchir.

Il rit, je retrouve d'un coup le personnage que j'aime déjà tant.

— Vous ne m'en voulez pas de vous avoir suivi, Monsieur ?

— Au contraire, je vous suis reconnaissant de vous être préoccupé de ma santé mais je préférerais que vous me disiez la vérité... tu, tu, tut, laissez-moi finir ! Suivre quelqu'un pour lui venir en aide est une chose, se cacher pour épier sa conversation avec des dames en est une autre... Vous changez de visage, ainsi que l'on dit en langage de tragédie, ce visage avoue ce que vos paroles ne disent pas, allons, allons, dites-moi la vérité, rien que la vérité, toute la vérité, comme on dit en langage de tribunal, car vous m'avez menti, Monsieur Noël !

— Non, Monsieur Proust, je ne vous ai pas menti...

— Si, Monsieur le Détective, si, je l'entends dans votre voix quand vous dites « je suis allé me promener *vers* le parc », vous n'êtes pas allé seulement dans sa direction, vous y êtes entré, j'en jurerais !

— Vous m'avez vu ?

— Non, j'étais trop habité, je devrais dire hanté, vous allez voir que c'est le mot juste, j'étais trop hanté par la scène que Miss Jourdain venait de me décrire pour être capable de regarder autour de moi, je ne vous ai vu qu'au moment où vous avez essayé maladroitement de vous cacher pour entendre ma conversation avec les Anglaises dans la rue. Vous devriez savoir cela, pour suivre quelqu'un sans être vu il ne faut pas faire de mouvements brusques pour se dissimuler. (La pensée que Monsieur Proust pût avoir l'expérience des filatures me surprit, avait-il eu l'occasion de vivre ces choses-là ?) Vous savez déjà observer attentivement et réfléchir juste mais vous n'écoutez pas encore assez les personnes, permettez-moi de vous le dire. Je viens de vous révéler que j'avais entendu un mensonge dans votre voix, écoutez les voix, Monsieur le futur Détective, y compris la vôtre. Une seule intonation peut mentir ou dire la vérité, votre *vers le parc* mentait, la vérité a éclaté dans votre *je vous ai vu...* Vous êtes volontairement entré dans le parc pour voir si j'y étais et vous m'y avez effectivement vu, ne le niez pas !

— C'est vrai, Monsieur. Je ne l'ai pas dit parce que... parce que je ne voulais pas que vous pensiez que je vous espionnais.

— C'est pourtant ce que vous faisiez ! Vous avez constaté que j'étais sorti à nouveau, moi qui marche si peu, vous avez échafaudé des hypothèses, ainsi qu'on dit en langage de roman, en me voyant marcher avec une femme dans un parc où certaines dames rencontrent certains messieurs dans certains buts, vous ne pouvez l'ignorer, si jeune que vous soyez. Vous vous êtes donc imaginé que j'étais en train de « courir le guilledou », n'est-ce pas ?

Il devine encore tout, je rougis sans répondre.

— Hélas, je n'ai couru aucun guilledou mais le risque de perdre la raison, vous allez voir pourquoi... Ne dormant plus, en début d'après-midi, j'ai pensé que j'avais besoin de sortir à nouveau, après tant de mois de claustration. Le souvenir du Saint-Simon dont je vous ai parlé m'a donné le désir de retourner dans des lieux qu'il a connus, je suis retourné dans le parc, j'y ai rencontré une promeneuse qui m'a dit quelque chose de très étrange, je sens que nous sommes là face à une sorte d'affaire policière que nous allons tenter d'élucider ensemble, en « fins limiers » que nous sommes. Asseyez-vous, cher Détective, vous avez su retrouver un objet perdu dans le désordre d'un minuscule appartement, aidez-moi à mettre de l'ordre dans mes pensées à propos d'une dame rencontrée dans un vaste parc...

Je ne sais pas ce que sont des limiers, fins ou non, mais je m'assieds, enfin rassuré, mon hôte ne m'a pas oublié. Il se lève, allume l'une de ses cigarettes, évocatrices de souvenirs pour moi, dangereuses pour lui, elles le font tousser, qu'importe. Nous sommes à nouveau réunis pour partager le bonheur d'une nouvelle enquête – bonheur qui sera traversé d'orages, je le saurai bientôt.

L'AFFAIRE DE LA MYSTÉRIEUSE DAME
DU PARC CONTINUE

— Je suis donc revenu m'asseoir sur le banc que vous connaissez et j'ai repensé aux ombres du passé dont je vous parlais l'autre jour. Je n'espérais pas revoir l'ombre de ma mère en ces lieux qu'elle aimait, je ne crois pas au retour des morts ni à leur royaume, du moins étais-je heureux de voir des mères surveillant les jeux de leurs enfants, de jolies promeneuses passer dans des allées qu'avaient connues Saint-Simon et Louis XIV, ce roi qui aimait tant les femmes et les jardins, jolies promeneuses dont aucune, je m'empresse de le dire au soupçonneux espion que vous êtes, ne paraissait en quête du genre de rencontres qu'on appelle bonnes fortunes, et qui sont parfois mauvaises...

Désireux de faire un peu de sport, moi qui ne marche presque plus jamais, je m'éloigne du bassin de Neptune en saluant le dieu de la mer, me dirige vers ma gauche et descends vers le bassin de Latone afin de saluer la mère d'Apollon, dieu du soleil et des poètes. (Monsieur Proust citait souvent des personnages de l'Antiquité, dont je découvris peu à peu les histoires grâce aux lectures que je fis grâce à lui.) Voilà que j'aperçois une dame qui sort en hâte du petit bois qui longe le Grand Canal sur la droite de la façade du château. Elle a l'air trop pressé pour être une promeneuse comme les autres, elle m'intrigue, agitée, rouge, essoufflée, peut-être même effrayée.

Elle monte dans la direction du palais, donc la mienne, je m'assieds sur un banc pour l'observer. C'est une dame visiblement trop comme il faut pour faire partie des sirènes du parc, plutôt jolie, mal habillée mais très convenable, et si fatiguée qu'elle a besoin de s'asseoir, elle le fait près de moi, sur le même banc, afin de reprendre souffle et forces.

Ne connaissant que trop les souffrances d'un manque de respiration, je ne peux m'empêcher de l'observer avec sympathie et je l'entends prononcer quelques mots anglais, « *poor, poor, dear Queen* », qu'elle se dit à elle-même à voix basse...

— Que veut dire « porc dire couine », Monsieur ?

— Je vous le dirai quand j'en serai arrivé au moment de mon récit où cette révélation vous fera l'effet qu'elle a causé sur moi, pour l'instant sachez que je compris, à ces paroles, que la dame rentrait du hameau où elle venait d'éprouver une grande émotion en pensant à la malheureuse femme qui l'avait fait construire afin d'y vivre heureuse mais qui connut, peu après, une fin tragique...

On dit toujours « hameau de la Reine », je sais donc à quelle personne a pensé l'Anglaise, une reine dont tout le monde parle à Versailles, et je connais sa fin tragique, mon grand-père m'a raconté la Révolution française. Je veux le dire à Monsieur Proust, il me fait signe de me taire et continue, je suis un peu blessé.

— Ne pouvant lui offrir, dans un jardin et dans l'immédiat, le réconfort préféré des Anglais, un thé, je lui demande si elle a besoin d'aide. Je ne suis pas aussi bon anglophone que je devrais l'être, j'ai traduit des textes anglais mais guidé par ma chère Maman, je crois vous l'avoir dit, la dame me regarde sans me répondre, mon accent a dû être bien movais… Non, elle a tardé à me répondre parce qu'elle peine à sortir d'une angoisse dont elle finit par me parler, en français, étrange aventure, vous allez voir, très étrange mais racontée brièvement, hélas, la dame est pressée, elle a « rendez-vous » avec une amie qui l'attend à l'entrée principale du château, entrée située de l'autre côté du palais par rapport au bassin de Neptune, vous le savez, vous connaissez les lieux. Je les connais aussi, leur géographie m'a quand même joué un tour quelques minutes plus tard !

Monsieur Proust a oublié sa mauvaise humeur, ce soir-là aura beau se conclure sur un intermède à la fois mélancolique et joyeux, elle reviendra le lendemain, on va le découvrir – rien ne se gagne plus vite et ne se dissipe plus lentement que la mauvaise humeur.

— Ayant vu la dame s'éloigner du côté opposé à celui du bassin de Neptune, pour moi celui de l'hôtel, je fus surpris de la voir arriver par un autre chemin, hier, dans la direction du même hôtel, surprise idiote, c'est le préféré des touristes, j'aurais dû penser que des Anglaises y seraient tout naturellement descendues, il était donc logique, en sortant de l'entrée principale du château où elles avaient rendez-vous, qu'elles prissent le chemin le plus direct, la rue des Réservoirs, pour « rentrer au bercail »… La logique n'est pas toujours notre fort, hélas, et nous oublions ce que nous savons pourtant bien ; des côtés sans rapport apparent les uns avec les autres sont souvent reliés par un chemin parfois invisible, parfois parfaitement visible, en l'occurrence une simple rue. Mais avant de vous raconter l'histoire de l'Anglaise, je veux vous expliquer ce que j'ai fait de mon temps, pourquoi je n'ai pas donné « signe de vie » durant cette semaine.

Je travaillais un peu, je recevais des visites et je m'occupais de mon emménagement dans le nouvel appartement dont je vous ai parlé, mais je ne vous oubliais pas, cher Noël. Je pensais fréquemment à vous, au contraire, dont l'apparition dans ma vie a été l'illustration d'une loi qui m'est chère, celle des côtés. Des personnes appartenant à ces côtés différents de la vie peuvent se rencontrer quand même, un carnet qui devrait être sur un bureau se retrouve du côté où il ne devrait pas être, preuve que les côtés les plus opposés en apparence peuvent se rejoindre.

Je vois bien que vous ne me croyez pas, « ce monsieur ne peut pas penser à moi, je suis pauvre, il est riche, je ne suis rien pour lui, je n'ai que dix-sept ans, je n'ai rien à lui apprendre ». Dites-vous que, tel un oiseau, je picore en tout lieu, que je ne ressemble aux messieurs de mon milieu que par l'aspect, et encore, mon aspect est plutôt « bizarre », n'est-ce pas ?

Je ne comprends toujours pas ce que mon apparition peut apporter à la vie de quelqu'un qui a tout sauf une bonne santé mais je vois bien que son aspect est bizarre, en effet. Vêtu d'un manteau d'extérieur dans une chambre étouffante, il a l'air d'un cambrioleur (il en est bien un, on le saura dans quelques années, cambrioleur de vérités).

— En vérité, ma vraie manière de vivre et de penser ne ressemble en rien à celle des gens de mon entourage, car je fréquente bien d'autres côtés que le leur, côtés bien différents mais que je rapproche en jetant le pont de la pensée entre eux. Je vois des personnes de mon monde, celui de riches bourgeois, et même des personnes d'un beaucoup plus grand monde, celui qu'on appelle le monde tout court, que je suis parvenu à fréquenter grâce à des relations de famille et des amitiés de lycée, mais je vois aussi des personnes qui appartiennent à des milieux très différents du mien, par exemple Joseph, notre serveur de l'autre soir... Vous avez l'air surpris, ne le soyez pas, Joseph aime jouer aux cartes, aux dominos, aux dames, moi aussi. Nous faisons parfois des parties ensemble, j'en profite pour le faire parler de ce qui se passe autour de lui, tout comme je demande à Massimo de me raconter ce qui se passe à l'hôtel, j'aime les ragots, je l'avoue ! Mais, vous, mon cher petit, ce n'est pas pour jouer aux dominos ou pour des « ragotteries » que je désire votre présence, c'est parce que vous appartenez au meilleur côté de moi-même. Ne vous étonnez pas, sachez que je l'ai été aussi lorsque j'ai découvert en vous, si jeune, un esprit en mesure de raisonner avec l'expérience d'un homme fait sans perdre la fraîcheur de l'enfance, qui voit tout d'un œil neuf et a soif d'apprendre, voilà ce que j'aime en vous, cher Noël, comprenez-vous ?

— Non, Monsieur.

— En apparence vous êtes du monde de Joseph, en réalité vous êtes du mien, pas celui qui se voit, celui qui ne se voit pas, mon côté le plus intime, celui de l'enquêteur que je suis moi aussi, à ma façon. De votre côté vous courez la ville tout le jour afin de porter des messages ou de procéder à des filatures, du mien je « bats la campagne » en esprit toutes les nuits, entre quatre murs. Ne pouvant « filer », comme vous, les gens dans la rue, je me renseigne sur eux d'une autre façon, afin de pouvoir décrire le résultat de mes enquêtes avec la plus grande précision possible, de sorte que je suis pareil à vous, finalement, cher jeune Mercure aux pieds ailés, un coursier porteur de messages mais aussi un observateur en quête de mystères à résoudre.

Il y a une différence, de votre côté vous travaillez pour subvenir à vos besoins, du mien je mène mes enquêtes en apparence pour moi-même, sans nul besoin de gagner mon pain, réfléchissons à cette apparence. Vous faites votre métier de coursier par nécessité mais quitteriez-vous sans regrets votre emploi à la maison Bâtard, si votre patron cessait de vous payer ? Répondez-moi, je vous écoute, votre réponse m'intéresse pour nous deux.

La réponse n'est pas facile, je viens à peine de comprendre le plaisir de penser juste, je ne suis pas encore capable de parler longuement, je résume ma vie en peu de mots.

— Je ne suis pas beaucoup payé chez Monsieur Bâtard mais j'aime aller partout, chercher ceci, chercher cela, vous avez raison, Monsieur.

— Sachez qu'il en va de même pour moi. Vous n'êtes pas beaucoup payé de vos peines, je ne le suis pas du tout des miennes, nous aimons néanmoins « aller partout », avec les jambes de notre corps ou celles de notre esprit, afin d'observer, de chercher, de découvrir des vérités, même si la vérité cherche à nous échapper, car, pareille à l'amour, elle est « un oiseau rebelle », ainsi que le chante la cruelle Carmen dans un opéra...

Il fredonne le début d'un air que ma mère chante souvent, « L'amour est un oiseau rebelle / Que nul ne peut a-apprivoiser... », j'enchaîne en chantant la suite, « Et c'est bien en vain qu'on l'appelle / S'il lui convient-ent de-e refuser », Monsieur Proust rit de plaisir et bat des mains.

— Vous connaissez cet opéra, c'est merveilleux ! Vous chantez juste, c'est merveilleux aussi. Vous avez une voix ravissante, je vous envie...

— Mon grand-père savait chanter, il jouait aussi de l'accordéon, il m'a appris à en jouer et à chanter avec lui. Maintenant je ne peux plus dans la maison de l'ami de ma mère, il aime pas ça, mais...

J'allais dire que je joue tous les dimanches dans un bal musette, dans un faubourg de Versailles, pour le plaisir, pour gagner un peu d'argent et pour essayer de rencontrer des jeunes filles, mais un monsieur du beau drap, comme dit le Signor Minimo, ne comprendrait pas ces choses-là, je m'arrête. Une fois de plus je me trompe sur mon nouveau client.

— Mais quoi ? Vous jouez ailleurs ? (Je fais mon signe habituel de la tête.) Bien, très bien. Quelles musiques, avec un accordéon ? Des chansons, des danses, des danses dans des bals, c'est cela ? (Signe de la tête.) Des bals musettes dans des guinguettes, comme c'est bien ! Des bals où viennent danser des movais garçons, parfois ? Des « apaches » ? Dites-moi, dites-le-moi, cela m'intéresse bocoup...

Il prononça « movais garçons » et « apaches » avec un mélange de réticence et d'exaltation qui m'étonna. Je n'avais jamais vu son beau visage changer si vite, je dirais presque se tordre, pour prononcer des mots qui semblaient lui procurer répugnance et gourmandise en même temps.

— Non, Monsieur, j'ai vu des apaches dans mon quartier à Montmartre, il y en a pas dans les bals où je joue pour les familles, le dimanche après-midi.

— Des bals pour les familles ?... Dites-moi, viendriez-vous jouer pour moi ici ?

— Oh, non, Monsieur, la direction n'acceptera pas que j'apporte un accordéon à l'hôtel. Si les clients l'entendaient, ils se fâcheraient, on me chasserait.

— Ts, ts, ts, réfléchissons... Il y a des pianos dans certains appartements de l'hôtel, j'en ai eu dans mon appartement précédent, bien que je n'en joue pas, je « pianote ». Mais je peux louer un piano mécanique, un pianola, et le faire monter ici. J'en jouerai quelquefois, si l'on m'entend, ce sera en passant dans le couloir et sans gravité. On aura ainsi l'habitude d'entendre un peu de musique venant de chez moi, vous monterez votre accordéon par la porte de la cour des domestiques, vous m'en jouerez de temps en temps. (Les clients ne connaissent pas cette cour, lui si, y serait-il descendu, serait-il allé jusqu'au bâtiment de la *servitù*, aurait-il rencontré ma grande amie, Madame Edmée ? Impossible, je ne le vois pas arpenter l'hôtel, il s'est renseigné auprès de quelqu'un, qui ? Joseph, bien sûr, il vient de me le dire. Alors je comprends aussi comment il se renseigne sur moi, sur tout le monde, à l'hôtel, sur tout ce qui s'y passe, il a ses espions, comme Monsieur Bâtard !) Vous me ferez plaisir, la musique me manque. Celle que je préfère n'est pas la même que la vôtre mais celle de vos bals m'amuse beaucoup, je vous assure. Je vais parfois écouter ces musiques-là dans des music-halls, des cabarets, ou même des bals populaires avec des amis de mon monde habituel, ils aiment à « s'encanailler », vous savez... (Les gens disent toujours « vous savez » quand on ne peut pas savoir.) J'y suis allé aussi avec des relations de mon autre monde, de gentils garçons, comme Joseph, ou d'autres moins gentils, mais vous, vous n'êtes pas de ce monde-là, vous devez avoir l'air de venir du ciel lorsque vous jouez de votre accordéon, penché sur votre instrument comme les anges qui jouent de la musique pour la Vierge Marie dans certains tableaux d'autrefois... (Parmi tout ce qu'il me fit découvrir en quelques semaines, il y eut la révélation qu'on peut regarder un tableau sur un mur, je n'y avais jamais pensé à l'hôtel, où ils étaient pourtant nombreux ; il me fit découvrir la peinture dans des musées, à Paris, il aimait tout particulièrement les tableaux religieux anciens et leur fraîcheur naïve, je comprends maintenant pourquoi j'en faisais un peu partie, à ses yeux.)

Je vous montrerai des reproductions, vous verrez avec quelle application ces petits anges célèbrent la Reine des cieux, ces cieux où les peintres les ont représentés, en couronne autour d'elle, flottant sur de petits nuages ou dans un nimbe d'or. (Il prononce « d'ar » et je place ici « nimbe », mot qu'il répétait souvent.) Leurs joues se gonflent jusqu'à en éclater pour faire sonner leurs petites trompettes, leurs mains d'enfant effleurent les cordes de harpes célestes et les touches d'orgues minuscules, à leur échelle, votre accordéon comporte-t-il des touches, comme un orgue ?

— Oui, Monsieur, il vient d'Allemagne, il a des boutons et aussi des touches, comme un piano. Je sais jouer du piano, c'est pas la peine de louer un pianola, demandez qu'on vous apporte un piano de l'hôtel, je vous jouerai ce que vous voudrez.

— Vous savez lire la musique ?

Je suis un peu blessé, un petit coursier peut s'intéresser à autre chose qu'à ses courses et savoir jouer du piano, par exemple, mais peu importe, l'idée que nos soirées puissent être entrecoupées d'intermèdes musicaux me plaît. À notre passion des enquêtes s'en est ajoutée une autre, qui nous donnera des raisons de plus d'être heureux ensemble, le chant, la musique.

Je devrais dire les musiques, sans préjugés sur rien Monsieur Proust en aima plusieurs. Dans son œuvre, Marcel Proust évoque la musique dite grande, dans sa vie le grand homme aima également la petite – ah, le rire de Marcel et de Reynaldo fredonnant ensemble la fameuse chanson de Mayol, en imitant ses gestes célèbres et coquins (on dirait aujourd'hui « un peu pédés »), lorsqu'ils chantaient « Les mains de femme / Je le proclame / Sont des bijoux / Dont je suis fou » !...

INTERMÈDE MUSICAL INATTENDU

— Oui, Monsieur, je sais lire la musique. Mon grand-père avait une belle voix, il m'emmenait chez un ami qu'il avait sur la Butte, un musicien très connu qui lui faisait chanter des chansons de lui en l'accompagnant sur son piano. Un jour, j'ai osé chanter avec mon grand-père. J'avais une voix juste, je retenais vite, alors son ami m'a donné des leçons de chant et de musique. Je savais déjà jouer de l'accordéon à l'oreille, j'ai appris à lire les notes et à jouer du piano.

— Vous ne cessez de m'étonner, mon petit Noël. Dites-moi, ces leçons avaient lieu sur la Butte, chez un musicien très connu, ce musicien n'était-il pas en train de composer un opéra ?

— Si, Monsieur, en effet. Il aimait entendre ce qu'il venait d'écrire, il se mettait au piano, il faisait chanter le jeune homme de son opéra à mon grand-père et la jeune fille à une élève de son école, il a une école pour apprendre à chanter. Comme j'avais une voix aiguë, je chantais tout doucement avec la jeune fille, Monsieur Gustave me laissait faire et chantait les autres personnages avec nous...

Monsieur Proust s'est levé tout à fait, il bat des mains, il rit et fredonne le début d'un duo que je connais bien : « Depuis longtemps j'habitais cette chambre, sans me douter, hélas, que j'avais pour voisine une enfant aux grands yeux, une vierge des cieux, que des parents sévères gardaient comme une prisonnière... » Sans avoir le temps de m'étonner que le monsieur connaisse par cœur le rôle de l'homme que chantait mon grand-père, je chante aussitôt ce que répond la femme : « La recluse attendait qu'un beau chevalier, comme dans les livres, vînt enfin la délivrer... » Le monsieur chante ce qui vient après : « Comment l'aurais-je appris ? », s'arrête, vient à moi, se penche et me caresse la tête, comme si j'étais un enfant qui a été reçu au certificat d'études ou un chien qui a fait le beau.

— Vous avez appris la musique avec Gustave Charpentier, c'est extra ordinaire !

— Pas extraordinaire, Monsieur, nous habitions juste à côté de chez lui.

Monsieur Proust rit de son rire en cascades, je suis à nouveau blessé, il s'en aperçoit.

— Je ris de plaisir, mon petit, je ne ris pas de vous, au contraire, j'admire que vous ayez appris la musique et m'en réjouis pour vous et pour moi qui l'aime tant, sans l'avoir étudiée, je le regrette, mais elle sera un lien de plus entre nous. Vous l'avez apprise avec un musicien que mes amis n'aiment guère, il est trop « populaire » pour eux, pour moi aussi, je le reconnais. Je préfère Debussy ou Fauré, musiciens dont vous n'avez peut-être pas entendu parler, mais j'ai une tendresse un peu coupable pour la *Louise* de Gustave Charpentier, aveu que je ne peux faire qu'à vous, mes amis se moqueraient de moi, je suis donc ému d'apprendre que vous en avez chanté des passages, accompagné par l'auteur lui-même. Connaissez-vous un autre musicien, très connu lui aussi, que j'aime beaucoup, grand ami de Gustave Charpentier et grand musicien à mes yeux, je devrais dire mes oreilles, Jules Massenet ?

— Oui, Monsieur, je l'ai rencontré à l'Opéra-Comique, quand Monsieur Gustave préparait sa *Louise*. J'y jouais même un petit rôle, un gamin de Paris...

— Je vous ai donc déjà vu, il y a trois ans et sans le savoir, cher Noël ! Car je suis allé voir *Louise*, une œuvre dont j'adore (« j'adare ») particulièrement le grand air, « Depuis le jour où je me suis donnée... » Quand un nouvel amour me vient, je me rappelle toujours cette musique, ces paroles, « l'âme encore grisée de ton premier baiser », quand cet amour s'en va, je me chante la phrase finale, « et je tremble délicieusement au souvenir charmant du premier jour d'amour », en pleurant, je l'avoue ! Je pourrais me rappeler un duo d'amour que j'admire beaucoup plus dans un autre opéra, le *Tristan et Isolde* d'un musicien que j'aime entre tous, Wagner, non, dans ces cas-là, c'est la *Louise* de Gustave Charpentier qui me revient en mémoire... Au fond, je ne suis qu'une « midinette » !

Il rit et murmure un autre passage, « l'amour étend sur moi ses ailes », j'enchaîne sur la suite, « au jardin de mon cœur chante une joie nouvelle », il m'accompagne mais sa voix se brise sur le *la* aigu de « joie ».

— C'est trop haut pour moi, comment faites-vous ? Il y a dans votre voix chantée quelque chose de cristallin qu'on n'entend pas dans votre voix parlée, c'est curieux.

— Monsieur Gustave dit que c'est une question de timbre. Quand ma voix a mué, elle a gardé ce timbre mais seulement pour le chant. Il voulait recommencer à me faire travailler, mon grand-père est mort, j'ai commencé à gagner ma vie, j'ai suivi ma mère à Versailles.

— Chantez-moi la suite, « tout vibre, tout se réjouit de mon triomphe, autour de moi tout est sourire, lumière et joie », c'est si jali, c'est si bo...

Il prononce « joli » comme il prononce « beau » ou « j'adore », en ouvrant exagérément le son *o* dans les trois cas, pour imiter les personnes de son monde dont il se moque avec l'ami musicien dont il vient de me parler, dont il va me reparler dans un instant et que je connaîtrai bientôt.

— Je ne chante plus, Monsieur, je suis assez petit comme ça et encore sans barbe, je veux pas que les gens continuent à me prendre pour un enfant en entendant ma voix. Je ne peux plus jouer de piano non plus, alors je joue de l'accordéon.

— Vous en jouerez pour moi, vous me jouerez également du piano, la musique me manque trop ici, et vous chanterez sans craindre d'être pris pour un enfant, je vous le promets. Nous ferons venir mon ami, le musicien Reynaldo, il a une très jolie voix, légère comme la vôtre, pas aussi cristalline mais tendre et charmante. Vous chanterez ensemble, il mettra en musique des chansons dont j'aurai composé les paroles pour vous, spécialement, vous verrez, ce sera délicieux... Voudriez-vous me faire déjà un plaisir ? Chantez-moi *Depuis le jour* en entier, c'est un air écrit pour une voix féminine mais nous sommes entre nous, vous n'aurez qu'à murmurer les notes, vous éviterez ainsi d'être entendu par quelqu'un qui passerait dans le couloir et vous imiterez Louise, c'est pour elle-même qu'elle chante le « souvenir du premier jour d'amour »...

— Pardon, Monsieur, mais elle chante pas pour elle, elle chante pour les gens qui écoutent, et puis il y a l'orchestre, il faut chanter fort pour se faire entendre.

— Il n'y a pas d'orchestre ici, mon enfant, chantez pour moi, je vous en prie, pour moi seul, les émois de l'amour naissant.

Il fredonne les premières mesures du grand air de Louise, il est le contraire de moi, il a une voix chantée plus basse qu'on ne croirait en l'entendant parler. Je lui réponds un demi-ton plus haut, nous ne pensons plus à rien, nous sommes dans le monde de la musique, il nous est commun, nous l'ignorions quelques minutes plus tôt, il le demeurera toujours. Tant qu'il y eut un piano dans sa chambre, je pus lui chanter, quand il m'en priait, aussi bien une chanson de Mayol, ou de Fragson, que des mélodies de Monsieur Hahn, de Gabriel Fauré, de ceux qu'il admirait, qu'il m'apprit à aimer, qui accompagnent toujours ma vie.

Je me suis levé, Monsieur Proust a éteint le lustre (il y a l'électricité dans l'hôtel), n'a laissé allumée qu'une petite lampe à huile qui lui appartient, je le saurai plus tard (il aime les lumières douces) et la bougie qui brûle toujours près de lui afin de lui permettre d'allumer sa poudre sans être obligé de craquer une allumette (respirer le soufre lui fait mal).

Je chante *a capella*, je ne me rappelle aucun « premier jour d'amour », je n'ai pas encore connu l'amour, ni même un « premier baiser » sur les lèvres, mais cette musique me donne l'impression de savoir déjà quelque chose de ce sentiment et de le regretter déjà. En reconstituant cette scène ancienne, en évoquant cette sensation, étrange chez quelqu'un d'aussi jeune, je me demande si celui qui m'écouta dans l'ombre, cette nuit-là, n'éprouva pas dès l'enfance, plus que personne, cette nostalgie anticipée.

On se rappelle l'émotion du Narrateur en découvrant que la saveur d'un morceau de madeleine trempé dans du thé peut faire renaître en lui tout un passé perdu, provoquer une joie bouleversée, donner le signal du départ à une recherche, aboutir à une œuvre immense, une réflexion capitale sur la mémoire et la place de l'homme dans le temps ; je me demande si certains de ces instants du passé apparemment banals, qui ne deviendront miraculeux qu'en renaissant plus tard, à la suite d'une coïncidence de sensations, n'avaient pas été déjà chargés pour le chercheur de Temps, dès le début, d'une émotion particulière, tantôt inconsciente (le fragment de gâteau imbibé d'une tisane bue dans l'enfance), tantôt consciente, le sentiment bouleversant et mystérieux que la vision de trois clochers, aperçus au cours d'une promenade en voiture, cause au Narrateur de la *Recherche*, pourrait en être une illustration ; ces clochers lui semblèrent tout de suite chargés d'un message mystérieux, comme déjà empreints d'une qualité si rare qu'il commença, sur-le-champ, à noter « la forme de leur flèche, le déplacement de leurs lignes » afin de saisir ce « quelque chose qu'ils semblaient contenir et dérober à la fois ».

L'expression « nostalgie anticipée » me semble la plus juste pour rendre compte de ces éclairs. Elle est, je crois, d'un auteur français plus récent dont le nom me fuit parce que je le poursuis, je ne peux donc lui rendre hommage qu'à la façon dont des personnes saluent Marcel Proust sans l'avoir lu, lorsqu'elles disent du parfum d'une lotion ou de l'aspect d'un bar, « il me rappelle ma première copine, c'est ma petite madeleine, c'est proustien »...

Cette universalité naïve aurait probablement ravi Marcel Proust, il se serait peut-être reconnu dans « nostalgie anticipée », Monsieur Proust aimait à entendre certains passages musicaux, même tirés d'œuvres mineures comme la *Louise* de Charpentier, parce qu'ils étaient doués, pour lui, d'un pouvoir émotionnel que la répétition n'amoindrissait pas. L'air que nous allons chanter ensemble, lui et moi, en témoigne.

D'abord il est souvenir ému à l'origine, dans les termes du livret d'où le compositeur tira le climat sonore de ce passage (« souvenir charmant de mon premier baiser »), ensuite il est musique (sans mémoire des notes immédiatement précédentes, pas de mélodie), enfin il est nostalgique parce que rien n'égalera ce premier baiser dans nos vies, nous le savons avant même de l'avoir donné ou reçu, nous l'avons tellement espéré en vain)...

Je chante « Depuis le jour où je me suis donnée... » en fermant les yeux, je ne vois pas Monsieur Proust mais je l'entends murmurer « donnée », en écho, un demi-ton plus bas. Il fait sonner un peu plus fort, « mon rêve n'était pas un rêve », plus fort encore « au jardin de mon cœur chante une joie nouvelle ».

Le *si* naturel final de « Ah, je suis heureu-eu-se ! » est trop haut pour lui, qu'importe, il descend d'un ton presque entier et continue, il absorbe le bonheur amoureux de la jeune Louise et le partage, il est heureux comme il ne l'est plus que rarement, il ne le sera pas souvent plus tard, sauf en écrivant une œuvre faite de musique, elle aussi, celle de la pensée, celle de la mémoire, celle d'un style.

J'ouvre les yeux pour le regarder. Il a fermé les siens, assis sur le canapé, il se renverse en arrière, pâle dans l'ombre comme un revenant, cambré de douloureuse volupté. Il murmure sans peine la douce fin de l'air, écrite pour le médium de la voix, « et je tremble dé-li-cieu-se-ment, au sou-venir charmant du premier jour d'a-mour... », écoutant en lui-même l'orchestre absent, le souvenir d'amours perdues, retrouvées un instant, qui résonne en lui grâce à des mots devenus musique, donc mémoire consultable quasi à l'infini.

Si j'avais été préoccupé, à cette époque de ma vie, par la peur du ridicule, j'aurais sans doute jugé grotesques deux hommes prenant à leur compte les émotions amoureuses d'une naïve jeune fille à peine devenue femme et les chantant comme s'ils eussent été eux-mêmes des jeunes filles, mais je n'avais pas le sens du ridicule, l'auteur dont on imagine la vie obsédée avant tout d'élégance mondaine ne l'avait pas non plus. S'il l'avait eu, s'il avait été vraiment le snob qu'on a dit, jamais il ne se serait montré comme il se montra durant presque toute sa courte vie, toujours élégant de son élégance naturelle mais allant à un « grand raout » parisien comme on va de son lit de malade à son balcon, un jour d'hiver, fiévreux et frileux, couvert de vestes et de manteaux superposés, vêtu de chemises brûlées « au brun » (c'était son mot) par les fers à repasser qui les avaient réchauffées pour qu'il pût les enfiler. Son étroite et douloureuse poitrine bourrée de coton protecteur pointait, alors, comme le bréchet d'une volaille autrement plus égarée dans un salon élégant que le petit demi-juif parvenu qu'on l'accusait d'être, peu lui importait. Il avait obtenu, très jeune, d'être invité presque partout dans ce qu'on appelait le monde, non pour en être captif mais pour le capter, au contraire, puis s'en éloigner afin de le décrire et d'en déduire les grandes lois dans une œuvre qui excluait toute inutile coquetterie, toute perte de temps.

L'auteur sortit de moins en moins, ce monde l'invita cependant jusqu'à la fin, malgré ses pages cruelles sur la mondanité, ses retards perpétuels, ses habits désolants, son visage vert de barbe, ses cheveux toujours bleu de nuit, son air de jeune homme craintif (on aurait dit que le temps avait oublié celui qui ne l'oubliait pas). Hagard et souriant, il avait l'air de son propre fantôme ; il restait silencieux, d'abord, tête inclinée de côté, regard vague et perçant, oreille tendue, parlait ensuite jusqu'à l'aube, les originaux capables de vaincre leur fatigue et leurs préventions pouvaient alors entendre, émerveillés, l'étrange volatile faire éclore les œufs d'or de son étrange esprit.

INTERMÈDE PÂTISSIER

Une conversation avec Marcel Proust s'achevait rarement de façon brutale, il hésitait toujours à commencer quoi que ce soit, arrivait toujours en retard ou pas du tout mais, une fois lancé, avait horreur des fins. Pareil à l'enfant que les lecteurs allaient découvrir, quelques années plus tard, en lisant *Du côté de chez Swann*, celui que j'ai connu à l'hôtel des Réservoirs avait peur des séparations, cette soirée-là s'arrêta brusquement, cependant, après l'évocation du « premier jour d'amour » de *Louise*. Préférant sans doute y repenser seul, mon hôte me demanda de le laisser, je dus rentrer dormir, me réveiller, attendre de nouveau mais moins longtemps, la suite de mes notes reprend à la date du surlendemain.

Le surlendemain, donc, je retournai à l'appartement avec mon accordéon, comme promis.

— Qu'il est beau ! Laissez-moi le toucher. Comme il est lourd... Je serai heureux de vous entendre tirer de cet instrument le souffle de son puissant poumon, si différent des deux miens, mais une autre fois. Ce soir, je veux vous raconter l'histoire de la *miss*, ou plutôt des *misses*, puisqu'elles sont deux, à présent. Le « casse-croûte » du cuisinier n'a pas dû vous suffire, je vois vos yeux se diriger vers les gâteaux que je me suis fait monter, une fois de plus sans y goûter, mangez-les, vous, cher Noël, renversez le fameux « qui dort, dîne », dites-vous « qui dîne, dort » et ce que vous aurez perdu en sommeil, cette nuit, vous l'aurez gagné en nourriture !

Je suis à nouveau blessé, il me traite en enfant ou en domestique. Je suis sûr que le client du 22 paie Joseph pour jouer aux dominos avec lui, à moi il ne donne pas d'argent mais propose de « gagner » quelque chose « en nourriture » pour que je reste... je resterai, mais sans manger.

— Vous ne mangez pas, vous êtes de mauvaise humeur parce que vous m'en voulez, je ne sais pourquoi mais vous m'en voulez, je le sens, ne dites rien, laissez-moi deviner, tout ce qui m'intéresse est là, deviner. J'ai trouvé... Vous espériez me jouer quelque chose à l'accordéon, n'est-ce pas ?

Il devine toujours tout, je le sais bien. Je devrais nier par politesse, je ne peux pas.

— Oui, Monsieur, une valse que Monsieur Charpentier a composée exprès pour moi.

— Je vous en félicite et ne doute pas de vos qualités de musicien, vous m'en donnerez la preuve plus tard, si vous le voulez bien. Je voudrais d'abord faire appel à vos qualités d'enquêteur en vous demandant votre avis sur l'histoire des Anglaises. Elle me donne bien du fil « à retordre », ou plutôt à détordre, tant elle est embrouillée, je compte sur vous pour m'aider à discerner des autres le fil de la vérité. Notre métier à vous et à moi est de tirer sur ce fil pour la tirer elle-même de son puits, je suis heureux de rencontrer un détective au moment où le but de ma grande enquête commence à m'apparaître un peu dans l'obscure forêt où j'ai marché si longtemps. Car j'ai l'impression d'en être arrivé là, il me semble que j'ai un grand livre à écrire où je montrerais, à la façon d'un détective, comment un personnage parvient à

154

« détricoter », si je puis dire, l'écheveau embrouillé des faits autour de lui, en lui également, remonte jusqu'à leurs causes, redescend, remonte, tisse et détisse le tissu de la vérité...

J'ai noté ce tissu de la vérité, je crois me rappeler une conversation autour de ce thème et d'un livre à écrire dès les premiers mois de ma rencontre avec l'écrivain. Celui que j'étais en 1906 ne pouvait comprendre, bien sûr, ce que je reconstitue après une vie de lectures et d'enquêtes, je suis néanmoins certain de l'intérêt de Monsieur Proust pour les techniques de mon futur métier, ce métier qui était déjà le sien.

— Nous agissons tous de manière analogue face aux mêmes circonstances, de grandes lois générales nous régissent tous, à moi de découvrir comment, à force d'observations. De petits faits visibles, j'ai cru pouvoir déduire les grandes raisons cachées, j'ai noté beaucoup de ces faits, il me faut les mettre en ordre afin de les relier, afin que se dessinent les lois que je pressens, que se déplie la toile de mes vérités, que se trace la carte du pays que je cherche à décrire. Je vous ai dit mon admiration pour les toiles d'araignée, elles ressemblent à une carte de géographie, emprisonnent les plus petits insectes dans leur vol, retiennent les gouttes de la rosée du matin comme des diamants, je veux être semblable aux intelligentes ouvrières de ce miracle, comprenez-vous, mon enfant ?

Je me permets rarement de pasticher Marcel Proust, j'en ai peut-être l'air en citant de mémoire ses phrases sur les araignées qu'il admirait tant, pour ne pas être tenté d'y revenir, voici un dernier souvenir : « Ce qui nous résiste est souvent invisible, vous rappelez-vous ces "fils de la Vierge" que notre front rencontre, parfois, dans les sentiers de printemps ? Il nous faut faire deux pas ou même trois pour parvenir à les briser, alors même qu'ils sont si fins que nos yeux ne les ont pas vus. Telles sont les grandes vérités, invisibles, élastiques et résistantes, ainsi doivent être les filets où nous les retiendrons dans nos œuvres, espérant que de futurs promeneurs les sentent sur leur front en nous lisant, un jour, et y trouvent emprisonnées des descriptions et des idées nourrissantes…

L'important est là, parvenir à changer le nectar récolté au hasard en miel, mais comment parvenir à être à la fois l'abeille butineuse et l'araignée qui la capture pour se nourrir ? Regardez ces carnets en désordre, la route qui me mènera au grand livre que je veux écrire est peut-être déjà indiquée dans l'un d'eux, il me faut la discerner pour pouvoir la suivre. En retrouvant celui que j'avais perdu, vous m'avez rendu mon courage et rappelé que je suis enquêteur moi aussi, il est temps que ma véritable enquête commence. Vous mangez enfin, j'en suis heureux, je n'ai toujours pas compris pourquoi vous étiez de mauvaise humeur, vous consentez à manger, c'est déjà cela ! »

J'ai entamé un gâteau, en effet. Monsieur Proust me sourit, il est heureux, il n'a pas compris que je lui en voulais de payer mon attention en gâteaux mais il constate, une fois de plus, que nul ne lui résiste, cela lui suffit. Cela me suffit aussi, je reste, ce soir-là, comme je resterai plus tard, ce que nous donnait cet homme dépassait de bien loin ce qu'il ne nous donnait pas.

— Ces confidences sur mes recherches actuelles doivent vous sembler peu claires, du moins ne sont-elles pas de celles que l'on se fait souvent sur de petites choses passagères sans importance… bien que le grand puisse être contenu dans le petit, savez-vous cela ? (Beau sourire des lèvres et des yeux.) Les confidences que je vous ferai seront toujours sur ma pensée, non sur ma vie, ce genre de confidences ferait peut-être du mal au très jeune homme que vous êtes, sans lui apprendre rien d'utile à lui-même, sans m'apprendre rien de nouveau non plus. Il y a toujours plusieurs côtés à tout, il y a plusieurs sortes d'amitiés aussi, la nôtre ne sera pas faite de confidences mais de réflexions, comprenez-vous ?

— Che ne chuis pas schûr, Monchieur, mais... (Le gâteau blanc que j'ai commencé à manger a l'air sec, il est plein d'une pâte sucrée qui colle aux dents.)... Mais che vais essayer en faichant travailler mon muchcle mental...

— Vous êtes devenu capable de parler en mangeant et vous vous rappelez ma formule, bravo !

Une meringue est pareille à la vie, elle a l'air d'une chose en surface, elle en est une autre en profondeur, sèche et dure extérieurement, molle et poisseuse à l'intérieur, de sorte que ce gâteau est pareil, aussi, à nos métiers. Ils nous demandent, une fois percée l'écorce des choses, d'en mastiquer longuement la matière cachée afin d'en tirer la « substantifique moelle », opération délicate mais vous la connaissez déjà, vous avez déjà tenté de retirer toute la moelle d'un os du bout d'un couteau, n'est-ce pas ?

Je me dis que retrouver son carnet était plus difficile mais je suis heureux de pouvoir montrer que j'ai enfin compris quelque chose, je fais oui de la tête et inscris « substantifique moelle » dans ma mémoire.

— Nous pourrions parler de la même façon du millefeuille qui vous sourit déjà, de ses mille petites lèvres, dans l'assiette. (Les millefeuilles me souriront toujours après ce jour-là.) Les créations culinaires de nos tables sont des images de nos vies, je l'ai souvent remarqué, regardez toutes ces épaisseurs, elles sont à percer, elles aussi, afin que nous soit accessible la crème délicieuse qu'elles recèlent sous leur superposition. Tels sont les secrets que vous cherchez à découvrir en exerçant votre métier de détective, telles sont les lois que je chercherai à découvrir en exerçant mon métier d'écrivain, des mystères à découvrir sous mille feuilles à percer, mille feuilles à écrire, par conséquent. Mais ce futur ne doit pas me dispenser de comprendre le présent, j'en ai été malheureusement incapable durant notre enquête sur le sac disparu, je le regrette.

Nous connaissons tous ce que nos journaux appellent *drame de la jalousie*, nous avons presque tous éprouvé, au moins une fois, ce douloureux sentiment au cours de notre vie, nous en sommes parfois de véritables spécialistes comme je le suis moi-même, hélas, moi qui suis un jaloux chronique, nous nous refusons néanmoins à relier nos petites jalousies personnelles aux grandes lois qui régissent le phénomène. Tout était réuni pour provoquer un drame de la jalousie entre ces époux, la mauvaise humeur du mari, les pleurs de sa femme, les lettres qu'elle confia à votre patron, tout. Je connaissais ce tout, j'aurais dû faire quelque chose, mais quoi ? Je vous le demande. (Je ne peux toujours ni parler – trop de meringue – ni comprendre tout ce qui m'est dit – trop de jeunesse –, mais j'écoute sans répondre et tente de tout retenir.) J'ai la réponse, hélas, « rien »...

Hélas, oui, mon enfant, rien. Même si j'avais connu ce couple, Madame Cornard ne m'aurait sans doute pas cru, si je lui avais dit de se méfier de son mari, qui ne m'aurait pas écouté non plus si je lui avais dit de se méfier de lui-même. La seule chose que je puisse faire, à présent, est de tenter de comprendre comment le côté du petit bourgeois rangé qu'il était a été relié par un crime au côté du dangereux meurtrier qu'il est devenu, comment la jalousie a pu lui faire franchir un tel abîme, comment fonctionnent les grandes lois de la jalousie grâce à ce nouvel exemple, autrement dit mieux penser pour mieux écrire.

Assis à la table, je commence à percer les secrets du mille-feuille allongé sur le canapé, Monsieur Proust continue à percer le secret des grandes lois. Une grande œuvre est en train de se mettre au point pour tous, je suis en train de mastiquer ce que je mange et ce que j'entends, au seul béné-fice de ma petite personne. Une grande personne se préoc-cupe du message qu'elle veut transmettre aux autres et prend son vol, je picore à terre, je ne pourrai entrevoir son ciel qu'après avoir vécu, observé, déduit – et lu son œuvre de nombreuses fois.

— Nous cherchons tous deux la vérité, notre amitié sera donc fondée sur cette recherche, je n'en doute pas, vous-même, ne doutez pas de cette amitié. Si je vous considérais comme un jeune homme pareil à tant d'autres, vous dites que vous avez une belle écriture, je vous engagerais comme secrétaire. Si je voulais vous regarder à nouveau dormir, comme l'autre nuit dans le petit salon, j'aime à regarder dormir, je vous prierais de rester ici, vous accepteriez pour me faire plaisir et parce que vous avez sommeil, mais si, mais si, je le vois bien… Vous vous endormiriez sur le canapé, je pourrais même vous bercer dans mes bras, j'aime beaucoup bercer des personnes endormies, mais qu'apprend-on d'elles ? Rien, un corps endormi en vaut un autre. Je n'apprendrais donc rien sur le petit Noël qui m'intéresse tant, alors que j'apprendrais beaucoup en l'écou-tant, même s'il lui semble que je parle plus que je n'écoute !

Parlez-moi donc toujours sans crainte, s'il le faut interrompez-moi, je continuerai peut-être une phrase com-mencée, je suis ce qu'on appelle un « incorrigible bavard » mais capable aussi d'écouter, car je suis également un inlas-sable écouteur.

— On ne dit pas « entendeur » ?

— On dit « à bon entendeur salut », on dit aussi « audi-teur » mais je préfère « écouteur », comme le poète Verlaine écrivant « belles écouteuses » dans l'un de ses poèmes. M'imaginez-vous en « belle écouteuse », gentil Noël ?

Il se renverse en arrière sur le canapé, rit d'un rire de gorge qui se termine en rire aigu puis se redresse et fredonne une mélodie que je lui chanterai et jouerai au piano, bientôt, « Les donneurs de sérénades / Et les belles écouteuses / Échangent des propos fades / Sous les ramures chanteuses... » Cette nuit-là, je ne connais pas encore Verlaine et Fauré, je ne sais pas encore interrompre une soirée avec Monsieur Proust mais j'ai sommeil, il s'en est aperçu avant moi. Dormir sur le canapé serait également une bonne solution pour éviter de rencontrer Daniel, quand je monterai me coucher à l'étage des domestiques, mais pour cela, il faudrait que mon hôte ait fini de parler, ce n'est pas encore le cas.

— Je continuerai de causer avec des amis des potins parisiens qui m'amusent, comme je m'amuse à ceux de l'hôtel rapportés par Joseph ou Massimo, il ne sera pas question de cela entre nous, cher Noël. Un ragot peut être amusant, il comporte sa part de vérité, celle que je cherche ne peut naître d'un bavardage et ceux avec lesquels il nous est possible de parler la langue de la vérité sont peu nombreux, sachez-le. Ils se situent plutôt du côté des enquêteurs qui observent et se taisent, j'ai beaucoup trop parlé depuis toujours, je me crois cependant né de leur côté, un côté que j'ai toujours fréquenté presque seul jusqu'à présent.

Même avec ma pauvre Maman, si cultivée, attentive, intelligente, je ne pouvais parler de certaines choses ; même avec les plus intimes de mes amis, je ne peux parler le langage de la vérité, expérience rare, la vérité ennuie ou choque, on préfère l'éviter ou l'adoucir ; quand je parle ce langage-là, on m'écoute un peu mais on change vite de discours, la conversation s'arrête au moment où elle va devenir intéressante !

Vous êtes encore très jeune mais votre métier vous a déjà familiarisé avec bien des aspects de la société, beaucoup de choses et beaucoup de gens, nous pourrons donc, peut-être, nous parler l'esprit et le cœur ouverts. Du moins le jeune détective prometteur qui habite Versailles pourra-t-il m'écouter jusqu'au bout et participer à l'enquête que je viens de commencer sur l'étrange aventure survenue à deux femmes dans le parc du château.

— Je pourrais pas, je... je *ne* sais pas parler comme vous, Monsieur.

— Ne pensez pas aux mots, ils viendront tout seuls. Et vous ne direz que des choses justes, votre esprit est sans préjugés.

— Qu'est-ce qu'un préjugé, Monsieur ?

— Une idée toute faite qui nous épargne la difficulté de penser et celle de voir la vérité en face.

Mon hôte me regarde comme il regarderait un liquide dans l'éprouvette d'une expérience de chimie, je suis embarrassé, il ne l'est pas (quand Monsieur Proust nous regardait, il n'y avait que lui et nous au monde).

— Lorsque le petit Minimo vous donne un baiser inattendu, vous ne préjugez de rien, il vous a toujours paru un brave homme, vous vous fiez à cette impression, non à ce qu'on dit de ces messieurs qui font la cour à des jeunes gens, vous n'avez pas ce qu'on appelle des idées préconçues, vous attendez de voir. Ainsi avez-vous fait avec Massimo, vous vous êtes écarté sans rien dire, lui-même n'a pas insisté, je ne le crois d'ailleurs pas du côté de ces messieurs, vous avez poursuivi l'un et l'autre vos bonnes relations de toujours, il a besoin de vous, vous de lui, vous restez amis tous les deux, vous avez eu raison. Vous réfléchirez donc sans préjugés à ce que je vais vous raconter, non un baiser volé mais un fragment de temps, volé au Temps lui-même, peut-être, je ne sais qu'en penser, votre avis me sera précieux, je vous assure. J'ai un peu froid, Félicie m'a préparé un tricot, je vais le mettre.

Il disparaît dans la salle de bain, j'ai fini de manger, je veux m'essuyer les lèvres en me servant de la belle serviette blanche posée devant moi sur le plateau, impossible, le tissu en est raide et sec, comme la surface de la meringue. J'aimerai plus tard certains usages des riches, jamais le linge amidonné, les chemises empesées, les gâteaux savants, on ne change jamais tout à fait d'habitudes.

On ne change jamais de nature non plus, la mienne était d'observer plus que de posséder, je découvris plus tard qu'il en était de même pour Marcel Proust, célèbre pour son raffinement, il aima le confort plus que le luxe, et un confort restreint à peu de chose. Celui qu'on imagine en riche esthète n'acheta jamais de beaux meubles, de beaux objets, presque jamais de tableaux, se contentant de ceux qu'il avait reçus en héritage ou en cadeau, n'aimant que ce qui est immatériel ou qui passe, le temps, une pensée, une silhouette, un spectacle, un prêt, une location.

Ses parents lui avaient laissé les moyens de vivre dans le confort à la fois immense et spartiate qui fut le sien, ce malade pressé par le temps avait mieux à faire de sa vie qu'à se procurer des choses éphémères, il avait à prendre possession de la vie elle-même pour l'immortaliser grâce à des mots qui réclameraient du papier, certes, mais passeraient d'esprit en esprit, d'époque en époque, de pays en pays, comme de libres oiseaux.

Je m'aperçois, en relisant ces pages, que Marcel Proust décrivit des tableaux, des musiques, des vêtements, des nourritures, des arômes, des fleurs, des paysages, des villes, des insectes utiles à ses métaphores, jamais un animal plus proche des hommes, plus individualisé, plus familier. Mon chat est assis sur les pages précédentes de mon manuscrit, je ne peux pas ne pas noter ceci, sur celle que Sibylle veut bien me laisser.

On a comparé Marcel Proust à un prince oriental aux cheveux de nuit, une gazelle du désert aux grands yeux, quant à moi, je n'ai jamais rencontré personne qui fît penser, plus que lui, à un chat. Il craignait les animaux à cause de son asthme, le comparer à un seul d'entre eux lui aurait peut-être causé un frisson d'angoisse mais peut-être aimait-il les chats pensifs décrits par Baudelaire. Aux yeux de mes souvenirs, il était un chat, frileux, nocturne, disparaissant, apparaissant, tantôt maigre, tantôt replet, pelage tantôt brillant, tantôt poussiéreux, caressant puis fuyant, longues langueurs, lubies subites, œil ouvert à l'invisible, oreille au guet, pas silencieux, geste lent, coup de griffe soudain, sourire de sphinx, moustache rétractile, chaton noyé et prince des chats en même temps. Comme eux il avait sept vies, comme eux, fantasque et fidèle tour à tour, il passait.

La suite de « L'affaire de la mystérieuse dame du parc » comportera la première colère du grand Marcel contre le petit Noël, pour le moment Noël attend son hôte, qui ne revient toujours pas, il se dit « si je m'allonge sur le canapé, je m'endors »... mais voici Monsieur Proust. Je ne l'avais pas entendu revenir, de son pas de chat. Il s'assied sur une chaise en face de moi et me regarde de ses yeux de chat, brillants de profonde lumière.

L'AFFAIRE DES ANGLAISES DANS LE PARC
DE VERSAILLES

— À première vue, l'histoire des Anglaises ne ressemble pas à celle de la pauvre Madame Cornard, il nous faudra pourtant une véritable enquête policière pour la comprendre, à moins de posséder un don de seconde vue face aux choses mystérieuses que Miss Moberly et Miss Jourdain ont cru voir en visitant le hameau.

Elles ont essayé de les comprendre, elles ont donc mené une enquête qui ressemble à toutes les autres, au fond, crime ou pas, il faut examiner ce qu'on voit dans le présent pour pouvoir remonter aux causes, donc dans le passé. Vous allez voir que celui auquel nos *misses* ont eu affaire est un passé prestigieux, il a eu lieu dans un lieu historique dont je suis amoureux depuis toujours, le parc du château. Ce n'est pas la raison pour laquelle je m'intéresse à leur aventure et nous l'étudierons de la même façon que l'affaire la plus banale, de la même façon que nous nous interrogeons sur les petites choses de la vie, pourquoi la fenêtre s'ouvre-t-elle toute seule, pourquoi cette personne, qui semblait si malheureuse, hier, a-t-elle l'air si heureuse, aujourd'hui, etc. Je vous demande d'écouter mon résumé des faits comme s'il s'agissait d'une affaire aussi banale qu'une autre.

L'enquêteur cherchait à être impartial, je veux l'être également. Je dois donc reconnaître, au point où j'en suis de ce récit, que j'ai repoussé le plus longtemps possible l'histoire des Anglaises parce qu'elle fut l'occasion d'un drame que j'ai annoncé, une colère de Monsieur Proust contre moi. Je la crus injuste, à l'époque, je discerne autre chose dans ce que je viens d'écrire.

J'ai dit qu'une phrase de Monsieur Proust m'avait mis de mauvaise humeur dès le début de cette soirée-là, qu'il l'avait notée en riant, il en fut sans doute influencé, rien de contagieux comme la mauvaise humeur, je suis donc partiellement responsable d'une crise due à différents motifs.

— Il ne s'agit pas d'une affaire criminelle, elle comporte cependant une victime, une femme morte depuis plus de cent ans, que les deux miss, prononçons le pluriel *misses* à la française, ont cru voir deux fois, au début du XXᵉ siècle, vivante, figurez-vous ! Assassinée il y a plus de cent ans, cette femme se promènerait toujours, selon elles, bien vivante, dans les allées du parc, entourée de personnes de son époque, à qui elles ont parlé, qui leur ont répondu. Attendez, attendez ! J'ai été tenté de prendre ces femmes pour des folles en écoutant leur récit, écoutez-le vous-même jusqu'au bout, il vous faut tous les « éléments du dossier » avant de juger.

J'avais voulu interrompre tout de suite Monsieur Proust, pour lui rappeler que j'habitais Versailles, je savais donc qui était la morte que les Anglaises avaient cru apercevoir dans le parc, comme bien d'autres visiteurs avant elles. J'avais eu tort d'intervenir trop tôt, grand tort, on va le découvrir...

Il ne s'intéressait pas à des impressions de promeneurs mais aux mystères du temps, je ne pouvais imaginer à quel point, voici un résumé du résumé qu'il me fit.

Les deux Anglaises sont devenues célèbres dans leur pays et dans le nôtre, en racontant les rencontres qu'elles auraient faites de personnages historiques du passé, un surtout, qui fait encore rêver de nos jours, dans le parc du château de Versailles, au début du siècle, non pas sous la forme de fantômes nocturnes mais sous celle de réalistes visions en plein jour. D'où le fol espoir que suscitèrent, dans le public, les écrits et les conférences de ces femmes : si elles avaient dit la vérité, il était donc possible non seulement de voir des fragments du passé mais de s'y promener, durant de longues minutes, comme dans un jardin. Une telle expérience, si douteuse fût-elle, ne pouvait laisser indifférent un homme qui avait choisi d'habiter un hôtel construit dans l'enceinte du château, un homme passionné par l'histoire de ces lieux, passionné par l'Histoire tout court, autrement dit le Temps.

Selon mes notes et des textes lus plus tard, la *miss* blonde que Monsieur Proust avait rencontrée la veille, dans ce même lieu, sous mes yeux, s'appelait Jourdain (sa famille était d'origine française) et son amie, la *miss* brune rencontrée devant l'hôtel ensuite, Moberly – on aura deviné le nom de la troisième dame de cette affaire, la *poor dear Queen*, la pauvre chère Reine dont Miss Jourdain avait parlé, dans le parc, à celui que je croyais en conversation galante avec elle.

Au cours des années, les Anglaises firent différents récits de leur aventure, je rapporte celui que me raconta Monsieur Proust. En 1901, Miss Jourdain habitait Paris, Miss Moberly Oxford, en Angleterre. La dame brune vint en France rendre visite à sa blonde amie, durant l'été. En bonnes Anglaises passionnées de promenade, de nature et de jardins, elles allèrent à Versailles afin d'en visiter, dirent-elles ensuite, moins le château que le parc. C'était le 10 août, il faisait beau, les Anglais aiment la marche, elles visitèrent d'abord le hameau de la Reine, construit dans la partie anglaise du jardin, précisément. Voulant marcher à l'aventure, elles quittèrent bientôt les autres touristes et se perdirent. Plus de panneaux indicateurs dans les allées ni de promeneurs en vue, le parc leur paraît soudain silencieux, « changé », pareil à un « décor de théâtre », selon leurs propres mots. L'atmosphère se fait orageuse et lourde, voilà que le temps, lui aussi changé, leur semble « suspendu », elles croisent alors les personnages qui rendront leur promenade mystérieuse et inoubliable. Elles rencontrent d'abord deux hommes qui portent des capes, inattendues en plein été, et des tricornes, coiffures qu'on ne porte plus depuis la fin du XVIIIe siècle ; ils répondent de façon incompréhensible aux Anglaises (dont l'une parle très bien français) qui leur demandent le chemin de la sortie. Durant quelques minutes ensuite, les promeneuses ne rencontrent plus tout à fait les mêmes personnes. Elle voient ensemble, près d'un « cottage » (sans doute un bâtiment du hameau), des femmes différentes mais habillées « de façon ancienne » ; la *miss* brune s'éloigne un peu de sa compagne et distingue, près d'une autre maison, une dame que sa compagne ne voit pas, une femme blonde assise dans l'herbe, qui a l'air « triste », porte un chapeau blanc et dessine sur un cahier (d'elle naîtra, bientôt, la légende).

Pressées de sortir du parc, les promeneuses prennent une autre direction et croisent, toutes les deux cette fois, un jeune homme en cape noire et grand chapeau qui leur dit : « Il ne faut pas passer par là, Mesdames ! », puis un homme plus âgé qu'elles ne questionnent pas, son étrange vêtement militaire et son visage vérolé leur font peur. Elles interrogent enfin un second jeune homme qui les rassure en leur indiquant clairement le chemin de la « maison ». Elles aperçoivent bientôt un « petit château carré », sans doute le Petit Trianon, rencontrent à nouveau des promeneurs banals, rejoignent le palais et rentrent à Paris.

Ces quelques personnes étranges, croisées dans un climat non moins étrange, avaient impressionné les deux femmes ; elles écrivirent séparément l'histoire de ces rencontres, l'une retournée en Angleterre, l'autre demeurée en France ; elles se revirent, se lurent leurs récits, furent définitivement convaincues d'avoir été favorisées de l'un de ces phénomènes « surnaturels » chers à leur pays, cherchèrent des documents dans des bibliothèques et se persuadèrent qu'elles avaient vu directement un fragment de passé ou perçu les pensées de personnages d'autrefois, flottant toujours dans l'air du parc.

Elles revinrent à Versailles, en 1902 et 1904, sans y connaître de nouvelles aventures, mis à part une musique sans instrumentistes visibles, entendue durant la deuxième visite, mis à part la disparition d'un pont et d'un bâtiment, lors du troisième voyage, bâtiment et pont qu'elles avaient vus en 1901. Miss Jourdain n'avait pas encore été favorisée par une rencontre avec l'apparition majeure, la vision de la dame triste fut le grand événement de son hiver 1906, Monsieur Proust en fut informé le premier, sous mes yeux.

Lorsqu'il me raconta ce récit des Anglaises, sans hésitations, sous la dictée de sa mémoire, je ne pus éviter quatre brèves interruptions. La première fut pour m'étonner que Miss Moberly, qui cherchait son chemin, ne l'eût pas demandé à la dame triste.

— Elle était trop troublée pour poser la moindre question, ne m'en posez plus vous-même, attendez la fin de l'histoire en sachant ceci. Cette femme était habillée d'une robe et d'un chapeau si particuliers que la miss crut, plus tard, la reconnaître, peinte sur un tableau de la fin du XVIIIᵉ siècle, si vous saviez son nom, vous seriez surpris...

Ma deuxième interruption fut pour dire « je ne suis pas

surpris », on m'arrêta, je ne pus faire savoir que je connais-sais ce nom, le récit continua.

Le fait que les miss eussent été frappées d'avoir vu les mêmes lieux sans nécessairement voir les mêmes personnes me fit interrompre une troisième fois le narrateur, pour citer Monsieur Bâtard « autant de témoins, autant de témoi-gnages différents », on me pria encore d'attendre.

Le mot « surnaturel », employé pour décrire une passion anglaise, inconnu à mon bataillon, entraîna ma quatrième interruption, « je ne comprends pas ce mot », « il veut dire d'une autre nature que la nature habituelle ». Je me tus jus-qu'à la fin du récit, le client du 22 s'allongea sur le canapé, contempla le plafond et garda le silence un long moment.

— Ces Anglaises croient avoir vu, de leurs yeux, des personnes qui ont vécu durant les dernières années du XVIIIe siècle, elles sont peut-être folles, je les envie quand même. Voir le passé, vraiment ou non, quelle expérience...

Miss Jourdain n'avait pas aperçu la triste et belle dessina-trice vue par son amie en 1901. Hier, quelques minutes avant de me rencontrer, elle a cru l'avoir retrouvée, assise devant le Petit Trianon, dessinant toujours sur un carnet sans se lasser, cinq ans plus tard, avec le même air triste. Selon les miss, elle pressent le tragique futur qui l'attend...

— Elles croient qu'elles ont vu une femme du passé qui pensait au futur, Monsieur ?

Cette fois Monsieur Proust ne me reproche rien, il sourit, sort de sa poche de veste un carnet muni d'un crayon, y note quelque chose et soupire.

— C'est un peu compliqué, en effet ! Mais je m'intéresse beaucoup au Temps. (On entend, à son ton, qu'il met une majuscule à ce mot qui lui est cher.) Ces *misses* croient qu'on peut le remonter non seulement par la pensée mais avec le corps, cette pensée m'a beaucoup troublé, donnez-moi un peu de tisane, s'il vous plaît. J'aime les boissons bouillantes, voyons ce que vaut un tilleul froid... Pas grand-chose.

Il me rend la tasse, je la repose sur la table, il se tait, je peux parler.

— Ces dames croient avoir vu le fantôme de la reine Marie-Antoinette, n'est-ce pas ?

Monsieur Proust est à nouveau fâché.

— Vous habitez Versailles, vous avez entendu parler de ces apparitions de la Reine, moi aussi, je connais Versailles depuis plus longtemps que vous ! Si ces femmes avaient essayé de me faire croire aux fantômes, je serais remonté me coucher, elles ne l'ont pas fait, elles m'ont entraîné sur les chemins qui m'intéressent le plus, ceux du Temps, je les ai donc écoutées. Pour découvrir la vérité, il faut tout écouter, même ce qui semble banal ou déraisonnable à première vue. La première vue trompe presque toujours, rien n'est banal, les humains ne sont pas raisonnables, votre métier ne vous l'a-t-il pas enseigné ?

— Monsieur Bâtard le dit toujours, Monsieur, « les gens sont fous », mais je ne comprends pas cette histoire de temps.

— Vous la comprendrez en m'écoutant sans m'interrompre. Les faits si chers à votre Monsieur Bâtard ne révèlent pas que les modalités d'un vol ou l'identité du voleur, ils font découvrir des vérités plus générales sur les êtres humains, si l'on cherche à comprendre ce qui se cache sous les apparences, bien sûr... La réalité n'est pas seulement ce qu'on en voit, vous devriez le savoir, Monsieur le Détective ! Ces Anglaises le savent, elles ont donc cherché à expliquer ce que ces rencontres près du hameau avaient d'étrange. Ne pensez pas qu'elles sont des dames crédules qui se figurent avoir vu, comme tant d'autres visiteurs avant elles, le fantôme d'une morte célèbre dans le parc, elles se sont renseignées, elles ont appris ce qu'on raconte, elles se sont méfiées des illusions qu'on veut se faire, elles ont posé des questions et effectué des recherches, durant des années. Elles ont accumulé des éléments sérieux et conclu qu'elles avaient eu affaire à tout le contraire d'un fantôme, figurez-vous, exactement « le contraire », Monsieur ! Elles pensent qu'elles n'ont pas été victimes d'une illusion dans le présent mais qu'elles ont vécu un retour en arrière dans le passé, voilà qui est plus intéressant, vous en conviendrez.

Selon elles, ce ne sont pas des spectres qui sont revenus du passé pour leur apparaître dans le présent, ce sont elles, elles-mêmes en personne, qui sont retournées à l'époque où passaient dans le jardin du hameau non des fantômes, mais ses habitants naturels, soldats, valets, filles de ferme, gentils-hommes, reine de France. Je ne dis pas que ce soit possible mais je ne peux pas assurer que c'est impossible, je n'accuse donc pas tout de suite ces femmes d'avoir été crédules ou menteuses, je fais d'abord comme elles, je cherche, je réfléchis, Monsieur Noël, faites la même chose.

— Je réfléchis, Monsieur, je réfléchis et je me rappelle ce que dit Monsieur Bâtard, les témoignages les plus douteux ne sont pas ceux des menteurs, on voit tout de suite qu'ils mentent, mais ceux des gens sincères. Ils croient ce qu'ils disent mais ce qu'ils disent n'est pas nécessairement la vérité. (On veut m'interrompre, je ne me laisse pas faire.) Ces dames ont cru voir des personnes du temps passé dans le jardin de la Reine parce que les gens pensent forcément aux personnes du temps passé quand ils se promènent dans le parc du châ-teau de Versailles, alors, ils finissent par les voir. Monsieur Bâtard vous dirait la même chose, Monsieur.

— En voilà assez avec votre Monsieur Bâtard ! Il ne peut avoir réponse à tout, moins encore sur des sujets aussi mysté-rieux, qui préoccupent les humains depuis l'aube des temps. Des personnes plus autorisées que lui ont rapporté, au cours de l'Histoire, des phénomènes beaucoup plus étranges que ceux que décrivent les deux dames, j'ai moi-même toujours pris ces phénomènes pour des espérances illusoires, au mieux des fables, au pire des fariboles pour faire peur aux enfants, je peux me tromper, je ne crois avoir toujours raison, moi...

— Je ne comprends pas « fariboles », Monsieur.

— Cessez de m'interrompre, je vous prie, vous semblez bien élevé, vous ne l'êtes plus dès qu'il s'agit de répéter les maximes de votre omniscient patron, nul n'a toujours raison, lui non plus, sachez-le, Monsieur le détective en herbe ! (J'ai noté « omniscient » et « détective en herbe », dits sur un ton qui me fit mal.) Je vous disais que vous n'aviez pas de préjugés, je me trompais, vous n'êtes que le perroquet d'un vieux radoteur. Si vous voulez en rester sottement à ce qu'il vous serine, dites-le, je ne vous retiendrai plus !

Il était fâché, plus que fâché, fou de rage contre moi, je ne reconnaissais plus mon cher Monsieur Proust, si courtois, si souriant d'habitude. Je l'avais interrompu, j'avais eu tort, je lui avais cité mon patron pour ne pas avoir l'air de tout savoir par moi-même, cette modestie était une erreur.

Le monsieur courtois, si souriant, si au-dessus de tous ceux que j'avais rencontrés auparavant, était un homme comme les autres à certains points de vue, plus susceptible que la plupart des autres du point de vue de la jalousie ; il m'en avait prévenu, on n'écoute jamais assez les gens, il avait raison de le dire. Je n'avais aucune expérience de la susceptibilité ni de la jalousie, je ne compris pas que trop citer Monsieur Bâtard exaspérait quelqu'un qui n'avait pas l'habitude d'être interrompu, qu'un monsieur du beau monde, même très gentil, ne supporte un gamin du peuple que dans la mesure où il « reste à sa place ». Je me levai pour fuir ce que je ne comprenais pas mais ne pus faire un seul pas, pétrifié par ce que j'entendais et voyais.

L'homme que j'aimais déjà plus que tous les autres avait été remplacé par un inconnu, visage déformé, œil noir plein d'éclairs, corps secoué, pieds trépignants, parole sifflante, respiration entrecoupée, sanglots naissants...

UNE COLÈRE DE MONSIEUR PROUST

Je devrais prendre congé, je demeure immobile et tremblant.

— Vous dansez d'un pied sur l'autre, vous ne devriez pas, vous devriez vous tenir fièrement devant moi, « raide comme la justice » et attendre mes compliments. Vous avez résolu la mystérieuse affaire des deux Anglaises dans le parc, elles ont cru voir des fantômes, voilà tout !... Vous êtes un jeune mais remarquable enquêteur, on n'a plus rien à vous apprendre, bravo, je vais modestement continuer à réfléchir de mon côté, du vôtre, contentez-vous d'aller dormir. Vous avez sommeil depuis le début de cette soirée, je m'en voudrais de vous priver plus longtemps du « sommeil du juste » et d'un « repos bien mérité », je ne vous retiens plus, Monsieur !

À cette époque de ma vie, j'ignore l'ironie, le persiflage, je comprends tout de même que les mots, prononcés avec une rage encore contenue et mis entre guillemets sonores, sont destinés à blesser, à bien faire sentir le mépris qu'on a pour les expressions banales et les personnes comme moi. Ils résonnent dans la pièce et dans ma tête, je crains que la fameuse Félicie les entende, sorte affolée de sa chambre et me reproche d'avoir causé un éclat fatal à son maître... rien ne se passe. Le beau monsieur pâle devenu rouge est-il coutumier de ces crises ? Désire-t-il vraiment que je m'en aille ou, au contraire, que je fasse amende honorable, comment le savoir ? Rien ne m'a préparé à une scène dont je ne connais ni le sens ni l'issue.

Les familiers de Marcel Proust l'ont décrit capable des pires scènes de mauvaise foi ou de jalousie. D'une telle colère, je ne sais pas. Je rapporte donc celle-là en témoignage, inattendue, d'autant plus cruelle et injuste, incompréhensible mais plutôt rassurante : un être si poli, trop poli, pouvait être humain.

— Eh bien quoi ? Voilà que vous « bayez aux corneilles » après avoir bâillé tout court ! Qu'attendez-vous là, « planté » ? Que je continue mon histoire comme si vous ne l'aviez pas interrompue ou que je vous dise que votre phrase, « ces dames croient avoir vu un fantôme », est un argument convaincant et définitif auquel je me dois d'applaudir ?

Vous devriez vous douter, me connaissant, que j'ai de bonnes raisons de vous avoir prié d'écouter cette histoire avec attention, des raisons personnelles, des raisons douloureuses dont je pensais que vous les auriez pressenties, non, vous y êtes indifférent. Alors, tant pis, n'en parlons plus mais sachez que vous m'avez déçu, cruellement déçu.

Je connaissais déjà ces raisons, je m'en voudrais plus tard de ne pas avoir compris que l'homme qui venait de perdre sa mère chérie avait écouté les Anglaises dans l'espérance qu'existait peut-être la possibilité de revoir une morte, non sous la forme d'un fantôme mais grâce au déplacement du temps évoqué par ces femmes. Sur le moment, je fus seulement blessé par son accusation d'indifférence et voulus m'en défendre. Le fantôme de Monsieur Bâtard me conseilla de n'en rien faire, « en cas de conflit avec un client, se taire est notre plus grande force, ça les impressionne ». Je gardai donc, trop tard et trop brièvement, le silence.

Monsieur Proust s'allonge sur le canapé, respirant fort, il regarde le plafond comme si je n'étais pas là, que faire ? Ne plus être là, justement, aller dormir, il me le conseille, il a raison. Je n'ai plus sommeil mais il est tard, le riche client dormira jusqu'à midi passé, demain, le petit coursier, non. Je me dirige vers la porte puis je m'arrête, impossible de laisser mon hôte sans lui dire au revoir ni le remercier de ses gâteaux. Au lieu de dire au revoir et merci, je dis ce qu'on ne doit jamais dire, au moment d'une querelle, quelque chose de raisonnable sur un ton raisonnable, quelle erreur...
    — J'ai bien écouté ce que vous avez dit, Monsieur, je pense comme vous, la réalité n'est pas seulement ce qu'on en voit. Les dames ont vraiment vu une dame mais, à force d'y penser, elles ont cru que c'était la Reine. À force de se rappeler une chose, elles ont fini par en croire une autre, dans la vie, c'est souvent comme ça.
    — Vous faites attention à mes paroles, c'est bien le moins, faites également attention aux vôtres, dites plutôt « c'est comme *cela* », ce sera plus correct, du point de vue de la grammaire, parce que, du point de vue de l'intelligence, se contenter de dire « c'est comme cela » est la pire sottise !
    — Vous avez raison, Monsieur, il faut pas se contenter, il faut chercher, comme vous dites et comme dit Monsieur Bâtard. Bonne nuit, Monsieur.
    — Votre Monsieur Bâtard est exaspérant et votre bonne nuit aussi, jeune homme !
    J'ai eu beau me résoudre à dire le sésame des sésames, « vous avez raison », je n'ai pu m'empêcher de citer mon patron, erreur, « fatale erreur »... Monsieur Proust bondit, tape du pied, parle avec de plus en plus de rage, ravale la

bave qui coule de sa belle bouche rouge tordue, s'étrangle, siffle et crie, passant de l'aigu au grave, de la fureur à la peine, de l'inspiration à l'expiration, comme s'il ne devait jamais s'arrêter ou mourir sur place, je suis épouvanté.

— Il y a une heure à peine, je vous disais que je vous plaçais du côté où je me place moi-même, ce n'était tout de même pas rien ! Et voilà que vous prenez congé de moi sans même me demander si j'ai fini de parler ? On ne traite pas un homme tel que moi de façon aussi cavalière, sachez-le ! Je vous expose mes théories les plus chères et les plus secrètes, vous les ramenez sans cesse à celles d'un petit enquêteur de province, le procédé me blesse et me rabaisse à un niveau qui n'est pas le mien, j'ose le dire sans la moindre vanité, je vous ai cru capable de vous hisser jusqu'à moi, je constate avec tristesse que je me suis trompé...

Je croyais à une amitié possible entre nous, j'ai fait erreur sur ce point aussi. Je vous ai traité avec plus que de la courtoisie, de la reconnaissance pour mon carnet retrouvé, de l'admiration pour votre aptitude à la réflexion, de la sympathie pour votre personne et de l'indulgence pour votre jeunesse, je vous ai traité avec de l'amitié, je répète le mot bien qu'il n'ait plus de sens entre nous désormais, j'ai même pris la peine de noter l'une de vos réflexions, que faites-vous, en retour ? Vous me traitez comme un client qui dit des banalités, vous lui assénez les maximes d'un détective de province et l'écoutez en bâillant... Ne niez pas, je vous en prie ! Je vous ai vu bâiller, et plus d'une fois, trois, Monsieur, trois ! Où en étais-je ?

Il ne sait plus où il en est, c'est hélas vrai. Il tombe assis, je reste debout et je parle avec force pour ne pas pleurer.

— Monsieur, vous vous étouffez de colère, ce n'est pas bien. Que dirait Madame votre Maman, si elle vous voyait vous fâcher contre quelqu'un qui vous a rien fait et vous abîmer la santé en criant des choses pas justes ? Je vous laisse, Monsieur, il faut vous reposer et vous soigner, merci pour les gâteaux.

— Qu'entends-je ? Il me parle de « Madame ma Maman », de « gâteaux » et de « choses pas justes », après quoi il me laisse pour que je me « SOIGNE » » ! Ah, comme dirait Saint-Simon, « quel renversement de toutes choses, nous voici tombés en un temps où tout est cul par dessus tête ! ». Oui, je vais cesser de m'abîmer la santé à cause de vous et vous allez me laisser, en effet, de manière à m'éviter votre odieuse présence quand je serai sorti de la salle de bain, où je vais aller pour ne plus vous voir. La salle de bain, non les lieux qui vous sont si chers et que vous nommez « toilettes », alors même que vous pensez un autre mot, plus en rapport avec vos origines et si douteuses que vous ne donnez que votre prénom quand on vous demande votre nom, comme si vous étiez un b... un je ne sais quoi ! J'irai ensuite me réfugier dans ma chambre où je pourrai contempler à loisir les photographies que vous avez eu l'indiscrétion de regarder, photographies de personnes qui me mépriseraient si elles savaient à quelles fréquentations je m'abaisse ! Chambre où je serai privé de votre charmant visage aux joues fraîches, rouges et rondes comme des pommes, privé de votre jeune intelligence en fleur, de la justesse exaspérante de vos pensées, du sain jugement que vous portez sur les choses, que vous devez porter sur les phrases impardonnables que je viens de prononcer sur vos origines populaires. Origines que je respecte, sachez-le, elles sont aussi les miennes par mon père, sa famille était plus que modeste et je ne parle pas de celle de ma mère, méprisée par bien des gens pour d'autres raisons que je vous expliquerais, si je n'avais lassé votre patience, hélas... Tel un enfant méchant, je ne mérite que le fouet, je le sais, cher petit

Noël que j'ai perdu par ma faute, sachez que je le sais aussi, fou que je suis, adieu !

Il va se cacher dans la salle de bain en toussant, je suis tenté de l'y rejoindre pour le secourir mais le souvenir de tous ses mots me perce le cœur et le cerveau, je sors en oubliant mon accordéon, je descends l'escalier de service sans rencontrer personne, traverse la ville dans la nuit et retourne dans ma mansarde de bâtard pour y pleurer enfin.

Car je suis bien un bâtard. En butant sur le *b* initial du mot, qui a claqué comme un coup du fouet auquel il a fait allusion en s'enfuyant, il a dit la vérité, je l'entends toujours dans ma chambre de bâtard. À l'époque, on était coupable d'être bâtard, je pleure de honte mais sans bruit, pas question de réveiller le maître de maison – quand il est de mauvaise humeur, l'ami de ma mère ne se prive pas de prononcer le mot entier. Jusqu'à présent, je me suis fait encore plus petit que je ne suis, pour éviter de causer des chagrins à ma chère maman, cette fois je vais lui en causer bientôt un gros mais il le faut, j'en prends la décision avant de m'endormir : son ami n'aura plus à héberger un bâtard, il sera content, je le serai aussi.

La maison *Bâtard et Fils* de Versailles est une succursale de la maison mère, à Paris, le frère aîné de mon Monsieur Bâtard la dirige, un autre frère en dirige une troisième à Lyon, un autre en dirige une quatrième à Lille, un autre en dirige une cinquième à Marseille. Monsieur Bâtard dit « à nous cinq, nous sommes comme les doigts de la main, nous quadrillons la France », je vais en profiter. Je dirai à mon patron que je dois quitter Versailles, je lui demanderai de me « pistonner » auprès de l'un de ses frères. Il regrettera lui aussi mes bonnes joues rouges mais il m'aime bien, il me trouvera un travail dans une des maisons Bâtard où j'aurai toute ma place puisque je suis bâtard moi aussi. J'enverrai de l'argent à ma mère, je viendrai la voir de temps en temps grâce au chemin de fer, je ne reverrai ni son ami, tant mieux, ni Monsieur Proust, hélas...

L'ami de ma mère dit que je ne suis bon qu'à courir à droite et à gauche « comme un petit chien », il se trompe. Monsieur Proust dit que je suis un « détective en herbe », il peut être fou sur certains points, pas sur celui-là. Je sens que je suis capable de devenir détective, il me l'a confirmé, merci à lui. Monsieur Bâtard le pense aussi, je vais avoir dix-huit ans, il est temps que le petit Noël devienne le grand Noël, adieu Versailles, à nous deux, Lille, Lyon, Marseille, Paris ! Le petit bâtard finira par quadriller la France à lui tout seul et Monsieur Proust verra qu'il a eu tort de le mépriser, quand il perdra un autre carnet, il ne le retrouvera pas sans moi, le malheureux cher homme... (Il est fou, il peut être méchant, il m'est cher quand même.)

C'est du moins ce que je me dis pour me consoler en essayant de m'endormir. Je n'y parviens pas, je me dis qu'on ne peut pas à la fois écouter un client le soir, se tourmenter toute la nuit de ce qu'il a dit et travailler le jour. À l'avenir, je ne ferai que travailler.

Ma pensée d'alors est facile à reconstituer, la colère de Monsieur Proust ne l'est pas, je le fais grâce aux notes prises le lendemain et à une mémoire encore bonne, je me demande tout de même si le souvenir de cette crise doit pas quelque chose à mes futures lectures de la *Recherche*. Si un proustien me disait que je me suis inspiré de la fameuse colère de Charlus contre le Narrateur, que les colères folles étaient plutôt le fait d'un contemporain de l'auteur, Robert de Montesquiou (dont Monsieur Proust me parla à propos des Anglaises, on va le voir), j'en serais d'accord.

Je n'avais jamais voulu repenser à cette scène, elle me revient d'autant plus intacte, me semble-t-il. Je crois pouvoir affirmer qu'elle a bien commencé sur le nom, trop souvent répété par moi, de Monsieur Bâtard, qu'elle s'est poursuivie de la façon que j'ai décrite et dans ce style, qu'elle s'est achevée sur le revirement final qui transforma la fureur en remords, l'amertume en chagrin. Est-ce une raison pour rapporter certains mots, la colère elle-même ? Je ne sais. Je la supprimerai peut-être en relisant ce volume achevé, pour le moment, je la conserve. Elle me permet de faire le portrait d'un homme, non d'un saint.

J'ai signalé que ma mauvaise humeur du début de la soirée avait pu se communiquer à mon hôte, repensant à la crise finale, je me dis qu'un autre élément joua un rôle de détonateur : j'avais été jusqu'à présent un auditeur soumis, mes petites interruptions répétées irritèrent d'autant plus le conteur, être interrompu exaspère ; il m'avait prévenu qu'il pouvait être blessé jusqu'à la folie par des riens, il n'y a pas de riens pour un être sensible.

Ce qui avait fait le charme de notre rencontre, nos disparités, réclamait des prudences d'équilibriste au-dessus de l'abîme qui nous séparait ; rien ne pouvait lui plaire plus que ce franchissement, rien n'était plus fragile si un élément nouveau survenait (raison pour laquelle Marcel Proust essaya toujours de ne pas croiser les différents fils de sa vie). Quel fut cet élément nouveau, un soir de 1906 ? Une contradiction, je pense, mais légère, sans quoi nous ne nous serions pas revus, Monsieur Proust et moi, contradiction entre ma soumission habituelle et ma mauvaise humeur d'un soir, contradiction entre le calme que ma présence avait apporté jusqu'alors à un être irritable et la brusque maladresse de mes interruptions. N'ayant jamais montré le moindre désir de fuir, je n'avais jamais été objet de désirs, une légère rébellion avait suffi pour créer ce désir désagréable que cause la frustration ; une frustration qui n'avait rien de passionnel, en réalité, mais qui pourrait faire penser, en surface, à un dépit amoureux, à un désir sexuel longtemps refoulé, brusquement libéré. D'où, sans doute, l'apparente ressemblance entre la colère de mon Monsieur Proust contre un petit coursier à Versailles et la future colère d'un fameux personnage de Marcel Proust dans *À la recherche du temps perdu*, le baron de Charlus, célèbre et magnifique colère d'un grand seigneur contre un petit bourgeois, le Narrateur de la *Recherche*.

Je réfléchis, j'essaie d'être honnête. Suis-je en train de minimiser les pulsions embarrassantes qu'un grand homme aurait pu ressentir face à ma petite personne, afin de me conserver le rôle de commensal mineur qui m'arrange et de conserver à celui que j'admire trop pour le voir tel qu'il fut le rôle de grand ami dégagé de toute humaine petitesse ? Je ne crois pas.

Charlus se met en colère contre un jeune bourgeois cultivé qui lui plaît mais sa résistance fait partie de son jeu. Il sait très bien que ce n'est pas avec lui qu'il éprouvera une satisfaction sexuelle mais avec de faux bouchers vrais hommes du peuple. Selon ses propres mots, sa colère a été une façon de « mettre un point final » à un espoir vain, de renoncer à une longue stratégie de séduction qui ne fonctionne pas. Le Narrateur n'a rien compris aux manœuvres du baron, il ne cédera pas, Charlus le comprend, se calme, annonce au jeune homme la rupture de leurs relations, propose une promenade quand même, ils auront finalement des rapports superficiels apaisés, tout est bien ainsi.

La ressemblance entre les colères ne doit pas faire oublier les différences. Le baron aperçoit pour la première fois le

Narrateur devant le casino d'une ville dédiée aux plaisirs des bains de mer, lieu idéal pour tenter de séduire un jeune homme timide, il tente sa chance. Monsieur Proust attendait un détective rébarbatif et mûr dans sa chambre de Versailles, il voit arriver un presque enfant sympathique, immédiatement prêt à le servir et l'admirer, les circonstances sont contraires à une aventure d'occasion, elle n'a pas lieu. Un homme triste et mal portant a besoin de retrouver un objet utile à son travail, un apprenti détective retrouve son carnet, lui parle de techniques de recherche, une affection naît ; elle peut être traversée de brusques pulsions, de vagues désirs, elle ne changera pas de nature. Pour le Charlus qui rejoint Balbec à pied afin de coucher dans des fermes avec d'éventuels paysans, le jeune Narrateur ne fait pas partie de ses proies habituelles mais appartient quand même au monde de la chasse ; pour l'écrivain reclus en quête d'affection familiale après la perte de ses parents et obsédé par l'œuvre majeure à venir, un tout jeune homme en quête de père spirituel fait partie du monde de ses réflexions, éventuellement de ses affections, non de ses passions.

Je crois comprendre également ceci. En pénétrant dans l'appartement 22 de l'élégant hôtel des Réservoirs, contigu au château de Versailles, l'enfant du peuple que j'étais découvrit un monde auquel rien ne l'avait préparé, son élégant client le comprit aussitôt et fit des comparaisons, probablement inconscientes, entre cet enfant et lui-même.

Il était né dans un monde riche et raffiné mais son père avait été un enfant du peuple avant de faire de brillantes études et une grande carrière, avant d'épouser une riche Parisienne cultivée de famille juive et d'entrer dans un monde auquel ses origines provinciales ne l'avaient pas préparé non plus. Cet hiver-là, le fils de Jeanne Weil et d'Adrien Proust, jeune demi-juif tout à fait bourgeois et roturier, était entré depuis des années déjà dans le « monde » tout court, celui de l'aristocratie, monde qui n'aurait pas dû devenir le sien non plus, monde qui méprisait la bourgeoisie et les juifs enrichis. En 1906, peu de temps après l'affaire Dreyfus, Marcel Proust ne s'y sentait-il encore admis qu'à moitié, comme une sorte de demi-bâtard, aussi bien du côté de sa famille paternelle que du côté de sa famille maternelle, je ne sais, mais ce qui est sûr est que Monsieur Proust faillit prononcer le mot « bâtard » tout entier, une nuit de décembre de la même année, et l'adresser comme une injure ou un reproche à un jeune homme qui lui semblait appartenir, selon ses propres mots, au « côté véritable » de son moi et qu'il appelait « mon enfant » de façon réellement affectueuse. Le mot « bâtard » disait donc par lui-même ce qu'était, au fond, cet épisode, une affaire de famille.

L'auteur de la *Recherche* décrit le père du Narrateur comme un personnage important au sein d'un mystérieux « ministère » sans jamais rien dire de ses origines ; Monsieur Proust me parla de son père à lui pour me rassurer, au début d'un premier dîner intimidant, parce que mon embarras lui avait rappelé un souvenir familial, les origines populaires de ce père ; de l'autre branche de son ascendance le Narrateur ne parle pas, sauf pour une brève allusion au « beau regard juif » de sa mère, évoquant ainsi celle de Marcel Proust.
En plus de quinze ans de conversations mon Monsieur Proust ne me parla que deux fois de ses origines familiales, le soir du premier dîner et la nuit de sa première et dernière grande colère. Il m'avait promis une explication sur ce sujet, au moment où cette colère s'était transformée en remords, il ne me la donna jamais par la suite, préférant éviter le souvenir de sa cruauté envers moi ou un sujet douloureux pour

lui, je ne sais, mais sans avoir oublié sa promesse, j'en suis sûr, il n'oubliait jamais rien...

J'étais effectivement un enfant naturel, je n'avais jamais rien dit qui lui permît de le supposer, devinant toujours tout, il l'avait fait à partir de ce que je taisais (je n'avais pas cité mon nom de famille quand il m'avait demandé de me présenter, je ne parlais jamais de mon père). De sorte que le parallèle qu'il avait établi dès le premier jour, entre la sorte d'enquêteur qu'il était déjà et le tout jeune enquêteur que j'essayais de devenir dans la maison *Bâtard et Fils*, l'un brun, riche et adulte, l'autre blond, pauvre et encore adolescent, s'était augmenté d'une communauté plus profonde et plus secrète. À ses yeux, nous étions, chacun à sa façon, tous deux bâtards, c'est du moins ce que je pense rétrospectivement.

Dans cette hypothèse, ce furent mes allusions à mon patron qui déclenchèrent la crise, non un obscur désir sexuel et frustré. Il aurait dû ne craindre aucune comparaison avec personne, moins encore avec un « détective de province », mais il était susceptible et jaloux, ces allusions à un autre maître à penser que lui le firent donc souffrir mais, surtout, la répétition du mot « bâtard ». Ce nom, brusque révélateur de ce que notre époque définirait comme un « trouble identitaire », transforma une violente déception en violente colère ; de la violence sortit une injure en apparence, en réalité un aveu, c'est ce que je crois aujourd'hui.

MERVEILLEUSE MATINÉE
AVEC MA MÈRE

Je n'avais guère connu de miracles jusqu'à présent, ma rencontre avec Monsieur Proust en était un. Il venait peut-être de finir en une nuit, dès le lendemain matin un petit miracle à l'échelle d'un enfant se produisit et me consola. Une voix me réveilla dans mon grenier, j'entendis l'ami de ma mère lui crier « À demain, Blanche ! », j'ouvris le vasistas et vis dans la rue une silhouette se diriger dans la direction de la gare, j'allais enfin pouvoir être seul à seul avec ma mère, miracle, oui...

Lorsque je descendis, elle m'attendait dans la cuisine. Nous sachant libérés de toute présence étrangère, elle m'avait préparé un petit déjeuner. Nous ne prenions presque plus jamais nos repas ensemble, nous pûmes manger en tête à tête. J'entends toujours le rire de Maman, je sens l'odeur du café qu'elle vient de moudre (chez son ami le café n'était pas pour moi mais il était bon). Aujourd'hui encore, c'est l'une des belles heures de ma vie.

Une fois de plus, je m'étonne en me relisant. Ainsi, l'un des beaux matins de ma vie aurait eu lieu juste après une nuit qui avait été pour moi celle d'un vrai grand drame ? Je consulte mes notes, les dates sont là, oui le moment de bonheur avec ma mère a bien succédé immédiatement à la terrible colère de Monsieur Proust, comme on est élastique, quand on est jeune... Quand on est vieux, la mémoire embellit tout mais, également, elle trie. Une colère douloureuse a bien eu lieu en 1906, ce qui domine en moi, quatre-vingts ans plus tard, est le bonheur d'avoir rencontré Monsieur Proust et la perfection de certaines heures passées avec ma mère (l'ultime façon de redevenir jeune est peut-être de se souvenir des émerveillements de la jeunesse).

À la fin de notre miraculeux petit déjeuner, ma mère ne me demanda pas pourquoi je rentrais si tard, ces derniers temps, elle me faisait confiance, ni pourquoi je ne courus pas à mon travail, sitôt la fin de notre festin. Elle avait compris que je voulais lui parler, elle attendit en souriant que je le fisse.

Incapable de lui dire si vite que je venais de prendre la décision de la quitter, je lui racontai ma rencontre avec un nouveau client, sans parler du drame de la nuit mais en expliquant que cette rencontre m'avait fait réfléchir. Peut-être me faudrait-il passer de mon activité de coursier à un véritable métier, pourquoi pas la police, à Paris ou ailleurs, peut-être avec l'aide de Monsieur Bâtard ?

Ma mère avait abandonné son travail de couturière en arrivant à Versailles mais se rappelait les façons d'être de ses clients à elle, modestes jeunes femmes et riches vieilles dames ; elle comprit donc mieux que moi mes problèmes avec mon patron et mon nouveau client, devina mon désir de liberté, sut me parler sans me décourager.

— Tu vas avoir dix-huit ans, à présent tu es un homme, je n'ai plus de conseils à te donner. Mais tu as toujours suivi ceux de ton grand-père et les miens, tu es un bon fils et un brave cœur, je te dirai une seule chose. Je ne suis pas mal ici, tu n'y es pas heureux, prends ton vol. Tu es jeune, tu es courageux, tu trouveras toujours du travail à Versailles, à Paris, ailleurs, choisis-le bien. Et choisis bien, surtout, les gens que tu fréquenteras.

Elle disait vrai, on trouvait toujours du travail, en ce temps-là, si on avait du courage. Elle en avait elle aussi : elle me laissait libre de mon avenir même s'il devait nous séparer, j'en fus ému aux larmes.

Elle avait été jolie (elle l'était encore), elle avait cédé à un homme, il l'avait abandonnée en apprenant qu'elle attendait un enfant, seule chose que je sus jamais de mon père (non par elle, qui ne parlait jamais du passé, mais par son père à elle, qui devint aussi le mien). Elle n'avait jamais plus cédé à personne, par la suite, sauf à son ami de Versailles. Elle l'aimait, il l'aimait, il fit semblant de m'aimer pour lui plaire mais cessa tout effort dès que nous fûmes installés chez lui. Presque toujours sorti, je ne souffrais guère de cette situation, ma mère en était malheureuse. En me donnant ma liberté, elle venait de transformer un malheur présent en bonheur à venir, la séparation serait douloureuse sur le moment, bénéfique plus tard.

— Tu as rencontré un client qui t'apprend beaucoup de choses, sois-lui-en reconnaissant. Mais si tu t'aperçois qu'il te les apprend seulement pour que tu restes auprès de lui, dis-toi qu'il se lassera, ils se lassent tous. En plus, je te connais, tu lui rends des services sans te faire payer, les riches n'aiment pas payer mais ils ne respectent que les gens qui leur coûtent. Vois-le moins souvent, même si tu l'aimes bien. Nous aimons toujours ceux qui ont l'air de nous aimer, il faut vérifier que nous les aimons vraiment et qu'ils nous aiment vraiment. Pour cela, il faut prendre le temps de réfléchir et de voir venir. Comme disait ton grand-père, « le temps est un grand maître ». (Au fond, Monsieur Proust n'était pas mon premier professeur en matière de Temps, j'en avais eu un, déjà...) Si ce monsieur cesse de faire appel à toi, ne reviens pas vers lui, ne pense plus au passé, pense à l'avenir. S'il te rappelle, c'est bien, reviens mais sache repartir. Éloigne-toi puis reviens, il vaut mieux se regretter que se lasser.

Comme elle comprenait les choses sans les dire toutes... Chère maman, sois remerciée, tant d'années après, sois mon ange gardien jusqu'à la fin, en compagnie de ma chère femme, morte depuis tant d'années elle aussi, croyant aux anges alors que nous n'y crûmes jamais, toi et moi, peu importe.

— Ce sera la même chose lorsque tu rencontreras une jeune fille que tu croiras aimer et qui croira t'aimer aussi. Il faut savoir se séparer pour avoir l'occasion de se regretter, séparez-vous quelquefois, d'abord. Si vous vous apercevez ensuite que vous vous regrettez trop, mariez-vous ou vivez ensemble. Mais seulement lorsque vous serez sûrs, tu comprends ?

C'est elle qui a tout compris, que ma rencontre avec Monsieur Proust est comme une rencontre d'amour. Elle ne la juge pas, elle me demande seulement de prendre garde. Elle n'avoue pas clairement qu'elle espère me voir marié avant de mourir (elle se voit déjà vieille, comme elle était jeune encore, pourtant, à l'époque !) mais elle m'explique comment je devrai envisager ce mariage pour qu'il dure et le mien dura, effectivement...

— Je comprends, n'aie pas peur. Je n'ai pas encore de fiancée, j'espère bien en trouver une, en attendant je vais demander à Monsieur Bâtard de m'envoyer en stage chez l'un de ses frères, dans une ville plus grande. Je voudrais apprendre un vrai métier. Si je suis à Paris, je viendrai te voir, si je suis plus loin, je t'écrirai.

Aujourd'hui, c'est le matin, ma chatte Sibylle a faim, j'entends son cri d'oiseau plaintif dans la cuisine où elle m'attend, assise devant son assiette comme un sphinx à l'entrée d'un temple. Je lui donne à manger en repensant à ce beau matin vécu avec ma mère puis je relis mes pages sur la première colère de Monsieur Proust.

Je relis également mes notes, j'ouvre le deuxième carnet des six qui correspondent à la fin de 1906, je constate que mon vieux cerveau ne m'a pas trop trahi et découvre, cependant, un détail oublié, un mouvement d'humeur que j'ai eu, juste avant de sortir de l'appartement numéro 22, après la grande colère de son occupant.

J'entendais des sanglots dans la chambre, je remettais mon costume de coursier, mon écharpe et mes gants tricotés par ma mère, je sentis que le paquet des lettres de l'amant de Madame Cornard était toujours dans la poche intérieure de ma veste. Je les avais gardées sur moi, désobéissant à Monsieur Proust, les avoir sous la main fut sans doute l'occasion de me venger de sa méchanceté, de la peine qu'il m'avait faite et du regret de l'avoir presque sûrement perdu, car je lis ceci, « j'ai remis les lettres sur la commode ». Je les y avais déjà placées une fois, le jour où Monsieur Bâtard m'avait dit de les donner au monsieur de confiance dont je lui avais parlé, le monsieur n'en avait pas voulu, eh bien, il allait les retrouver le lendemain après-midi, verrait le paquet en se réveillant et serait obligé de repenser à moi. Aurait-il oublié sa colère ou m'aurait-il oublié, moi ? Me convoquerait-il pour me gronder une seconde fois ou se contenterait-il de faire lui-même ce qu'il m'avait suggéré, demander au Signor Minimo de garder les lettres ? Autrement dit, reverrais-je Monsieur Proust ou non ?... Il fallait attendre pour le savoir, j'attendis.

Après avoir quitté ma mère, je m'étais rendu chez Monsieur Bâtard. Devais-je lui parler tout de suite de mon désir de le quitter ou réfléchir encore ? La question ne se posa pas, il était sorti. J'étais la seule personne à jouir du privilège de travailler dans le bureau du patron, je m'assis à ma petite table pour écrire un résumé de ma dernière nuit avec Monsieur Proust (jamais les leçons de compte rendu de Monsieur Bâtard ne m'avaient été aussi utiles), le temps passa. Mon patron n'aimait pas le téléphone, sa secrétaire répondait toujours à sa place dans le bureau voisin, elle entra.

— Viens, il y a un appel pour toi. Alors, on profite des faiblesses du patron pour sa petite personne, on se fait appeler au téléphone, maintenant !

C'était Monsieur Massimo. Il m'appelait pour me demander de venir « de suite » à l'hôtel, où Monsieur Proust me « priait de bien vouloir » le rejoindre...

J'hésite mais je dis oui, je salue Madame Cachassin (que Monsieur Bâtard appelait, citant Molière avant que j'eusse lu, puis vu, son *Tartufe*, « cachez ce sein que je ne saurais voir », car elle avait une poitrine si considérable, si visible, que nous ne pouvions, ni lui qui aimait les seins des dames plus encore que mes bonnes joues, ni moi ni aucun des hommes et garçons de la maison, nous empêcher de la contempler avec le désir de les toucher), je sors, je cours, j'arrive.

Le Signor Minimo est devant l'hôtel, il m'entraîne dans la cour pour qu'on ne me voie pas dans l'entrée, il y a des clients, et pour qu'on ne l'entende pas crier.

— Qu'as-tu fait à Monsieur Proust, pétite malheureuse ?!
Il dit que tu es si fâché contre lui qu'il n'a pas dormi oune *minuto*, tu te rends compte des pourboires que tu nous fais perdre ? Entre par-derrière, monte par l'escalier de la *servitù*, va faire la conciliation avec lui. C'est moi qui te l'ai fait

connaître, je ne veux pas d'histoire avec les clientes, tu comprends ?

Je passe par la porte de derrière, je monte sans rencontrer Daniel mais ce n'est plus de lui que j'ai peur, c'est de Monsieur Proust. Est-il toujours en colère, pourquoi veut-il me voir à une heure si matinale pour lui, il n'est même pas midi ? Je tremble de peur en montant, de colère en frappant, je ne parviens pas à oublier ses paroles de fureur, j'entends une petite voix qui dit « entrez », j'entre.

Le client du 22 est dans son manteau d'intérieur, son visage blanc est noir de barbe pas rasée (il avait renoncé à se raser en arrivant à Versailles mais fit de nouveau appel à un barbier lorsque son retour à Paris fut proche, moment où je le connus), ses paupières sont noires de sommeil pas dormi, ses yeux sont rouges de larmes ou de fumée, du coton dépasse de quelque chose qui doit être sa chemise de nuit enfoncée dans son pantalon. Il est en pantoufles, il a l'air d'un pauvre dans un hospice, je devrais avoir pitié, je ne peux pas.

APRÈS LA COLÈRE
DE MONSIEUR PROUST

— Monsieur Massimo a téléphoné à la maison Bâtard pour me dire que vous avez besoin de moi, Monsieur. Mon patron aime pas qu'on téléphone au personnel, la prochaine fois faut dire à Massimo d'envoyer une lettre par la poste chez ma mère, il connaît son adresse, ou par un coursier. Y a pas que moi comme coursier à Versailles.

Je ne sais si j'ai bien dit « la prochaine fois », auquel cas j'espérais donc une réconciliation, mais je me rappelle que Monsieur Proust me regardait sans m'écouter. Son silence me force à parler, je me décide à lui « sortir ce que j'ai sur le cœur » mais en contrôlant mieux mon style, je m'en souviens aussi (on est parfois si furieux qu'on en devient froid, on se regarde faire les choses, on s'entend les dire). C'est la première fois que j'ai des raisons de faire des reproches à l'homme le plus courtois que j'aie rencontré, j'ose les exprimer, j'en tremble mais rien ne m'arrête lorsque je me crois dans mon bon droit.

— Vous m'avez fait appeler, Monsieur, j'obéis, mais je veux être payé, comme tout le monde. (Comment ai-je pu commencer ma protestation par un sujet si loin de mes pensées, à ce moment de mes relations avec quelqu'un qui n'était plus un client, je le me demande, mais mon souvenir et mes notes sont là, il faut croire que l'argent préoccupait le petit pauvre que j'étais.) Vous êtes gentil avec moi pendant des jours, vous dites que nous sommes amis, vous me chassez après comme un domestique quand il a volé, j'ai rien volé… je *n*'ai rien volé, au contraire, j'ai retrouvé votre carnet. Les domestiques de l'hôtel et les employés de la maison Bâtard, on les paye. (Je n'ai pas tardé à prononcer le nom qu'il ne fallait surtout pas citer.) Massimo m'a donné vingt sous pour votre carnet, vous lui avez donné cinquante francs, à moi rien, sauf à manger, j'ai besoin de gagner de l'argent, pas de dépenser le vôtre à de la nourriture que vous *ne* mangez même pas, que je *ne* peux même pas finir. Je *ne* viendrai plus vous voir, sauf si vous avez un travail à me faire faire et si vous me donnez vingt sous pour votre carnet, comme le Signor Minimo, j'en veux pas plus, je *n*'en veux pas plus.

Monsieur Proust ne dit toujours rien mais, à présent, il m'écoute. Il ne peut pas être plus pâle, je continue quand même.

— Vous donnez plein d'argent aux garçons qui sont là pour vous servir, ils sont déjà payés pour ça par la direction, pas moi, si vous voulez un autre service de ma part, ce sera encore un autre franc, ça fera deux en tout. Vous me les donnerez d'avance, sinon vous oublierez, pour vous, l'argent, ça ne compte pas. Vous dites que parler avec moi vous intéresse, jamais personne m'a intéressé comme vous, sauf ma mère et mon grand-père, même pas Monsieur Bâtard, vous êtes riche et pas juste mais vous dites des choses que j'écouterais toutes les nuits, si je me laissais faire, je me laisserai pas faire. Je suis un petit coursier, je fais les courses qu'on me donne, je suis pas encore détective mais je retrouve les choses qu'on me demande. Aujourd'hui vous me demandez ce que vous voulez, je vous obéis, si vous m'insultez encore, je m'en vais. Dans trois semaines c'est la fin de l'année, vous serez à Paris, moi à Versailles, ou dans une autre ville, tout sera bien pour tous les deux, j'ai fini.

Je dois être livide, Monsieur Proust cesse d'être blanc, il tombe assis sur le canapé, se renverse en arrière, commence à étouffer et rougir comme un étranglé, je me précipite.

— Vous êtes malade ! Il faut faire appeler un médecin ?

— Inutile, les... les médecins ne peuvent pas soigner mon... mon asthme ni... ni ma méchanceté... Car j'ai été méchant avec vous, c'est à moi de vous demander pardon... Pardon, pardon, pardon !

J'essaie de le redresser sur le canapé en me penchant et en lui passant un bras derrière les épaules. Il se laisse tomber sur le parquet en glissant le long de mon ventre, il va se trouver à mes pieds, cette idée me fait mal, je le prends dans mes bras, parviens à le relever et le rasseoir. Il sanglote contre ma poitrine, je me mets à pleurer aussi mais sans bruit pour qu'il ne s'en aperçoive pas. Je voudrais lui baiser les yeux, le front, les joues (qui doivent piquer de barbe, comme celles de mon grand-père), le bercer comme un enfant pour le consoler, je ne peux pas. Je me dégage et me relève.

— Vous me demandez pardon, je vous demande pardon aussi, Monsieur. La colère m'a fait dire des choses pas belles.

Je suis sincère mais je m'inspire également de Monsieur Bâtard, une fois de plus : « Si des clients sont désagréables avec vous, soyez-le encore plus avec eux, ça remet les idées en place, mais demandez pardon après. C'est eux qui ont commencé, demandez pardon quand même, ça leur fera plaisir et vous pourrez continuer le travail. Dans une paix, ce n'est pas celui qui a fait le plus de mal à l'autre qui a gagné la guerre, c'est celui qui a fait la paix. Dans la vie, le plus fort n'est pas le plus riche, c'est le plus intelligent... »

Je ne suis pas plus intelligent que Monsieur Proust, certes, mais il me semble que j'ai gagné la bataille, je me trompe. Il s'apprête à en gagner une autre en acceptant la paix, ne bouge toujours pas mais recommence à parler d'une petite voix toute prête à redevenir normale, je l'entends aussitôt (avec lui on apprenait à faire attention aux intonations). Cette voix n'est plus celle d'un mourant, elle est celle d'un petit garçon qui a fait une bêtise, veut faire la paix avec papa, maman, va y parvenir...

— Asseyez-vous, cher petit... Pardon de vous avoir dit de méchantes choses que je ne pensais pas. Je vous ai dit de suite que je les regrettais mais ce qui avait été dit, avait été dit, hélas... Je suis susceptible et jaloux, vous m'avez rendu jaloux de votre patron, je n'ai pas supporté vos allusions perpétuelles à son intelligence, bien réelle, sinon je n'aurais pas été aussi colère, mais je voulais vous apparaître comme plus intelligent que lui, être le seul à compter pour vous, comprenez-vous ?

Il se redresse, sa voix est redevenue tout à fait normale.

— Ne voyez, ainsi, dans cette scène affreuse, que mon désir d'être le premier dans votre pensée, si ce n'est votre cœur, et ma bêtise. Vous me croyez intelligent, n'oubliez jamais que l'intelligence d'une personne peut disparaître d'un coup, sous l'effet de passions aussi folles que la colère et la jalousie, pour laisser place à la bêtise la plus bête, la plus méchante. Votre colère à vous ne vous a pas fait perdre votre intelligence parce que votre colère était juste, parce que votre esprit est droit et votre cœur bon, sinon vous ne seriez pas revenu ici.

Vous n'avez jamais d'arrière-pensées, je l'ai souvent noté, je vous envie, moi, j'en ai. Si vous aviez eu des arrière-pensées, vous n'auriez pas été aussi sincère que vous venez de l'être, vous m'auriez ménagé pour obtenir de moi bien autre chose qu'un franc ou deux, c'est vous qui êtes franc, cher Noël, « franc comme l'or ». (J'ai le jeu de mots sous les yeux, sur mon carnet.) Je l'ai compris à la minute où je vous ai vu entrer ici, vous n'avez jamais varié par la suite, jamais menti, vous avez été honnête comme le sont, bien plus souvent que ne le croient les gens de mon monde, les gens du vôtre, les gens du peuple. Je les connais bien, ils sont capables d'être bas et méchants, eux aussi, mais ils ont des excuses, la pauvreté, je n'en ai pas pour la bassesse et la méchanceté dont je suis parfois capable à cause de ma jalousie... Je suis un jaloux maladif, je vous l'ai dit, vous ne m'avez pas cru, vous avez eu tort, on ne croit jamais assez à ce que les gens disent d'eux-mêmes. Les maladies ne sont pas toutes du corps, cher enfant, il y a aussi celles de l'esprit, on les voit moins, il faut les déduire de leurs effets et en tenir compte. Les malades de l'esprit ignorent leur mal ou le cachent, observez-les bien, à l'avenir, même leurs mensonges sont des vérités illuminantes.

« Vérités illuminantes » était une expression trop au-dessus de mon âge et de mon niveau pour que je pusse la comprendre, elle me frappa pourtant, je la retins, déjà retenu moi-même à cet homme par des liens que je ne pouvais ni définir ni rompre. Je n'étais pas son domestique, je ne serais sans doute jamais son ami tout à fait, je sentais que je lui serais fidèle quand même à jamais, quoi qu'il fît. En cet après-midi de 1906, si mon Monsieur Proust est bien Marcel Proust, je suis devenu, comme tant d'autres personnes avant moi et après moi, esclave de sa parole illuminante, de ses yeux tristes et lumineux, de son sourire, de son esprit, de sa personne tout entière (je le suis toujours à la fin des années 1980 !).

— Si vous avez besoin de moi, Monsieur, dites-le. Je suis là pas pour de l'argent mais parce que je vous aime bien, même quand vous êtes pas juste.

— Ah, mon enfant, que voilà une belle déclaration d'amitié ! Pas très française du point de vue des négations mais douce à entendre, merci, merci. Je vais vous en faire une moi aussi.

Le malade a retrouvé son souffle et son ironie, il a retrouvé sa couleur habituelle et se lève sans peine, je connaîtrai plus tard le phénomène. Certains de ceux que nous aimons en profitent pour nous torturer, quand ils voient qu'ils sont allés trop loin, ils en éprouvent de la honte, ils demandent pardon mais c'est aussi pour éviter que leur victime ne leur échappe – à peine leur avons-nous pardonné, ils se requinquent, comme si rien n'avait eu lieu.

Le malade guéri se verse un verre d'eau d'une bouteille sur la table à écrire et le boit d'un coup, lui qui n'absorbe jamais rien d'un coup.

— Je ne vous offre pas de cette eau médicinale, elle est infecte, mais téléphonez pour vous faire monter ce que vous voudrez, mon petit.

— Merci, Monsieur, j'ai pas soif... je *n*'ai pas soif.

— C'est curieux, quand on a pleuré, on a perdu de l'eau, on a soif, or j'ai senti couler sur mon visage, tandis que vous me secouriez, des larmes qui n'étaient pas les miennes, de bien chères larmes puisqu'elles provenaient de vos yeux, ne le niez pas, ils sont encore rouges. (Il est content, les gens sont contents de nous voir pleurer à cause d'eux, Monsieur Proust n'était pas les gens sur la plupart des points, il l'était sur quelques-uns.) Les larmes sont contagieuses, peut-être les vôtres ont-elles été dues à la vue des miennes plus qu'à des sentiments que je ne mérite pas, je veux néanmoins croire qu'elles sont la preuve que vous avez encore un peu d'affection pour moi et je les admire, les jeunes gens de votre âge osent rarement pleurer. Vous n'êtes pas les jeunes gens de votre âge, il est vrai, vous êtes le petit Noël, à qui nul ne ressemble!

— Je suis comme tout le monde, des fois je pleure.

— Vous pleurez, *parfois*?... (Il semble sincèrement intéressé mais n'oublie pas de souligner mon « des fois » incorrect rien qu'à l'intonation de son « parfois ».) Puis-je vous demander en quelles occasions, cher enfant?

— Quand je vois des gens pleurer, quand je me rappelle mon grand-père et quand je me récite *Les Pauvres Gens* de Monsieur Victor Hugo.

— Je me les récite aussi! Encore un lien de plus entre nous!

Il est devenu joyeux, ses joues rosissent, le pêcheur a rattrapé le petit poisson qu'il croyait perdu, il est content, si petite que soit la prise. Je n'en sais pas encore très long sur le cœur humain mais je n'ai pas oublié la *Carmen* de Georges Bizet, dont il fredonnait, avant-hier, la mise en garde. Je comprends déjà ce que veut dire Carmen en chantant « si tu ne m'aimes pas, je t'aime et, si je t'aime, prends garde à toi », il me faudra prendre garde à moi avec cette Carmen-là. Elle essaiera de me faire souffrir à nouveau mais je serai « l'oiseau rebelle qui s'en va quand on l'appelle », elle m'en aimera d'autant plus et me rappellera; je reviendrai mais je serai sur mes gardes, ainsi que le conseille la Gitane du siècle dernier, ainsi que ma mère vient de le faire il y a quelques heures.

Le secret d'une longue relation avec cet homme était là, lui résister. On me dira qu'il en va de même avec la plupart des gens mais Marcel Proust était encore moins les gens que je n'étais les jeunes gens, lui résister était difficile et surtout vain, on y perdait plus que lui.

— Je vous ai annoncé une déclaration, la voici. C'est une déclaration d'amitié, comme il y a des déclarations d'amour... (Je n'ai pas besoin de mes notes pour me rappeler la phrase.)... Je la commence en vous demandant pardon, pardonnez-moi de ne pas vous avoir récompensé pour l'immense service de mon carnet retrouvé, alors que je donne si volontiers à tout le monde, même à ceux qui sont déjà payés pour les petits services qu'ils me rendent, ici Massimo, Daniel, Joseph, ailleurs bien d'autres, vous avez raison de me le faire remarquer. Je me suis souvent posé des questions à ce sujet, voici ce que je crois. Aucune de ces personnes ne fait partie de mon vrai monde, ni du vôtre non plus, cher Noël, comprenez-vous ?

Non, je m'explique. Je n'ai pas pensé une seconde à vous donner de l'argent parce que, à mes yeux, vous n'êtes pas du monde des domestiques et vous ne l'êtes pas, en effet, pas plus que de celui des employés, puisque vous avez choisi un métier indépendant, vous pouvez cesser de faire des courses pour cet hôtel ou des filatures pour la maison Bâtard quand vous le voulez. Vous êtes né libre et fier, comme la Carmen dont nous parlions récemment, voilà comment vous m'apparaissez, comprenez-vous, à présent ?

Non, je ne comprends toujours pas, cela se voit toujours, le riche monsieur généreux continue à s'expliquer tandis que je recommence à avoir honte, comment ai-je pu faire des reproches à un tel homme ?

— Carmen ne réclame pas d'argent et n'en accepterait pas. Je ne vous en ai pas donné, quand vous avez retrouvé mon carnet du côté où je n'avais pas pensé à le chercher, parce que j'avais dû deviner, déjà, que vous faisiez partie de ceux qu'on ne paie pas, ceux qui sont du même côté que moi, celui des chercheurs de vérités que nous sommes tous les deux, raison pour laquelle je vous ai proposé de dîner avec moi ensuite. Non pour vous récompenser par de la nourriture, ainsi que vous avez pu le croire, hélas, mais parce que je voulais prolonger le rapport d'amitié qui avait commencé à naître entre nous. Vous doutez de cette amitié, vous avez raison, j'en ai douté moi-même hier, un instant, sous l'influence de la cruelle déesse Jalousie qui fait mon malheur, pardonnez-moi les folies qu'elle m'a fait dire en considération du chagrin qui me dévore depuis, si grand que je n'ai pu dormir une seule minute, sachez-le. (Il s'avouait coupable mais aurait bien aimé que je me sentisse un peu coupable moi aussi, tout particulièrement en ayant nui à ses rares heures de sommeil, ce sommeil dont il fit un moyen de chantage toute sa vie...) Mes regrets, mes remords, la honte de vous avoir insulté, la crainte de vous avoir perdu, d'être privé de vos talents de retrouveur de carnet perdu, de vos charmantes joues rouges, de nos bonnes conversations et de votre bienfaisante présence, tout me prouve que je ressens pour vous une amitié véritable, bien que je ne croie plus à l'amitié comme j'y croyais à votre âge, tout me prouve que vous en ressentiez une pour moi, dites-moi que ma colère ne l'a pas détruite, cher Noël...

Je ne pouvais comprendre, alors, la pensée d'un tel homme sur la plupart des sujets, j'aurais de la peine, plus tard, à comprendre celle de Marcel Proust sur l'amitié (les lecteurs de la *Recherche* connaissent sa théorie sur le temps qu'on a perdu en conversations amicales au lieu d'écrire des chefs-d'œuvre) mais j'étais déjà capable de me méfier de lui. J'ignorais presque tout de l'amitié, j'avais cru en éprouver pour cet homme et lui avais demandé la sienne, il avait hésité, voilà qu'il me la proposait après un épisode qui me faisait douter de l'amitié, moi aussi, et de la sienne plus encore, que faire ?

— Je ne guérirai pas de mon grand chagrin mais je me sens à nouveau capable de rencontrer des personnes et de faire des projets, quelques présences m'ont été précieuses durant mon deuil, je sens que la vôtre me fait du bien, vous venez de dire, « je suis là parce que je vous aime bien », me le rediriez-vous à nouveau, afin de me rassurer tout à fait, mon enfant ?

À cette minute-là, attendant ma réponse, il me souriait de son beau sourire des yeux et des lèvres, de ses yeux noirs encore brillants de larmes, de ses lèvres humides comme de baisers non donnés et non reçus, je le revois, le cœur me serre tant ces moments sont loin, à présent, ces jours de ma jeunesse où Marcel Proust était encore jeune et vivant.

RITES DE RÉCONCILIATION

Le petit coursier que j'étais aurait dû s'étonner de tant de confidences de la part d'un monsieur situé à un degré de l'échelle sociale tellement supérieur au sien, s'étonner plus encore de sa proposition d'amitié (amitié qu'il avait lui-même réclamée le premier, il est vrai, mais au tout début de leurs relations), il ne s'étonna pas. Ce monsieur-là était capable de tout, entraînait si vite et si loin qu'on n'avait bientôt plus la possibilité de réfléchir, de se méfier, de se reprendre. On n'en avait pas envie, surtout.

J'aurais dû m'étonner aussi qu'un homme « du beau linge » semblât consacrer si peu de son temps à son monde, en parlât si peu, trouvât si souvent le temps de me voir, mais je n'avais aucune idée du temps que réclamait ce monde, aucune des facultés surhumaines d'un pareil être non plus, capable d'avoir des relations et des correspondances avec des dizaines de gens, dix sujets de réflexion, de lecture, d'écriture, à la fois.

J'avais quand même été un peu surpris, au début, qu'un *monsieur*, qu'une personne aussi occupée par son chagrin et par ses notes sur tant de carnets différents, pût consacrer autant de paroles, de sentiments, d'heures à ma petite personne (j'étais conscient de la petitesse de mon individu à tous les points de vue) mais j'avais compris assez vite qu'il consacrait d'autant plus de temps et d'énergie à ses enquêtes sur la vie des gens, qu'il était privé de la possibilité de se déplacer facilement. J'étais pour lui une occasion de gagner du temps en se procurant à domicile des renseignements qui l'intéressaient, puis testant tout de suite sur moi les conclusions qu'il en tirait. Je ne m'en vexais pas, je l'admirais, je l'aimais, il m'était lui-même une occasion d'enseignements sans pareille.

Lorsque je faisais des courses pour un client, j'observais sans rien dire, quand c'était pour *Bâtard et Fils*, mon patron me demandait un bref compte rendu tandis que Monsieur Proust, parlant mille fois plus et mieux que nous tous, nous faisait parler, nous écoutait comme si nous eussions « parlé d'or », nous donnait la sensation que nous existions en tant qu'individus dans un monde où il y avait quelques riches individualités d'un côté, la masse immense et indifférenciée des pauvres, de l'autre.

Le fameux mondain nous interrogeait sur ce que nous vivions, ce dont nous étions témoins, les gens que nous rencontrions, impossible de ne pas répondre à ses questions : « Qu'a dit ce monsieur, qu'a fait cette dame ? Qu'en avez-vous pensé ? Racontez, dites-moi tout. » Fascinés par sa politesse, ses pourboires et ses yeux brillants, nous lui rapportions ce que nous pouvions, ignorant que, passé au filtre de sa pensée, n'importe quoi pouvait devenir quelque chose. Nous répondions à ses questions en rafales sans pouvoir comprendre qu'il cherchait à tout savoir à propos des autres afin d'en apprendre toujours plus sur le fonctionnement humain et qu'il en usait pareillement pour sa propre personne, se considérant lui-même comme un objet d'étude parmi d'autres.

Les efforts de Marcel Proust pour charmer, ses compliments extravagants semblèrent en leur temps la preuve du pathétique désir de plaire d'un snob. Si ce fut le cas dans sa jeunesse, je crois que, dès les premières années du nouveau siècle, il se servit de son désir de plaire pour faire jouer à tout le monde, lui compris, ce rôle d'objet, tout en s'efforçant de donner à chacun, en compensation, l'impression d'être unique, lui compris.

Je ne peux m'empêcher d'espérer que Monsieur Proust me considéra comme un peu plus unique que d'autres, bien sûr, qu'en fut-il exactement, je ne sais. Ma curiosité naturelle et mon apprentissage à la maison Bâtard firent-ils de moi ce qu'il prétendit ce jour-là, un interlocuteur, un ami, j'en doute, au moins étais-je différent sur un point que je venais de lui signaler, dont il n'oublia pas de me parler pour achever de me convaincre.

— Vous hésitez encore à me rendre votre amitié, je le comprends, et je me rappelle vos premières paroles, tout à l'heure, des paroles de reproche, de reproche justifié, ô combien ! J'ai été ingrat envers vous, je ne vous ai pas récompensé pour mon carnet retrouvé, sachez cependant ceci. Quelles que puissent être mes mauvaises habitudes en matière d'argent, du moins n'ont-elles pas joué de rôle entre nous, la preuve... je ne vous en ai pas donné !

Que voulez-vous, vous m'êtes apparu, presque de suite, non comme un employé mais comme une sorte d'autre moi-même, plus jeune, plus intact, une sorte de petit frère mental auquel je pourrais parler un autre langage qu'à mes amis et à mon propre frère de sang, très gentil avec moi mais trop dédié à sa propre vie, trop différent de ce que je suis, c'est ainsi. Vous désiriez que nous fussions amis, nous voilà frères, qu'en pensez-vous ?

Il s'attend peut-être à me voir tomber d'émotion sur le parquet, je tiens debout.

— Ne me dites pas qu'il est trop tard, que ma colère a tout gâché, et sachez que je n'ai pas pensé à vous donner de l'argent pour une autre raison... on ne peut payer ce qui n'a pas de prix. Je puis facilement récompenser Massimo de vous avoir envoyé à moi, non vous récompenser d'avoir retrouvé un carnet pour moi sans prix, comprenez-vous, mon enfant ?

— Je veux que l'argent que j'ai gagné, le franc que j'ai dit, Monsieur.

— Mais voulez-vous encore de mon amitié ?

— Oui, Monsieur, je vous l'ai demandée. Je change pas tout le temps, moi.

Quand je laissais ainsi entendre que j'étais raisonnable et lui pas, je l'osais parfois, Monsieur Proust me répondait toujours avec gentillesse et malice, cette fois ce fut avec une crudité de langage qui m'étonna. Je notai quelques phrases de cette réponse le soir même, avant de m'endormir, elle contenait à la fois une allusion à sa mère et deux expressions que ma propre mère aurait appelées des « gros mots » qui me surprirent plus que tout le reste.

— Vous donner un franc n'est pas vous payer, au moins puis-je vous prouver mon amitié par une confidence que je ne ferais à nul autre. Aux autres je peux donner de l'argent, je peux en prêter à un ami qui ne me remboursera peut-être pas, peu m'importe car, permettez-moi d'être vulgaire, je m'en fiche. (Première apparition atténuée du gros mot à venir.) Mon vrai grand secret, à moi qui passe tant de temps à dire à mes amis une part de mes petits secrets et à leur demander de me raconter tous les leurs, à moi qui souffre de tant de maladies du corps, du cœur et de l'esprit, à moi qui réclame sans cesse de l'affection, des égards, des services, mon secret est que je me fous de tout depuis la mort de

Maman. (Apparition du vrai gros mot.) Je me fous de tout, sauf de cette vérité que je cherche à écrire dans le futur livre dont je vous ai parlé, que je porte en moi comme un enfant, dont je ne sais pas grand-chose encore, pas même si j'aurai le pouvoir et le courage de le mettre au jour... (Il parlait souvent de son œuvre comme d'un enfant, de lui comme un père.)... moins encore la force et le temps de guider sa croissance.

Cet enfant-là m'importe, certains de mes amis, mon frère cadet, le premier d'entre eux, jeune médecin admirable qui se dévoue à ses malades et à sa famille, il est déjà marié, quelques femmes intelligentes ou belles, parfois les deux, quelques êtres m'importent mais ils ne connaissent que leur monde. J'en connais d'autres, vous aussi, ceux de votre entourage mais également ceux que vos courses et vos enquêtes vous font rencontrer, eh bien, aucun de mes amis ne s'intéressera tour à tour, comme vous le faites, à une madame Cornard puis à un monsieur Proust, aucun ne s'intéressera au moins autant à un domestique qu'à une duchesse, ainsi que je le fais...

Il y a là entre nous un point commun, une parenté, voilà pourquoi je peux vous dire que vous êtes pour moi une sorte d'autre jeune frère car nous sommes de la même sorte de famille, celle des gens qui passent leur vie à étudier les vérités que les autres ne voient pas, comprenez-vous ?

Saisir le sens d'un tel discours, croire à une fraternité entre mon hôte et moi n'était guère pensable mais recevoir un regard paternel de sa part était mon espoir, éprouver un respect filial pour lui était mon bonheur, je fus touché de son intention, je le suis toujours. Son désir d'affection pouvait le pousser à des déclarations excessives, ses déceptions pouvaient lui faire écrire et prononcer des phrases cruelles contre l'amitié, je suis sûr qu'il cherchait réellement des esprits fraternels autour de lui, toute sa vie en témoigna. Si les paroles d'un gamin sonnaient en lui d'une certaine façon, ce gamin lui semblait alors appartenir au monde qui l'intéressait, les apparences ne comptaient plus. S'il a tant étudié les apparences, c'était moins pour ce qu'elles montraient que pour ce qu'elles cachaient, sous les ressemblances, il cherchait les dissemblances, sous le différent, l'analogue. Il admirait les belles formes des choses et des êtres mais aussi les pires, comme un voile jeté sur la vérité ; une fois ces formes décrites, il tirait le voile pour la révélation du vrai, beau ou non.

Dans ces conditions, rencontrer un enquêteur, même enfantin, était à ses yeux rencontrer un frère en esprit, effectivement, la jeunesse étant plutôt une parenté de plus pour lui, qui se découvrit des facultés mentales d'adulte dès l'enfance mais se conçut toujours comme un enfant, fils de parents chéris et de familles d'esprit dont il se sentait l'héritier. Il ne fut d'ailleurs jamais touché par les signes de l'âge, semblant le même à cinquante ans qu'à trente, des photographies le prouvent, ses contemporains l'ont dit, je le confirme. Il y avait là un mystère comparable à celui qui fit de lui, à la fin de sa vie, ne se nourrissant plus que d'un bol de lait au café par jour, une sorte de fils lointain de certains saints chrétiens, le frère occidental de certains philosophes orientaux.

Son désir de croire aux fantômes afin de revoir ses parents morts, son besoin de punir quelqu'un de lui avoir enlevé trop tôt le plaisir d'une illusion en le traitant de bâtard à la manière d'un gamin dans une cour d'école, tout avait eu chez lui, le soir de sa colère, quelque chose d'enfantin. Une réconciliation, semblable à celle qui restaure la paix dans les familles après une crise, était donc nécessaire à un homme de trente-cinq ans qui demeurerait toujours ce qu'il venait à peine de devenir, un orphelin. Quitter Versailles sur une fâcherie puérile, même avec une relation récente et secondaire, aurait été un poids de trop, il se débarrassa de ce poids en se réconciliant avec moi.

S'il n'avait été qu'enfantin, la réconciliation aurait été de pure forme, il m'en aurait voulu d'avoir été le témoin d'une faiblesse, non, il m'avait fait la promesse de me revoir, il me revit; il m'avait promis de m'aider en me faisant connaître une personne utile à mon éventuelle carrière de policier, il la tint et se plut à m'interroger sur mes enquêtes par la suite, à me raconter certaines des siennes ou à me demander d'en faire quelques-unes pour lui. Il aurait pu m'oublier quand même, s'il ne le fit pas ce fut peut-être à cause de cet aspect familial, selon lui, de notre relation. J'étais devenu non un frère mais un familier, une sorte de petit cousin de province avec lequel on peut évoquer le passé d'autant mieux qu'il a l'air de rester le même, lui aussi (j'eus longtemps l'air très jeune, je crois l'avoir signalé). Quoi qu'il en soit, il ne revint jamais sur la notion de fraternité entre nous, sur celle de bâtardise non plus, ni à propos de lui ni à propos de moi, ni à propos de personne.

J'avais autant que lui besoin de paix retrouvée, ne m'arrêtant ni à un discours que je ne pouvais comprendre ni aux gros mots surprenants que j'ai cités, je répondis à sa question, « Comprenez-vous que nous sommes de la même famille, celle des enquêteurs ? », comme si nos relations n'avaient été traversées d'aucun orage.

— Je sais pas si nous sommes de la même famille, Monsieur, mais j'aime enquêter, vous avez raison.

— Je ne vous proposerai pas de nous tutoyer comme deux frères, je tutoie peu, vous n'oseriez d'ailleurs pas me rendre la pareille et je n'y tiendrais pas en public, une autre chose me tenterait, cependant, mais elle est impossible, vous n'êtes pas assez grand pour que je me blottisse sur vos genoux, comme je le faisais, à votre âge, avec certains de mes amis... Le contraire me plairait aussi, vous pourriez venir vous asseoir sur mes genoux, comme vous le faites parfois sur ceux de votre patron, je bercerais tendrement le petit enfant que vous avez l'air d'être encore, je ne vous le proposerai pas non plus, il est trop tard...

Le beau monsieur, en cet instant semblable à un mendiant, espéra-t-il quand même que j'allais grimper sur ses genoux, je ne sais. Je ne le fis pas mais de ses trois propositions, ce fut la seule qui ne me surprit pas, Monsieur Bâtard m'avait habitué à des moments de tendresse analogues, c'était aussi la seule que j'aurais pu accepter si Monsieur Proust n'y avait pas renoncé en la formulant, mais le tutoyer, impensable, impossible.

À peine énoncées, les trois hypothèses furent oubliées, j'étais jeune, mon hôte avait besoin de repos, nous étions réconciliés, cela nous suffisait à l'un comme à l'autre. Je me contentai de profiter du présent sans arrière-pensée, je suis persuadé qu'il en fut de même pour le riche client du 22. S'il m'avait réellement proposé de venir dans ses bras et si j'avais refusé, nous aurions perdu l'occasion d'un moment heureux, si j'avais accepté, nous aurions peut-être été embarrassés, sa simple proposition verbale de bercement l'avait apaisé. Il ne présentait aucun des signes que j'avais observés chez les clients pinceurs de biceps dont je lui avais parlé (respiration rapide, rougeur embrasée, mains agitées de désirs autonomes), il était assis sur le canapé, immobile, fatigué mais respirant librement, doux et pâle, désireux seulement d'une affectueuse réconciliation après une fâcherie.

Toute réconciliation suggère une cérémonie, pour un homme tel que lui, le tendre rituel d'un bercement qui conclut la paix retrouvée entre une mère et un enfant après une crise de larmes était tout naturel, nous étions presque allés jusque-là, lorsque je l'avais pris dans mes bras pour le relever. Une véritable scène de bercement eut lieu à l'hôtel entre lui et une autre personne, à la suite d'une réconciliation aussi, je la raconterai. Je compris alors ce que ce geste avait de familial, de maternellement consolateur, même entre deux hommes (c'était le cas), je compris beaucoup plus tard qu'il avait tenu un rôle majeur dans sa vie, en lisant un étrange et bref passage d'*Albertine disparue*. Je reviendrai sur ce passage et sur la cérémonie du bercement lorsque j'en serai aux derniers jours de décembre, durant lesquels Monsieur Proust fut amené à conduire deux enquêtes véritablement policières, sur la seconde disparition de son carnet et sur une mort à l'hôtel, je suis heureux, pour le moment, de revenir dans sa chambre et de l'écouter me raconter l'aventure des Anglaises, occasion d'une enquête non moins véritable, même sans crime. Le processus est le même, recueillir les faits, réfléchir, déduire, remonter la piste, le temps, l'affaire des miss concernait le temps comme aucune autre, on va le voir.

Monsieur Proust venait de me dire qu'il renonçait à une manifestation de tendresse, j'avais moi aussi besoin de tendresse après la crise qui aurait pu nous séparer pour toujours, j'allai près de lui, pliai mes propres genoux sans monter sur les siens, pris ses mains glacées dans les miennes. Il ne fit aucun mouvement, n'ouvrit pas les yeux, nous restâmes ainsi quelques instants. Celui qui aimait parler d'araignées tisseuses de fils invisibles, annonçant ainsi les métaphores animales de son œuvre à venir, aurait-il apprécié que je nous compare à deux singes ?...

Car le groupe que nous formions me fait penser à ce que nous font découvrir les documentaires qui nous regardons aujourd'hui à la télévision, le déploiement d'une fleur, d'une éruption volcanique ou d'un fleuve, la progression d'une découverte archéologique, les danses d'une tribu, d'un oiseau ou d'un poisson auraient enchanté l'auteur de la *Recherche*, j'en suis sûr. Une querelle a lieu, l'un des deux singes gronde, tape du pied dans la forêt, du poing sur sa poitrine, l'autre tend un long bras velu et, soudain, les deux corps n'en forment qu'un à huit mains, l'une épouille calmement un pelage tandis que l'ongle cornu d'une autre nettoie le coin d'un œil. Le désir de vaincre est reporté à plus tard, on a fait la paix, on en échange les signes rituels, Marcel Proust se serait reconnu dans de tels gestes, il était l'homme des signes et des rites.

RETOUR À L'AFFAIRE DES ANGLAISES

Qui nous aurait surpris dans cette position aurait pensé à la scène classique de ce qu'on appelait, en 1900, « la prière sur les bottines » et se serait trompé. Non seulement je ne m'apprêtais pas à pratiquer une fellation mais je ne l'aurais même pas imaginée entre deux hommes, je croyais alors, comme tout le monde autour de moi, que les invertis, inversant effectivement les rôles de la sexualité habituelle, l'un jouant le rôle de la femme, l'autre celui du mâle, n'avaient qu'une pratique, la pénétration anale.

On voit qu'un quasi-centenaire peut tout dire en 1986, non parce qu'il a été mis en contact par son métier avec à peu près tout ce dont un humain est capable mais parce que le champ de ce qu'on peut comprendre, écrire et dire a été ouvert par quelques penseurs authentiquement révolutionnaires : dès les premières années du siècle, précédant ses révolutions et ses guerres, un de ceux-là, du fond d'une chambre, transforma un écrivain mondain en auteur de révolutions, nul ne pouvait le prévoir, pas même lui...

Je n'ai jamais cessé d'apprendre, ce que je sais de moins incertain m'est venu de cet homme (: que la vérité cachée sous les apparences ne se trouve pas d'un côté ou d'un autre mais dans l'aller-retour entre les deux), je lui dois aussi le goût des livres, celui de son grand livre à lui est unique. Me voici, près de quatre-vingts ans plus tard, partagé entre différents côtés, le passé d'une civilisation et le nouveau présent du monde, imprégné de la notion de « côtés », fondatrice d'une pensée. Mon maître à penser m'avait déjà signalé plusieurs fois cette notion à la fois topographique et mentale, elle prit vie lorsqu'il me parla du parc de Versailles à propos des Anglaises.

Elles avaient cru passer d'un temps à un autre, dans le hameau de Marie-Antoinette, du XXe au XVIIIe siècle ; pour Monsieur Proust, qu'elles eussent ou non chevauché le balancier du Temps, elles avaient au moins chevauché l'espace en passant du côté du jardin du Roi au côté du jardin de la Reine, de l'ordre de la raison à celui du rêve. Je vis réapparaître la notion de côtés quand *À la recherche du temps perdu* commença de nous apparaître par un premier titre, *Du côté de chez Swann*, en novembre 1913. Le titre deuxième aurait pu être *Du côté des jeunes filles en fleurs*, le troisième fut bien *Le Côté de Guermantes*, en 1921, un nouvel angle de vue était désormais confirmé, proposé au monde entier.

Je ne demeurai pas longtemps aux genoux de mon ami retrouvé. Lorsque ses mains se furent réchauffées dans les miennes, je me levai, il ouvrit les yeux, me sourit, se leva lui aussi et se dirigea vers une veste posée sur un siège tout en parlant joyeusement.

— Vous m'avez demandé un franc pour votre première enquête, le voici !

Il chercha dans les poches de la veste, n'y trouva qu'un portefeuille, en tira des billets et vint vers moi.

— J'oubliais que mon porte-monnaie est confié à Félicie pour ses menus achats, nous n'allons pas la déranger pour cela, mes crises et les courses qu'elle fait pour moi lui suffisent, voici des billets, choisissez celui que vous voulez, je vous en prie, « soulagez-moi », comme on dit, d'un peu d'argent et d'un remords, je ne supporte pas l'idée d'avoir des dettes.

— Vous me devez un franc, Monsieur, pas cinquante ou cent. Ne vous inquiétez pas de ça pour le moment.

— Non, non, je suis un étourdi mais aussi un « jusqu'au-boutiste ». Je me rappelle maintenant que j'ai de la monnaie dans une autre veste, je cours dans ma chambre et je reviens avec votre franc !

Il courut aussitôt dans sa chambre, y poussa de petits cris en remuant diverses choses et revint mais sans rien.

— J'ai changé de veste, elle doit être dans la salle de bain !

Il disparut à nouveau, je n'entendis rien, puis de l'eau coula, le temps passa. Lorsque Monsieur Proust revint, il avait oublié sa promesse.

Il ne la tint jamais, je ne lui en voulus pas, il lui était plus facile de donner un billet que de prendre la peine de faire de la monnaie, c'était ainsi. Mais ce franc jamais donné, vrai franc symbolique, était l'illustration d'une loi qui aurait intéressé Marcel Proust : nous préférons donner plus que ce qu'on nous demande, ou autre chose, mais plus tard, voire rien du tout, plutôt que de donner exactement ce qu'on nous demande au bon moment. Ainsi nous donnons-nous à nous-même quelque chose, la preuve de notre liberté, de notre pouvoir sur les autres et la satisfaction sans prix des belles promesses jamais tenues, en un mot la satisfaction de l'injustice – la justice est la promesse jamais tenue par excellence.

Quoi qu'il en fût, je ne reçus jamais de Monsieur Proust ce franc ni aucun autre. Il avait dit vrai, pour lui je n'étais pas du côté des domestiques !

Il était revenu rafraîchi, le cou entouré d'une écharpe si blanche qu'il en paraissait moins blanc lui-même mais d'autant plus noir de cheveux, de barbe et d'œil. Il a hurlé et pleuré hier, n'a pas dormi de la nuit, ou pas beaucoup, et vient de pleurer à nouveau, il retourne à l'histoire des Anglaises comme si elle n'avait jamais été interrompue, il est à nouveau dédié tout entier à sa vraie passion, chercher à comprendre.

— Comme on dit dans les romans, nous avons laissé nos personnages, retrouvons-les au moment où les miss avaient tiré des étranges sensations ressenties, lors de leur première visite du parc, et des recherches historiques qu'elles firent, durant les années suivantes, la certitude d'avoir bien vu un moment du passé. Enquêtons, nous aussi, sur leur enquête...

En repensant aux vêtements des personnages croisés dans le parc, en regardant des photographies, en consultant des plans et des documents anciens, les Anglaises crurent pouvoir identifier ceux qu'elles avaient vus. Une reproduction de portrait fut la révélation majeure : à son chapeau et à son visage, Miss Moberly reconnut la dame triste qu'elle avait été seule à voir, Marie-Antoinette en personne, peinte à la fin de son règne. Sur un autre portrait de la même époque, les deux amies reconnurent, à son uniforme et à son visage grêlé de petite vérole, l'homme qui les avait effrayées, un familier de Marie-Antoinette, le comte de Vaudreuil. Plus de doute, elles avaient des preuves matérielles, des noms précis, elles avaient donc bien vu la réalité du temps de la reine, jusqu'à la Reine elle-même...

Elles passeront des années à chercher de quoi le prouver, par exemple en retrouvant des plans de petites constructions qu'elles ont aperçues en 1900 et ne reverront plus, les années suivantes. Les chercheuses montrent, documents à l'appui, que ces édifices ont bien existé du temps de Marie-Antoinette, elles ont donc bien vu ce temps-là. Elles tentent d'expliquer le phénomène grâce à plusieurs théories, elles parlent de communication de pensée entre personnes de temps différents, l'idée que leur auditeur de l'hôtel des Réservoirs préfère est celle d'un mystérieux déplacement du Temps ou de leurs propres personnes dans le temps, une sorte de voyage.

— Quelle qu'en soit l'explication, l'histoire de nos dames est l'occasion de réfléchir aux mystères du Temps et à quelques autres, j'ai une question à vous poser à leur sujet, mon enfant. Je connais votre façon d'observer ce qui se voit, j'ignore votre pensée sur ce qui ne se voit pas, l'au-delà, un dieu, l'éternité de l'âme, etc., à quoi croyez-vous ?

— À ce que je vois, Monsieur.

— Soit. Mais nous ne voyons pas tout ce qui existe, pas toujours bien ce qui nous entoure, nous ne comprenons donc pas tout, n'est-ce pas ?

Je suis sûr d'avoir entendu cette question, sûr de la fierté que je ressentis en trouvant une réponse, je n'ai pas oublié la suite de la conversation, qui entraîna Monsieur Proust à évoquer des thèmes dont je ne l'avais jamais entendu parler, sur lesquels il ne revint pas en ma présence mais qui l'intéressèrent forcément, comme nous tous, au moins de façon passagère.

— Non, Monsieur, nous ne voyons pas tout, nous ne comprenons pas toujours bien. Ces dames ont vu des gens vrais dans le parc, elles n'ont pas compris ensuite qu'elles faisaient un mélange avec des gens sur des portraits. Comme dit Monsieur… je veux dire mon patron…

— Parlez sans crainte de Monsieur Bâtard ! Son nom me rappellera mes fautes et mes devoirs de bon enquêteur, je vous écoute.

— Comme il dit, à force de répéter un témoignage, les témoins finissent par croire qu'ils ont vu plus de choses que ce qu'ils ont vu. C'est peut-être le cas des miss anglaises, comprenez-vous, Monsieur ?

Ai-je osé demander à un tel homme s'il comprenait quelque chose ? La phrase est écrite, je la laisse et rougis rétrospectivement. L'homme rit, se lève et marche dans la pièce.

— Je comprends, oui ! Vous suivez les conseils d'un enquêteur expérimenté, vous tenez compte des faits, vous savez qu'ils dépendent de notre façon de les regarder sur le moment et de nous les remémorer plus tard. Vous tenez compte également des personnes, vous pensez que ces femmes ont « monté en épingle » ce qu'elles ont cru voir, qu'elles se sont « monté le bourrichon » à force de repenser à leurs visites au parc et de consulter des archives, vous avez sûrement raison. Mais est-ce la preuve que les fantômes n'existent pas ? Que les voyages dans le temps n'existent pas ? Dites, dites-moi.

— Je comprends pas « voyage dans le temps », Monsieur.

— Prenons le mot « revenant », il dit bien ce qu'il veut dire. Un revenant nous apparaît dans le présent mais revient du passé, par définition. Il a donc fait un voyage dans le temps. Ai-je été clair ?

— Oui, Monsieur... Oui.

— Pensons maintenant au voyage en sens inverse. Si des vivants pouvaient retourner dans le passé, ils y verraient les morts encore vivants, ce sont les morts qui les prendraient pour des apparitions, cette fois. Dans cette hypothèse, nous comprenons que des contemporains de Marie-Antoinette aient été surpris en rencontrant deux femmes d'aujourd'hui au hameau, habillées autrement qu'eux, parlant le français du futur. Ils ne comprennent pas bien ce qu'elles disent, leur répondent à la hâte dans un langage à peine compréhensible parce que c'est un langage ancien, mais ils ne sont pas des fantômes, ils sont des vivants d'autrefois, comprenez-vous ?

— Je comprends. Je comprends mais j'y crois pas.

— Les milliers de personnes qui ont vu des apparitions, des fantômes, des ombres, des revenants, et cela « depuis que le monde est monde », se seraient donc toutes fait des illusions ou auraient menti, est-ce vraisemblable, aucune autre hypothèse ne serait-elle possible, aucune ?

— Je ne sais pas, Monsieur. Je pense comme mon grand-père, les fantômes sont des histoires qu'on raconte aux enfants pour leur faire peur.

— Se faire peur en lisant les histoires d'Edgar Poe et les drames rapportés par les journaux est délicieux à lire chez soi, bien au chaud, c'est vrai, mais ce n'est pas la seule raison, il me semble qu'il y a celle-ci, pour les fantômes. La nature a horreur du vide, nous aussi, les fantômes nous évitent quelque chose de pire qu'eux, l'idée qu'il n'y a rien après la mort, rien n'est plus effrayant que le rien.

— Oui, Monsieur. La nuit, on voit rien, on a peur, alors on peut tout croire. Pour moi les apparitions c'est ça.

— Ce que les Anglaises ont vu a eu lieu en plein jour, je vous le rappelle.

— Le parc et le château sont fermés pendant la nuit, les gens qui espèrent voir le fantôme de la Reine finissent par le voir de jour, c'est normal.

Le monsieur sourit, écrit quelques mots dans son carnet et parle à nouveau.

— Ils le voient parce qu'ils ont entendu dire que d'autres l'ont vu, humain désir d'être comme les autres… mais aussi désir de ne pas être comme tous les autres, désir de faire partie des rares élus qui ont bénéficié d'une apparition !

— Je n'avais pas pensé à ça…

— Ayez confiance en vous, mon enfant, croyez à la

justesse de votre pensée, une fois que le fil en a été tiré, elle se déroule tout naturellement de la pelote. C'est ainsi que vous avez envisagé la question des fantômes, le désir d'en voir un à tout prix fait qu'on finit par en voir un même en plein jour, votre raisonnement s'appuie sur l'une des lois les plus constantes de nos vies, « prendre ses désirs pour des réalités » est l'une de celles qui intéressent le plus l'homme que je suis. Le tout jeune homme que vous êtes la lui rappelle en raisonnant avec logique, il l'en remercie... mais continue à se demander si la logique a toujours raison !

Il y a peu de traces de ces questions dans les écrits de Marcel Proust, il ne croyait ni en l'au-delà ni en aucun credo métaphysique, il se posa néanmoins des questions sur la foi et sur les religions, son intérêt pour les cathédrales en témoigne et, plus encore, un sentiment qui accompagna toute sa vie, la piété. La piété fut la religion de cet incroyant qui avait le culte de l'amitié, de l'affection, de la mémoire des disparus aimés, du souvenir pieux en lien direct avec son souci du temps, ses lecteurs le savent, j'en compris quelque chose à ce moment-là. Je commençai à mieux comprendre son intérêt pour l'histoire des Anglaises et pourquoi mon refus de tout retour possible des morts avait fait de la peine à l'homme qui aurait tant aimé revoir sa mère, moins d'un an après sa disparition.

Je voulus lui faire plaisir et recourus au système de mon patron, « ce que les gens préfèrent, c'est avoir raison, donnez-leur raison, ils seront contents, c'est toujours bien d'être plus malin que les autres et ça peut rapporter ». Mon hôte n'était pas « les gens », certes, le système n'en fonctionna pas moins sur lui, je me rappelle qu'il fut heureux de la concession que je lui fis, je le fus aussi.

— Vous avez raison, Monsieur, la logique suffit pas. C'est pas parce que je crois pas aux fantômes qu'ils existent pas.

— Hé oui, nous sommes des enquêteurs, nous devons oublier nos croyances au profit de la vérité, même si nous savons bien que nous ne la trouverons jamais tout entière, elle est relative aux témoins, aux lieux, aux instants, aux angles de vue, l'histoire des Anglaises me le redit au bon moment. J'ai toujours voulu parler de cette vérité-là dans un livre, la solitude dans laquelle m'a laissé la disparition de ma pauvre Maman m'avait retiré la force de vivre et d'écrire, j'ai survécu. Ma solitude à Versailles m'a donné le temps de réfléchir, je reverrai des gens à Paris, j'y serai seul quand même, il ne me reste plus que le travail, je vais m'y atteler. L'âne que je suis devra tirer longtemps sa charrette, des institutrices anglaises inattendues lui ont donné un coup de fouet, qu'elles en soient remerciées !

En sortant du parc, l'autre jour, je me disais que je venais de rencontrer une Anglaise passionnée de fantômes qui croyait avoir vu la reine Marie-Antoinette dans son jardin, j'étais intrigué, la voir arriver à l'hôtel m'a donné envie de savoir ce qui lui était arrivé en détail et de l'écouter sans préjugés. Nous passons notre temps à croire à des choses fausses parce qu'on nous les a dites vraies, le contraire a lieu également... nous passons notre temps à ne pas croire des choses vraies parce qu'on nous a dit qu'elles étaient fausses !

Je vous ai rapporté leur récit, sachez que ces miss ont deux faces. D'un côté elles sont des femmes instruites, enseignantes l'une et l'autre, qui cherchent à comprendre et apprendre ; de l'autre, elles sont un peu folles mais leur folie m'intéresse. Beaucoup d'Anglais croient aux fantômes et voient des spectres dans les lieux les plus propices aux illusions de la peur, cimetières, châteaux en ruine, parcs isolés, et toujours la nuit, vous avez raison de relier la peur à la nuit. (Il me dit que j'ai raison, je suis content – le système Bâtard fonctionne sur moi aussi !) Ces femmes ont peut-être été le « jouet » d'une illusion nocturne en plein jour, elles n'en ont pas moins vécu des moments qui les ont réellement troublées, ce que nous vivons est réel pour nous, mais elles n'en sont pas restées là. Elles ont décidé de mettre leur trouble à l'épreuve des faits chers à votre patron, elles ont confronté leurs souvenirs, cherché des documents, fait plusieurs voyages à Versailles, elles en sont, cette année, au quatrième. Le fait qu'elles n'aient pas vu exactement les mêmes choses et les mêmes personnes est l'exemple du phénomène le plus banal qui soit, « chacun voit midi à sa porte », mais ces femmes en tirent une hypothèse tout autre que banale. Elles pensent qu'elles sont entrées dans un fragment de temps passé, rien d'étonnant s'il est un peu flou et tremblant, comme la photographie d'un modèle qui a un peu bougé durant la pose ou comme tremblent les images au cinématographe, n'est-ce pas ?

J'ai vu des petits films à la foire du Trône, je fais « oui » de la tête pour ne pas interrompre un discours qui m'intéresse de plus en plus.

— Miss Moberly a été seule à voir le personnage majeur de leur histoire, la reine Marie-Antoinette, lors de leur première visite, en août 1901. Miss Jourdain ne l'a vue qu'en décembre 1906, avant-hier, toute seule aussi, mais j'ai été le témoin de son émotion et de sa pâleur, quelques minutes plus tard. On peut feindre une émotion, pas une pâleur de mort, impossible de douter de la sincérité de la blonde miss à ce moment-là. Cela dit, notre sincérité ne garantit pas la véracité de nos perceptions, évidemment, les miss m'ont semblé sincères, leurs aventures m'ont passionné, je n'en ai pas moins douté. Le château et le parc ont suscité bien des légendes, je le sais, j'ai un ami à Versailles, qui connaît le parc mieux que personne, je crois vous l'avoir dit. Je lui ai téléphoné juste après le récit des Anglaises pour lui poser quelques questions...

FIN DE L'HISTOIRE DES ANGLAISES

L'homme en pardessus-robe de chambre devient un autre presque sans rien faire. Il s'assied de côté sur le canapé, croise les jambes, plie un coude, allonge un bras, secoue un mouchoir, creuse le dos, tête en arrière, œil au plafond, bombe son busc d'oiseau et fait apparaître son ami comme par magie. Une autre personne est dans la pièce, parle d'une voix inconnue, nasillarde et pincée, plus haute d'une octave, plaintive et cinglante.

— « Si vous saviez à quel point je suis lassé de ces histoires de fantômes, vous m'auriez épargné ce que vous appelez téléphonage et que j'appellerais radotages ! Si le Sppectre de la Rreine revenait dans le Pparc, c'est à Moi qu'elle serait apparue en ppremier et à Moi seul ! (Prononcé « sal ».) Vos Anglaises ont vu de ridicules ppetits ppersonnages qui se mêlent d'imiter mes ffêtes, inimitables évidemmment. Si vous n'avez à me raconter que des élucubrations de ffemelles en mal de reines et en mal de mâles qui espèrent vous intéresser à leurs harribles tourristiques petites personnes, soyez ce mâle si cela vous chante, moi, je vous laisse ! » La consultation était finie, le représentant de la Royauté française sur la terre avait parlé, mon ami le comte de Montesquiou, m'a « raccroché au nez » !

Monsieur Proust aimait imiter les gens pour amuser ses amis en même temps qu'il s'amusait lui-même, se doutait-il que son pouvoir avait parfois quelque chose de sorcier ? Sa brève imitation de Montesquiou me sembla de cet ordre (sentiment que me confirma plus tard une rencontre avec le personnage), nous venions de parler de revenants à propos des Anglaises, je crus voir l'apparition d'un mort. Il est vrai que le modèle vivant tenait déjà du spectre, son corps cambré, son discours non moins cambré, le saccadé de ses gestes et de son verbe, sa folie, son hystérie, son air de venir d'ailleurs et d'autrefois.

Le mot « hystérie » me fait penser à l'explication que donna l'astronome Camille Flammarion des phénomènes paranormaux chers à nos miss, quelques années plus tard.

Sautant du trajet des astres dans l'espace aux jets de pierres apparemment sans cause dans des maisons hantées par des bruits, des voix, des objets frappeurs (même le jour, précisons-le), Flammarion pensa que ces faits n'avaient pas leur véritable origine dans l'au-delà mais l'ici-bas, dans des troubles inconscients éprouvés par certains témoins de ces manifestations. Selon lui, ces troubles étaient dus aux effets d'une hystérie passagère, propres à certaines jeunes filles, plus rarement à de jeunes garçons, au moment de la puberté. Je n'eus jamais d'opinion sur cette théorie, la mode de l'hystérie passa, mais je connus quelques cas de phénomènes de ce genre au cours de ma carrière. Eus-je l'occasion d'en parler à celui qui savait si bien évoquer le fantôme des gens de leur vivant et qui s'intéressa au moins une fois à une histoire de revenants ? Je ne me le rappelle pas.

— Vous avez l'air atterré, vous pensez que j'exagère, non, non, Robert de Montesquiou parle vraiment comme cela, croyez-moi ! Il est en même temps un comédien qui fait rire, un fou qui inquiète, un monstre qui effraie, un cas qui fait de la peine et une apparition qui fascine. Avez-vous eu l'occasion de rencontrer de tels personnages au cours de vos enquêtes, mon enfant ?

— Non, Monsieur, mais j'ai vu des drôles de gens à l'hôtel. Il y a toujours des drôles de gens dans les hôtels, c'est ce que dit Madame Edmée.

— Qui est cette dame ?

— Une dame bizarre, elle aussi, mais je l'aime beaucoup et elle m'aime bien. Elle est la concierge du bâtiment des domestiques.

— Il me semble que j'ai entendu parler d'elle, il faudra me la faire connaître, de même que j'essaierai de vous faire apercevoir Montesquiou mais je ne vous garantis rien, il aime à se faire désirer. Il n'est pas à Versailles en ce moment mais les magies du téléphone m'ont permis d'interroger l'oracle à distance... (« Oracle » fut facile à trouver dans le dictionnaire, et même la famille de Montesquiou.)... Car il est obsédé par le passé du château, le connaît comme personne, ainsi que le parc dans lequel il a donné des fêtes costumées, justement.

Je me les suis tout de suite rappelées en entendant le récit des Anglaises, j'ai pensé quelles avaient pu assister à l'une d'elles, sauf que Montesquiou n'aurait pas donné de fête un 10 août, jour funeste pour la royauté. Cette date m'a, d'ailleurs, semblé suspecte, elle correspond un peu trop à l'histoire de France, je doute toujours de ce genre de coïncidences, savez-vous ce qui se passa le 10 août 1792, mon petit ?

— Oui, Monsieur. Le peuple envahit le palais des Tuileries à Paris, c'est la fin de la monarchie. (Je suis si fier de moi que je retrouve une citation dont j'aurais pu faire l'économie.) Comme disait mon instituteur, « une tuile pour le roi, une chance pour le peuple », n'est-ce pas, Monsieur ?

— Bravo pour vos connaissances historiques mais ne citez pas cette formule au comte de Montesquiou-Fesenzac, si vous le rencontrez ! C'est un aristocrate, il a horreur de la Révolution, se croit le représentant ultime du passé nobiliaire de la France, de ses rois et de ses reines, la reine Marie-Antoinette surtout, raison pour laquelle il se plaît à reconstituer des fêtes royales. J'ai assisté à l'une d'elles, un soir des années quatre-vingt-dix, dans sa maison de Versailles, elle communique avec le parc par une petite porte dont le conservateur du château lui a donné la clé, ses invités peuvent ainsi passer de son jardin à celui de la Reine. Ils pourraient donc apparaître à des promeneurs actuels comme des promeneurs du passé, sauf que ces fêtes-là ont eu lieu la nuit et sans témoins puisque, vous le rappeliez, le parc est fermé la nuit.

Mais le comte a donné en plein jour, précisément au hameau de la Reine, une fête en costumes de l'époque exacte dont nos miss pensent avoir vu un fragment, la fin du règne de Marie-Antoinette. J'ai vu des photographies, elles montrent des personnages du temps de Louis XVI se promenant dans les allées, absolument ce qu'ont vu les Anglaises en plein jour, elles aussi. Il me fallait vérifier les dates, j'ai rappelé Montesquiou, hier. Il était un peu calmé, il m'a dit que cette fête a eu lieu à la fin du mois de juin 1900, qu'il n'en a pas donné l'année suivante, ni plus tard. Il sait tout ce qui se passe à Versailles, il n'y a pas eu de fête en costumes le 10 août 1901, il nous faut donc renoncer à l'hypothèse d'une coïncidence entre la dernière fête de mon ami et la première visite de nos dames à Versailles. Je veux continuer à croire en leur sincérité mais, alors, qu'ont-elles vu, cher Noël, qu'ont-elles vu ?

L'asthme avait disparu, sans doute revient-il, Monsieur Proust allume, avec des gestes de prestidigitateur, un carré de papier à la flamme de son éternelle bougie puis, à l'aide du papier enflammé, un peu de sa poudre dans une coupe. La dernière fois, la poudre s'était éteinte, aujourd'hui elle fume en tourbillons. Je vais étouffer, le malade va mieux respirer, j'ai peine à comprendre comment c'est possible mais c'est ainsi – même si nous sommes le grand Marcel Proust, lucide comme personne et libre penseur authentique, nous avons besoin de croire pour vivre...

— Je dirai comme vous, Monsieur, « ce que nous vivons est réel pour nous ». Quand vous avez rencontré la miss blonde, la première fois, elle était pâle parce qu'elle avait réellement cru voir une reine d'autrefois, un quart d'heure auparavant. Je crois qu'elle a seulement vu une dame d'aujourd'hui qui se promenait en costume d'époque, il y a des magasins en ville pour en louer. C'est interdit de se promener dehors déguisé, sauf à carnaval, il y a des gens qui le font quand même dans le parc, surtout le 10 août.

— Je sais cela, mon petit, je sais cela. Mais les miss ont vu la même dame, vêtue de la même façon en août, il y a quatre ans, et avant-hier, en décembre, que penser de ce fait-là ?

— Elles n'ont pas vu la même dame mais le même déguisement.

— Soit, vous avez « réponse à tout », je me rends ! Ces femmes ont peut-être su, plus tard, cette histoire de déguisement en se renseignant sur tout ce qui concerne Versailles mais il était trop tard pour renoncer à leur théorie, on renonce rarement à une théorie. Surtout quand elle permet de dire « j'ai vu la reine Marie-Antoinette, moi qui vous parle », vous imaginez le plaisir et l'orgueil !

Ces Anglaises sont fascinées par l'idée de voyage dans le temps, idée anglaise, je vous expliquerai pourquoi, et brûlent du désir de faire partie du « club », envié dans leur pays, des personnes qui ont eu la chance de côtoyer le monde surnaturel ou paranormal, c'est un autre de leurs mots, inventé en Angleterre, j'ai récemment lu un article de journal à ce propos ; elles ont donc pris des promeneurs déguisés pour des personnages historiques, soit. Mais elles en ont rencontré beaucoup, une personne ou deux auraient pu échapper à l'attention des gardiens, pas une dizaine, que dites-vous de cela, cher Noël ?

— J'y ai pensé aussi. Des gens se réunissent pour faire des fêtes dans le parc, comme votre ami, à certaines dates. Ils payent des gardiens pour être tranquilles et vont dans une partie du hameau interdite au public, je la connais. J'y suis allé une fois, les arbres sont pas taillés, il fait sombre, les allées sont pas entretenues, les bassins sont vides, ça fait un drôle d'effet. Quand les Anglaises ont quitté la visite guidée, elles sont arrivées dans un endroit qui leur a fait une impression bizarre, c'était cette partie abandonnée, Monsieur, sûrement.

Monsieur Proust se lève. Il ne ressemble plus à un malade ni à son ami comte et fou, il ressemble à un détective sur le terrain, il a déjà le manteau, il ne lui manque plus que la loupe et le chapeau.

— Oui, c'est cela, c'est bien cela... Quittant les belles allées entretenues et ensoleillées, les visiteuses sont entrées dans un lieu abandonné si obscur et si différent de ceux qu'elles venaient de voir qu'elles ont ressenti une impression de malaise, d'où leur mot « décor de carton ». Au théâtre, un rapide changement de décor donne toujours une sensation de magie, le lieu change d'un seul coup, nous ne comprenons pas comment c'est possible en si peu de temps, notre perception du temps vacille, le temps nous semble changé lui aussi, phénomène logique, les lieux sont liés au temps. Ne dit-on pas « cet événement a eu *lieu* à midi » ? Dans ces conditions, rien de plus naturel qu'une impression de surnaturel, si je puis dire, surtout pour des Anglaises, mais elles ne sont ni folles ni menteuses, elles sont des personnes qui ont éprouvé des sensations incompréhensibles, qui ont cherché à les expliquer et se sont trompées dans leur interprétation, c'est cela, forcément cela...

Il ne regrette plus l'hypothèse d'un temps élastique, la possibilité de revoir les morts, peut-être. Il ne pense plus à sa mère, il pense à la pensée. Un raisonnement l'a convaincu, l'enquête sur les Anglaises est finie, il est joyeux comme une poule qui vient de pondre un œuf (il pourrait oublier ma participation à l'accouchement, non, il me sourit et me fait un petit signe d'approbation).

Je l'ai souvent revu ainsi, par la suite, plus heureux encore de comprendre les pensées des autres que les siennes, je le revois recréer les événements par le geste et la pensée, suivre du regard, dans l'air, l'envol d'oiseau de la vérité, le visage rose de plaisir, sa fine main toute pâle dans la fumée bleue.

L'enquêteur évoqua encore un peu l'affaire des Anglaises mais à la manière d'un pianiste qui reprend le thème d'un mouvement pour une dernière variation, un adieu au morceau qu'il vient de jouer.

— Je crois les voir, elles ont la sensation d'être entrées dans un autre monde, « l'autre monde » tout court, elles sont prêtes à tout. Voici qu'elles rencontrent des promeneurs qui se rendent en hâte à une réunion secrète, vêtus à la mode d'un autre temps, répondant à peine aux questions qu'elles leur posent parce qu'ils sont fâchés d'être surpris en costumes interdits dans un côté du parc également interdit. Un valet croit qu'elles font partie des invités et leur indique « la maison », probablement l'endroit où l'on peut se costumer pour la cérémonie, il en faut bien un, on ne peut entrer déguisé dans le parc... Les dames se sentent donc des intruses et des élues à la fois, spectatrices d'un événement si mystérieux qu'elles finissent par croire qu'elles sont entrées dans un autre univers, tout cela se tient. Les lieux sont liés au temps, changeant de lieu, elles ont cru changer de temps, c'est cela, c'est bien cela !

Durant la guerre, je lus un roman de Gaston Leroux publié peu de temps après l'affaire des Anglaises, en 1907,

Le Mystère de la chambre jaune. J'y découvris que le jeune journaliste-détective Rouletabille y parle un peu comme mon Monsieur Bâtard, il réclame qu'on étudie les faits, « par le bon bout de la raison », et résout les mystères des chambres jaunes et des dames en noir avec la même excitation que Monsieur Proust martelant le « c'est cela, c'est bien cela » qui figure sur mon carnet en date du 6 décembre 1906...

— J'ai eu tort de me fâcher contre vous, qui m'écoutiez avec un sérieux et une attention dont je n'aurais pas dû douter, pardon, cher enfant, pardon. Sans sérieux, on n'apprend ni à voir bien ni à penser intelligemment. Sans attention vous n'auriez pas retrouvé mon carnet, sans attention il ne sert à rien d'être intelligent ni même de vivre, parce que, sans observer avec attention et penser intelligemment, la vie n'est pas intéressante.

Monsieur Proust s'est immobilisé, une idée l'a frappé. Elle contredisait ce qu'il venait de penser, il ne l'en exposa pas moins, sa mauvaise foi était dans ses passions, jamais dans sa pensée.

— Il y a un détail qui ne « cadre » pas. Miss Jourdain ne peut pas avoir vu, en plein hiver, une promeneuse déguisée en Marie-Antoinette toute seule, en chapeau de paille et robe d'été, dessinant non pas à l'écart mais devant le Petit Trianon. Elle aurait été chassée par les gardes.

— Pardon, Monsieur, mais les dames ont souvent des grandes robes et des chapeaux de paille quand il fait beau dans le parc, il faisait beau avant-hier.

— C'est vrai, oui. Miss Jourdain aperçoit une autre dame que celle qu'a vue miss Moberly et qu'elle désire voir depuis des années, il fait froid mais beau, la dame porte un chapeau de paille et une robe claire, elle est devant le Petit Trianon, résidence favorite de Marie-Antoinette, elle dessine, comme aimait à le faire cette reine, trop de coïncidences et trop d'attente troublent la miss. Elle éprouve le sentiment dont nous avons parlé, enfantin, compréhensible et fatal, « ce qu'un autre a vu, je veux le voir, moi aussi », lorsque je la rencontre, quelques minutes plus tard, elle est sûre d'avoir enfin vu la *poor dear Queen*. Oui, c'est sûrement cela et, comme vous dites, « normal ».

Normal et intéressant pour moi car nous avons là un exemple de ce qui m'intéresse le plus dans notre perception du temps, dans le fonctionnement de notre mémoire. À force de se rappeler leur premier souvenir et d'y ajouter des documents, les Anglaises ont fini par en altérer la vérité. Comme il arrive à tout le monde, à force de repenser à un même fait, elles ont tiré trop d'épreuves de l'image initiale, superposées comme les couches d'un millefeuille au cours du temps, elles ont recouvert le souvenir véritable. Voilà pourquoi je préfère la mémoire involontaire, qu'un souvenir nous revienne par hasard et le passé nous est rendu intact et vrai, le seul véritable voyage dans le temps est là. Je vous avais dit que je vous reparlerais de cette notion, nous y voici.

Quand il parlait, le Monsieur Proust que j'ai connu immobilisait le temps, créait un espace où les choses qu'il évoquait semblaient flotter autour de lui, je l'ai dit, on aurait dit un prestidigitateur entouré de colombes. Marcel Proust était le contraire d'un illusionniste, il était un homme de science, un savant dans un laboratoire, un photographe qui cherche le meilleur liquide révélateur pour tirer la meilleure épreuve possible des réalités qu'il a enfermées dans son appareil. La magie de celui qui nous parlait était son pouvoir de transformer de simples mots prononcés en images vivantes, de sorte qu'il nous associait à sa pensée en la créant devant nous, qu'il nous donnait l'impression de participer à ses recherches et à ses trouvailles. Le plus magique de tout est qu'il ait conservé ce pouvoir en écrivant, le transmettant ainsi au futur.

Nous ne sommes pas nécessairement séduits par les exemples qu'il a donnés des lois qu'il découvrait, nous avons quand même l'impression d'entendre la musique du vrai. L'écrivain n'a pas eu la même vie que nous, il raconte la sienne, la nôtre apparaît sur le papier.

— Un Anglais a écrit un roman, il y a quelques années, que nos dames n'ont peut-être pas lu mais dont le titre, *La Machine à remonter le temps*, a dû jouer un rôle dans l'interprétation qu'elles ont imaginée à leur passage dans la troublante enclave abandonnée du parc. En visitant Versailles pour la première fois, un 10 août, elles étaient inconsciemment préparées à remonter le temps, même sans machine. En voyant un lieu historique peuplé de personnages en costumes, elles se sont crues favorisées d'un merveilleux hasard, peut-être douées de facultés surnaturelles. En réalité, elles étaient tombées dans un roman de leur pays !

Les *misses* croient au surnaturel, je n'y crois pas, vous non plus, beaucoup de choses folles n'en sont pas moins vraies. Croire que le Soleil tourne autour de la Terre est une idée beaucoup moins folle que l'idée d'une Terre qui tournerait dans l'espace, à une vitesse inimaginable autour du Soleil, alors qu'elle semble immobile sous nos pieds... c'est pourtant la seconde hypothèse qui a fini par être démontrée comme vraie, n'est-ce pas ?

Observons donc avec attention, faisons des conclusions logiques mais ne nous en contentons pas, examinons aussi d'autres possibilités, en somme, ne renonçons jamais à chercher, mon enfant. Rappelons-nous toujours ces Anglaises, elles ont cherché durant des années, avec persévérance, j'admire ceux qui sont capables de ce qui me manque hélas tant, la volonté. J'admire ces femmes, même si elles ont lu trop de romans et rêvent d'entrer dans le club de ceux qui ont vu ce que la majorité des gens n'a pas vu.

Le snobisme n'est rien d'autre que l'aspiration à un partage, réservé à quelques élus mais partage tout de même. Lorsque Robinson parvient à reconstituer une petite image de son Angleterre natale sur l'île déserte, son œuvre n'a pas de spectateurs, il n'en est pas moins fier comme s'il y en avait et les attend de pied ferme, avez-vous lu *Robinson Crusoé* ? Je rêvais autrefois d'entrer dans un cercle de ce genre si anglais, les miss entreront peut-être dans un club d'amateurs d'apparitions surnaturelles un peu fous, elles n'en ont pas moins fait preuve d'une ténacité qui les honore.

Elles ont longuement cherché à faire d'un rêve une réalité, tout l'art est là, chercher longtemps, sans se lasser, à transformer une petite chose matérielle en « objet mental », ainsi que le disait un grand peintre. Si nous y parvenons, tant mieux, si nous échouons, tant pis, au moins aurons-nous cherché. La recherche d'un but est plus sûre que le but, cher Noël, peut-être même plus réelle que lui, en tout cas plus intéressante. Tant que l'on cherche, on est heureux, si l'on trouve, il ne reste plus qu'à mourir...

Arrivé à la fin de cette journée-là, Monsieur Proust ne s'est pas rallongé sur le canapé, il s'est assis devant sa table couverte de livres et de papiers, pour travailler. Il mettait déjà en application la règle de vie dont il se croyait encore incapable, chercher pour trouver grâce à l'attention, à la persévérance, à la volonté, qualités dont Marcel Proust se croyait dépourvu, dont il était pourvu comme personne, dont il fit preuve jusqu'à sa dernière heure.

— Je pense de plus en plus au grand livre que je désire

écrire, dont je ne sais rien encore de précis, l'exemple de ces deux femmes me donne du courage. Elles ont mis de la recherche dans leur pensée, du roman dans leur vie, je les en loue, même si elles ont usé d'artifices pour y parvenir. Il n'y a pas d'art sans artifice, peut-être pas de vérité sans art non plus.

L'écrivain tire son carnet de sa poche, relit à voix haute l'une des choses qu'il a notées, je suis stupéfait, c'est une phrase de moi ! « Le parc et le château sont fermés pendant la nuit, les gens qui espèrent voir le fantôme de la Reine finissent par le voir de jour, c'est normal. »

— Je vous fais mes compliments, vous avez tout résumé en quelques mots et raisonné juste. Cependant, avec le souvenir du raisonnable jardin du Roi, gardez toujours en mémoire l'apparente fantaisie du jardin de la Reine qui fit tant rêver nos miss, promis ?

— Pourquoi apparente, Monsieur ?

J'ai eu peine à dire ces trois mots, il est moins tard que d'habitude, je suis pourtant épuisé. Mon hôte s'en aperçoit.

— Nous en reparlerons. Vos rondes joues imberbes ne sont plus rouges comme elles devraient l'être si un méchant monsieur ne vous avait empêché de dîner à une heure convenable, courez le faire ! Je ne sais si je serai libre demain, passez quand même à l'hôtel tous les soirs, si vous le pouvez. Massimo vous dira quand je pourrai vous recevoir à nouveau, en attendant descendez à la cuisine. J'ai demandé au chef de vous donner à manger, chaque jour jusqu'à mon départ, un peu mieux qu'un « casse-croûte ». Bonsoir, cher Noël, vous ne m'en voulez plus, je l'espère...

Je dis non, je descends et sors dans la rue. Un fiacre passe, il n'est pas très tard, je ne suis pas très riche, je me décide quand même à rentrer en voiture pour la première fois de ma vie. Comme cela, j'aurai le temps de prendre des notes avant de m'endormir tandis que Monsieur Proust écrira peut-être quelque chose qu'il me fera lire avant son départ, qui sait ? À moins qu'il ne repousse nos rendez-vous de nuit en nuit et que je ne le revoie jamais, avec lui tout est possible, j'en ai eu la preuve hier.

Dans les faits, je le revis et vis grandir l'œuvre dont il me lut souvent des passages, imitant ses personnages aussi drôlement qu'il imitait les personnes de la vie réelle, riant aux éclats et faisant rire ses auditeurs, preuve qu'il y a des exceptions à l'adage selon lequel on ne peut faire rire qu'en restant sérieux. Je ne sais si le rire ou les pleurs sont le propre de l'homme mais ils furent, avec l'attention, la persévérance et le génie, celui du Monsieur Proust que j'ai connu, souffrant plus que nous ne pouvions l'imaginer, travaillant de plus en plus, incapable de cacher ses émotions mais toujours capable de rire jusqu'à la fin. Du moins je le suppose, puisque je ne l'ai plus revu durant la dernière année de sa vie, il était trop occupé par les corrections à faire aux ultimes volumes de son œuvre et trop épuisé pour me recevoir.

Il m'en prévint, en décembre 1921, par un billet qui est là, devant moi, non daté, il datait rarement ses lettres, mais le texte fournit la date.

« J'ai de la peine à écrire, à parler, je travaille. je vous appellerai ou vous enverrai Odilon dès que j'irai mieux. réservez toujours une place dans votre cœur à votre vieil ami de l'hôtel des Réservoirs, cher petit Noël dont c'est la fête aujourd'hui, votre Marcel ». Pas de majuscule après un point, pas de point final, l'auteur ponctuait peu ou pas ses messages, celui-là n'aura de point final qu'à ma mort.

Le premier texte de Marcel Proust que je lus, *Les Plaisirs et les Jours*, me fut offert par l'auteur quand je vins le voir à Paris, au début de 1907. Le livre me demeura longtemps incompréhensible, son titre me plut, je me dis aujourd'hui que les moments que je vécus avec Monsieur Proust, même sa colère, quasiment toujours partagés de nuit, pourraient s'appeler, *Les Plaisirs et les Nuits*.

La magie dont nous entourait le grand homme, lorsque nous étions dans une pièce avec lui, pouvait-elle traverser les murs et nous suivre quand nous le quittions ? Je le croirais : l'ami de ma mère avait quitté Versailles pour deux jours, son voyage se prolongea une semaine...

Je consacrai cette semaine à ma mère, à des courses banales, à préparer la demande de travail chez l'un de ses frères que je voulais faire à Monsieur Bâtard (en vain, il était en voyage lui aussi) et à recevoir de Massimo, chaque soir en passant à l'hôtel, la même réponse : « Monsieur Proust n'est pas libre, reviens demain. » Il ajouta, le premier soir : « Il a dit au cousinier de te donner tous les jours une bonne chaussette à manger, descends dans la cousine, prends-la et ne m'oublie pas en remontant. »

Je descendais, le cuisinier me donnait un sac en papier plein de bonnes choses, j'en donnais une moitié au Signor Minimo, j'en emportais l'autre dans ma musette pour les manger en compagnie de ma chère maman. Après six jours d'attente, j'appris que Monsieur Proust me demandait de venir le lendemain à midi.

— Mais, Monsieur Massimo, c'est trop tôt pour lui...

— Il a retenu une automobilé avec chauffeur pour midi, tu viens à midi. Mais une passade avec une cliente, ça prend du temps, alors tu demandes le pourboire et tu me donnes la moitié, *capito* ?

Il considérait qu'un avantage, une fois acquis grâce à son entremise, devait être repayé jusqu'à la fin des temps, j'eus envie, ce jour-là, de me rebeller. Ne voulant pas gâcher la fin de mon séjour à *Bersaglia* (comme disait le gros portier pour « Versailles »), je répondis « il me donne jamais de pourboire, j'en demande pas » et retournai auprès de ma mère sans être descendu dans les « cousines ». Pas de provisions pour Massimo, pas non plus pour ma mère et moi, une vengeance coûte souvent autant ou plus qu'elle ne rapporte…

À midi moins cinq, le lendemain, j'étais devant l'hôtel. À midi cinquante-cinq (pour Monsieur Proust, une heure de retard était être à l'heure), une automobile fermée (il faisait beau mais froid) sortit de la cour et s'arrêta dans la rue. Un chauffeur en casquette siégeait à l'avant, à l'arrière était assis un gros monsieur en manteau clair et chapeau melon, le cou entouré d'une écharpe, les mains dans un énorme manchon.

Le gros monsieur me fit un signe à travers la vitre, j'ouvris la portière et montai près de lui. La machine partit dans un tonnerre, Massimo agita son petit bras vers nous comme si nous partions pour le pôle. Il n'avait pas tout à fait tort, c'était mon premier trajet en automobile. Je le dis à Monsieur Proust (le gros monsieur et lui ne faisaient qu'un, on s'en sera douté), il fredonna aussitôt « j'en suis à mon premier voyage » et fut surpris de ne pas m'entendre chanter avec lui.

— Vous avez rencontré Massenet et vous ne connaissez pas sa *Manon* ? Je vois, vous refusez de chanter avec une aussi grosse Manon que moi !

— Non, Monsieur, c'est que je connais pas cette musique.

— Mais vous avez sûrement deviné où nous allons...

— Au hameau de la Reine ?

— Oui, bravo ! Mais fait-il assez chaud, dans cette voiture, pour une expédition hivernale aussi lointaine et risquée, je me le demande...

Il faisait plus que chaud dans l'habitacle, l'air était lourd de relents de fumigations et d'une odeur de papier brûlé. Le maigre monsieur, devenu gros à force de vêtements superposés, avait les pieds posés sur un paquet enveloppé d'une couverture qui contenait deux briques chaudes et les mains enfoncées dans un manchon dont le volume était dû à une autre brique chaude enveloppée de papier journal, il m'expliqua tout cela.

— Je me réchauffe comme je peux et me réjouis de la visite que nous allons faire ensemble, bien méritée, j'ose le dire car j'ai beaucoup travaillé depuis notre dernière rencontre, mal mais beaucoup. J'ai vu également quelques amis, tenté de hâter l'aménagement de mon nouvel appartement, treizième des travaux d'Hercule, souci sans fin, mais vous-même, cher petit, qu'avez-vous fait ? Votre maman se porte-t-elle bien, vos clients tâtent-ils toujours vos juvéniles biceps, votre patron baise-t-il toujours aussi assidûment vos bonnes joues ?

Une vitre nous séparait du chauffeur, heureusement, je n'aurais pas aimé qu'il entendît les deux dernières questions... J'allais répondre avec prudence, la prudence ne fut pas nécessaire, mon compagnon de voyage, observant tout, commenta les exotiques paysages de notre odyssée avant que je pusse ouvrir la bouche.

— Voyez, la vitesse fait courir les rangées de maisons comme des déroulants de théâtre, de part et d'autre des hublots de notre *Nautilus* à roues, avez-vous lu Jules Verne ? (Inutile de répondre, le gros voyageur n'écoutera pas.) Les colonnes roses du Grand Trianon, que mon ami Montesquiou aime tant, vont bientôt se précipiter vers nous, nous les dépasserons hardiment, nous descendrons de voiture devant le cube charmant du Petit Trianon, puis nous irons à pied au hameau. Vous nous guiderez vers la partie interdite du jardin et là...

— Pardon, Monsieur, mais j'y suis allé qu'une fois.

— J'ai pris un plan dans la bibliothèque de l'hôtel, nous ne nous perdrons pas. Nous ne verrons sans doute pas Marie-Antoinette, du moins verrons-nous ce qu'elle a vu de ses yeux, d'abord, ensuite ce qu'elle ne vit jamais, des allées désertes, des tritons verdis crachant une eau absente dans des bassins moussus, des bosquets où ne résonnent plus le ciseau de diligents jardiniers ni les rires des enfants, le bêlement des brebis, les clochettes des chèvres, les pas pressés de Fersen courant vers sa Reine... (Il m'expliqua Fersen un peu plus tard.) Nous ne verrons pas non plus les uniformes des gardes, les livrées des valets, les robes bruissantes des dames, les tricornes et les capes des messieurs mais nous verrons peut-être le visage grêlé qui fit si peur à Miss Moberly et Miss Jourdain, sans doute celui d'un gardien, payé par les amateurs de déguisements pour fermer un œil sur leurs activités secrètes, espérons qu'il fera de même avec nous si nous lui montrons « patte blanche », expression charmante, autrement dit, si nous lui « graissons la patte », expression vulgaire, action souvent bien utile...

Nous vîmes le Grand Trianon par nos hublots, nous nous arrêtâmes dans la cour du Petit Trianon, le chauffeur moustachu gara la voiture, les courageux explorateurs du passé prirent la direction du hameau.

Il y avait peu de visiteurs, nous n'en aperçûmes bientôt plus que de loin, le monsieur asthmatique respirait avec une facilité que je ne lui connaissais pas, tantôt joyeux, tantôt pensif, tantôt s'immobilisant et fixant un lieu comme s'il le photographiait en pensée, tantôt marchant avec une rapidité que je ne lui connaissais pas non plus. Lorsque nous arrivâmes à un entassement de gros rocs, appelé le Rocher, je me le rappelais, nous fîmes une pause sur la passerelle de bois qui enjambe la rivière et mon guide me montra un petit bâtiment en face de nous.

— Savez-vous pourquoi l'on nomme ce délicieux édifice, un peu en hauteur, le Belvédère ?... Parce que le mot veut dire, en italien, « belle vue ». Les amateurs de jardins ont toujours désiré proposer aux promeneurs de jolis points de vue à partir desquels se révèle, de plus haut et de façon inattendue, le paysage alentour, cette idée de point de vue m'intéresse beaucoup.

Soudain fatigué, il tira une brochure de la poche et la consulta.

— Nous ne pouvons voir d'ici une autre construction charmante, le temple de l'Amour, le connaissez-vous ? J'aimerais que l'amour soit aussi accessible de tous côtés, aussi rond, transparent et tranquille, j'aimerais aussi pouvoir marcher jusqu'à lui, hélas, si j'en juge par mon plan, le côté abandonné du parc doit être encore plus loin, pardonnez-moi de renoncer. Mais il y a, plus près de nous, un lieu qui nous fera rêver lui aussi à l'amour, la grotte que la reine Marie-Antoinette fit construire, dit-on, afin de rencontrer sans être vue un officier suédois dont elle était éprise, le Fersen dont je vous parlais, allons-y.

Oubliant sa fatigue mais pas le parcours qu'il venait de voir sur son plan, mon guide se dirigea sans hésiter vers un bouquet d'arbres nus que rien ne distinguait des autres ; nous le contournâmes, descendîmes une pente boueuse, un amas de pierres moussues était devant nous, percé d'une grille, je tentai de l'ouvrir, elle était cadenassée.

— Voyez comme les promenades sont intéressantes, vous nous pensiez perdus, voici notre but devant nous. Si nous étions arrivés par un autre côté, ces arbres nous auraient caché l'entrée de la grotte, nous aurions manqué un lieu qui abrita peut-être les amours d'une reine... Seulement l'été, j'imagine, quel froid et quelle humidité ! La grille est fermée, que faire ?

À peine avait-il posé la question que survint l'un des petits miracles qui se produisaient presque toujours en sa présence, un homme apparut, deux fois plus haut que moi, en uniforme bleu à boutons d'acier, le visage grêlé de petite vérole, fumant une pipe.

— Voici le redoutable comte de nos miss et ami posthume de Marie-Antoinette ! En costume pas tout à fait d'époque mais un peu militaire tout de même, et le visage « grêlé comme une passoire », en effet... Allons affronter Cerbère au seuil des Enfers.

Avant de me dire, quelques minutes plus tard, ce qu'il me faudrait pour comprendre Cerbère (mon mentor avait la passion de la mythologie, on se le rappelle), le gros visiteur se déganta pour prendre quelque chose dans l'une de ses poches, fit deux pas vers le géant, leva la tête, s'adressa à lui.

— Monsieur le Gardien, je vous souhaite le bonjour. Prenez ce billet pour boire un coup à notre santé après votre service et vous procurer un peu d'autre tabac quand votre blague sera vide.

Il tendit au gardien un billet de cinquante francs (il n'y en avait pas de plus petit à l'époque), de quoi boire et fumer non pas un peu mais pour des mois. La somme aurait dû corriger ce que l'expression du visage avait d'effrayant, il demeura dur, allumé d'un œil, soupçonneux de l'autre.

— C'est-y que ces Messieurs z'auraient b'soin de qué-qu'chose ?

— Oui, mon brave. Nous aimerions visiter la grotte de la Reine, pourriez-vous nous ouvrir la grille ?

— J'peux mais j'dois pas. C'te grotte, a l'est fermée au public, à c't'heure.

— Vous ne devez pas non plus recevoir de pourboire, rendez-moi celui que je vous ai donné ou faites ce que je vous demande.

Le cerbère garda le billet dans son énorme main, déploya toute sa taille et répandit sur nous le glauque de ses yeux. J'ai dit que Marcel Proust était souvent le contraire de ce que son apparence et ses manières pouvaient faire penser de lui, je ne savais pas encore à quel point ; ce maladif était l'énergie faite homme, ce sensible était un courageux, même un témé-raire qui s'était battu en duel, je l'ignorais, je compris néan-moins qu'il ne renoncerait pas à réclamer son billet si on ne lui ouvrait pas la grille.

Le trappeur de l'Alaska, couvert de manteaux superposés, dressé comme un gros petit coq à poil ras, caressait sa canne, le comte n'avait pas l'air homme à s'en effrayer, nous n'eûmes affaire, cependant, qu'à la vraie loi du plus fort, celle du plus riche.

— J'ouvre cinq minutes. Si vous vous cassez quéqu'chose, c'est point d'ma faute, si vous restez pus longtemps, j'm'en fous, j'ferme la grille.

Le cerbère sortit une clé de sa poche, la tourna dans la serrure et s'éloigna, serrant le billet dans son poing au fond de sa poche et sa pipe entre ses dents. Nous entrâmes, fai-sant attention à ne pas nous « casser quéqu'chose ».

Éblouis par le soleil, nous ne vîmes d'abord à peu près rien. Je marchais devant, guidant comme je pouvais le trappeur intrépide, nous fûmes bientôt dans une petite salle ronde. Des ouvertures dans les murs de grosses pierres permettaient de voir le monde extérieur.

— Regardez, si quelqu'un se tient là, il voit forcément toute personne qui viendrait du dehors vers la grotte et peut prévenir ceux qui s'y cachent. On dit que la Reine y donna des rendez-vous au beau Fersen mais elle ne pouvait à la fois se livrer à ses embrassements et surveiller l'extérieur, elle était donc accompagnée, comme toutes les reines d'autrefois et même d'aujourd'hui, je ne crois donc pas à une idylle très poussée entre eux. Ni à de longs séjours dans des lieux malsains, quittons-les.

La grille était encore ouverte, nous sortîmes, le gardien avait disparu. Nous n'étions plus habitués à la lumière, si une femme était passée devant nous, en manteau long et chapeau, nous n'aurions pu distinguer son visage. Il faisait plus froid ici que dans la grotte, le soleil peinait à traverser les branches, une ombre aurait bougé entre les troncs, nous eussions pu croire au passage glaçant d'un spectre.

— Nous n'avions pas besoin d'aller jusque dans la partie abandonnée du parc pour éprouver l'impression d'étrangeté qui troubla nos amies, n'est-ce pas ?

Le peu d'oiseaux que nous entendions en arrivant s'est envolé, le soleil disparaît derrière les arbres, la température tombe, la nuit aussi, nous voici dans l'entre-deux inquiétant dont parlent les Anciens, l'obscur espace qui sépare la terre habitée par les hommes des Enfers habités par les morts, gardés par l'« haurrible » chien Cerbère...

J'avais mon explication pour le nom prononcé quelques instants plus tôt, quant à l'orthographe que je viens de donner à « horrible », elle est destinée à faire entendre la façon dont Monsieur Proust modifiait ce mot, en allongeant parfois le o pour exprimer une horreur véritable, tantôt l'ouvrant à l'excès pour imiter ses amis : « Je viens de recevoir la jeune femme dont je vous parlais, selon elle mon ami Untel ne dit que des harrreurs sur les gens, il est audieuse !... C'est hélas vrai mais je n'aime pas qu'on soit adieux avec mes amis, j'ai dit à cette dame que je me sentais mal et l'ai reconduite moi-même sur le palier ! »

— Versailles est un cimetière hanté d'ombres illustres, les Anglaises ont étudié le grec, elles me l'ont dit, elles se sont forcément rappelé les fantômes de l'Antiquité en entrant dans le parc. Prêtes à en voir le passé, elles l'ont vu, il suffisait pour cela de peu de chose, un bois en friche, moins de clarté, quelques tricornes, quelques robes, un gardien soudoyé vêtu d'une cape d'occasion pour « compléter le tableau », le « tour était joué ». Vous voyez que je me rallie définitivement à votre hypothèse, cher Noël, nos misses n'ont rencontré que d'inoffensifs amateurs de reconstitutions historiques. Elles étaient préparées par les légendes de leur pays à rencontrer des apparitions, les lieux ont authentifié les personnages plus encore que des costumes loués, une simple femme d'aujour-d'hui assise devant un château a pu devenir la Reine elle-même, sa belle tête encore vivante coiffée d'un banal chapeau de paille...

Nous nous hâtâmes vers les allées encore lumineuses pour effectuer notre retour vers la vie. L'« haurrible » cerbère n'était pas loin, il s'approcha avec un regard que les livres mal écrits, qui amusaient tant Marcel Proust, auraient quali-fié de louche et torve. Je demandai à mon compagnon si sa canne était une canne-épée, il me répondit « Bien sûr que non ! » en riant, le comte s'arrêta devant nous, grêlé, nar-quois et menaçant.

— Alors on s'est donné du bon temps ? Pas vu, pas pris ?
M'est avis que ça mérite un aut' billet, pas vrai ?

Le monsieur en gros manteau tituba et devint si pâle, dans
la lumière dorée du jour déclinant, que je le crus sur le point
de s'évanouir. Il se reprit, leva sa canne et se précipita sur le
garde. L'homme crut-il à une canne à système, plus dangereuse que celui qui l'assaillait, eut-il seulement peur de perdre
son travail en se battant avec des visiteurs ? Il fit un pas en
arrière, mit sa main dans la poche, n'en tira pas de couteau,
y enfonça sans doute encore un peu plus son beau billet,
ricana et s'éloigna.

Monsieur Proust s'immobilisa, respirant mal durant
quelques secondes, puis me fit signe de marcher. Je pris son
coude épaissi de tissus et le guidai vers la sortie. Au bout de
quelques mètres il serra ma main nue de sa main gantée, ses
joues étaient rouges et ses yeux pleins de larmes.

— Vous n'avez sans doute pas compris la sale allusion
du gardien ni ma colère, tant mieux, mon pauvre enfant,
tant mieux... Non, non, ne parlons plus, retournons à
l'automobile.

Lorsque nous fûmes en vue du Petit Trianon, le marcheur à
la canne était tout à fait remis. Comme il arrive souvent lorsqu'on dit qu'on ne parlera plus, il m'expliqua bientôt la
phrase qui l'avait bouleversé, « alors on s'est donné du bon
temps ». Selon lui, le gardien n'avait pu imaginer que deux
hommes seuls eussent désiré visiter la grotte par curiosité, « à
certains esprits "mal tournés" ce qui est clair et simple paraît
toujours cacher quelque chose d'obscur et compliqué. Notre
désir d'entrer dans un lieu fermé aux visiteurs lui a semblé
suspect, ce qui est vilain vient souvent plus vite à l'esprit que
ce qui est anodin, il a vu en nous l'un de ces couples de messieurs dont le plus âgé paie les faveurs du plus jeune, hypo-

thèse aussi peu flatteuse pour vous que pour moi... C'est la faute à mon billet, un petit pourboire apaise les consciences, un gros suscite les soupçons, j'aurais mieux fait de donner une pièce mais voilà... je n'ai jamais de monnaie, vous êtes bien placé pour le savoir ! ».

Passant comme toujours d'un état dans un autre, il rit puis me raconta qu'il avait déjà eu à subir des allusions semblables, il avait même dû réclamer réparation par un duel à un journaliste qui lui avait prêté des « mœurs infâmes » dans un article de journal. « Je ne tire ni à l'épée ni au pistolet, nos témoins choisirent le pistolet, nous fîmes feu deux fois sans nous blesser, l'honneur était sauf, les esprits des lecteurs de ce journal et le mien n'en étaient pas moins souillés, sans parler de la plume de cet homme, trempée dans l'ordure des caniveaux... Oublions cela. »

Le chauffeur causait avec la concierge devant la voiture. Le conquérant des pôles s'arrêta un instant pour regarder le couple avec une attention qui me surprit. Était-il irrité lui-même que des employés eussent éprouvé le désir de se distraire, l'une attendant le départ des visiteurs, l'autre attendant le retour de ses clients ? L'explorateur arctique était-il mécontent de surprendre une idylle naissante ou curieux de l'observer, je ne le sus pas. Il monta en silence dans l'automobile, remit ses mains dans le manchon où la brique devait être devenue froide puis ferma les yeux, comme pour mieux retenir des lieux qu'il ne reverrait peut-être pas avant longtemps.

Est-ce de ce jour-là que me viennent les fragments de phrases et les pensées que j'entends résonner à nouveau en moi au moment où s'achève cette promenade ? Je ne sais plus. Ce double jardin l'avait toujours fasciné, son long séjour à Versailles, en 1906, fut-il déterminant pour la future composition de la *Recherche*, je le croirais.

— En vous quittant, l'autre soir, je vous avais promis une explication pour ce que j'appelais « apparente fantaisie du jardin de la Reine », la voici. Au fond, le plus grand intérêt du château de Versailles est son parc, qui propose deux côtés, comme à peu près tout dans la vie mais de façon particulièrement frappante et belle. D'un côté, le jardin du Roi, à la française, est le triomphe de la raison, perspectives dégagées, nature taillée au ciseau, sévère beauté ; de l'autre, le jardin de la Reine, qui s'inspire du style des parcs anglais, est apparemment le triomphe du naturel, allées sinueuses, arbres croissant en toute liberté, dirait-on, bâtisses jetées comme au hasard, fausses rivières devenues véritables grâce aux ponts qui permettent de les franchir réellement, de sorte que le jardin anglais réclame peut-être, finalement, plus d'art et d'efforts que le jardin à la française... Voilà ce que je voulais dire par les mots « apparente fantaisie du jardin de la Reine », vous sont-ils plus clairs, à présent ?

— Oui, Monsieur, c'est ce que dit souvent m... (Laissons Monsieur Bâtard loin de nous.)... Ce que dit ma mère, « les apparences sont trompeuses ».

— Exactement ! C'est aussi ce que dit, plus souvent encore, Monsieur Bâtard, j'en suis sûr, le métier de détective est fondé sur ce dicton, lui-même fondé sur la sagesse. Un premier coup d'œil renseigne mais ne suffit pas. Ce que nous découvrons en regardant à nouveau et avec attention telle ou telle chose, en face de nous mais aussi en nous, cache presque toujours le contraire de ce que nous avons cru à première vue, vous l'avez sûrement remarqué « mille fois », n'est-ce pas ?

— Oh oui, Monsieur !

— Ainsi les foisonnantes frondaisons d'un jardin à l'anglaise ne sont-elles aimables que contrôlées par l'homme, laissés à l'abandon ces arbres s'étoufferaient les uns les autres, de même que, laissée à son instinct de paresse, telle merveilleuse femme dont nous sommes fou serait une souillon inculte. Ce jardin et cette déesse nous ont semblé, à première vue, le triomphe de Mère Nature, ils sont en réalité des chefs-d'œuvre d'art et de volonté. « À première vue » pourrait donc résumer l'une des grandes lois de la vie, un premier contact ne suffit pas, un deuxième, un troisième peuvent être nécessaires mais attention, si je parle un jour de ces lois dans un livre, je devrai éviter de les expliquer comme je viens de le faire avec vous, sinon mes lecteurs s'ennuieront « mortellement », comme on dit !

— Je ne m'ennuie pas, Monsieur.

— Vous êtes gentil, et bien élevé, mais il y a une grande différence entre la conversation de deux personnes passionnées et la lecture solitaire d'un roman. Nous nous regardons en parlant, nous regardons ce qui nous entoure, c'est le charme d'un moment de vie partagé, un auteur ne bénéficie pas de ces moyens-là. Il faudra que je me les donne pour écrire mon futur livre, afin qu'il ressemble à une promenade à deux, avec Maman, par exemple, ni dans une nature sauvage qui effraie ni dans des allées rectilignes qui lassent, mais faite par le lecteur en compagnie d'un auteur qui le guidera, « mine de rien », dans un jardin qui aurait le charme de celui de la Reine et serait organisé par le ferme jardinier du Roi, comprenez-vous ?

Oui, Monsieur, l'inculte petit coursier vous a compris, si ce n'est en 1906, du moins sept ans plus tard en découvrant *Du côté de chez Swann*. En lisant et relisant *À la recherche du temps perdu*, il aura toujours l'impression de se promener dans un jardin fait tout autant de raison que de fantaisie, sans jamais mourir d'ennui (et même sans mourir du tout pendant près d'un siècle !)...

— Ainsi le lecteur passera-t-il d'un côté à l'autre, de l'évidente rigueur du jardin du Roi à la rigueur cachée du jardin de la Reine, tout est rigueur, au fond, la création d'un beau désordre comme celle de l'ordre, mais il faudra que l'auteur dissimule ces passages, que sous la rigueur il conserve à son livre l'air de liberté qui fait le charme du hameau, ce mélange de faux et de vrai dont toute œuvre d'art est faite. Si j'y parviens, mon lecteur ira de longs chemins sinueux en petits ponts jetés sur des rivières faussement serpentines, descendra dans des grottes inquiétantes et montera vers des belvédères dont les points de vue le surprendront, mélange favorable à la découverte de vérités inattendues donc plus vraies que les vérités sans surprises des romans habituels, comprenez-vous ?

— Moins bien, Monsieur.

— Rassurez-vous, moi non plus, je ne comprends pas encore très bien mon projet moi-même ! Ce que je peux déjà en dire est qu'il aura deux côtés, comme le parc de Versailles, tantôt agréable, tantôt non. Mes lecteurs seront d'abord désorientés, je veillerai à leur fournir bientôt des panneaux indicateurs pour les guider vers le but de leur promenade, la découverte de vérités plus vraies que les vérités habituelles, en tout cas plus vraies que celles des romans habituels, car je crois que mon livre sera un roman. Mes vérités seront moins faciles à lire que des vérités de convention, changer de routine et de point de vue, rien de plus désagréable dans la vie, rien de plus nécessaire pour l'esprit, rien de plus agréable dans un jardin. Celui du monde s'ouvre à vous, mon enfant, n'oubliez jamais de changer de point de vue si vous désirez voir la vérité sans voile !

La voiture avait ralenti en se rapprochant du centre de la ville. Encore peu habitués aux automobiles, les passants sursautaient en entendant le moteur et le couinement de la corne d'avertissement, les chevaux faisaient un écart, des jeunes filles nous regardaient en riant, j'aurais aimé les voir sans voiles, comme la vraie vérité, la nuit était venue, les lumières des réverbères électrifiés s'allumaient.

Lorsque nous arrivâmes devant l'hôtel, le chauffeur vint nous ouvrir la portière, mon compagnon attendit un peu avant de descendre et murmura un poème (je sus qu'il était de Verlaine, en le chantant, plus tard, mis en musique par Fauré) : « Dans le vieux parc solitaire et glacé, / Deux ombres ont tout à l'heure passé… » Un adjectif me frappa dans « leurs yeux sont morts et leur lèvres sont molles », les lèvres de Monsieur Proust, si exercées à la prononciation des paroles, si musclées qu'elles auraient donc dû devenir au cours des années, étaient toujours molles quand même, elles aussi, pour laisser le plus de passage possible à l'air qui manquait tant à ses poumons ?

On avait les moyens d'enregistrer les mots prononcés par cette bouche, en ces années-là déjà. À ma connaissance, mis à part une tentative que je raconterai peut-être, on ne le fit pas. On eut sans doute raison, chacun de nous peut l'entendre à sa façon, désormais. On dit souvent que les phrases écrites de Marcel Proust, plus que celles de la plupart des autres prosateurs, font entendre au lecteur le son d'une voix (on a même dit la respiration d'un asthmatique), je confirme la chose, qui lit les œuvres entend la voix, qui entend la voix entend la personne, comme « en direct ».

LE CARNET RETROUVÉ DISPARAÎT

Monsieur Bâtard était rentré à Versailles le même jour que l'ami de ma mère, jour de la promenade chez la Reine. Le lendemain, j'allai voir mon patron et lui soumis mon espoir de stage chez l'un de ses frères. Il me regarda avec attention avant de répondre « j'y penserai plus tard, va me poster ces lettres », je fus content de lui obéir, il ne m'avait pas dit non...

Le surlendemain, je passe devant l'hôtel, comme chaque soir. Massimo me voit par la fenêtre et me fait signe. Il n'y a personne dans l'entrée, je pousse la porte, le petit monsieur vient vers moi, lève les bras au plafond, piétine le dallage, se monte comme une mayonnaise.

— Ah, mon garçonne, si tu savais ! Le signor Proust nous fait une vie d'*inferno*, il a encore perdu son cornet ! Il dit qu'on l'a volé, je suis sour (« sûr ») qu'il l'a perdu... Pas une personne voudrait voler *questo pezzo di cartone* (ce morceau de carton) à l'hôtel ! Nous autres, on a du travail, toi tu vas courir, *presto, presto*, lui retrouver son cornet... Et n'oublie pas de lui demander des pourboires, pas de pourboire, pas de service, c'est la vie.

Je ne suis pas d'accord avec cette conception de la vie mais je ne dis rien, Monsieur Massimo a tant de travail qu'il s'assied pour s'en reposer en contemplant les ors de la marquise de Pomme d'amour, je monte chez Monsieur Proust par l'escalier de service sans penser au personnage que je craignais d'y rencontrer, ces derniers temps, j'ai tort. L'homme aux yeux jaunes va m'inquiéter à nouveau, quelques minutes plus tard.

— Entrez, merci d'être venu si vite. Eh oui, ces lettres éparpillées sur ma table sont celles qui furent adressées à la pauvre Madame Cornard ! Vous me les avez malignement laissées après ma grande crise de l'autre soir, vous avez bien fait, j'ai achevé d'épuiser sur elles mon affreuse colère en les jetant sur le sol mais j'ai été stupéfié, en les ramassant, j'ai cru reconnaître l'écriture de quelqu'un, figurez-vous... Non, non, nous y reviendrons une autre fois, j'ai besoin de votre aide pour une autre suite à une autre affaire, plus urgente. Je me suis aperçu, en rentrant avant-hier de notre promenade au hameau, que mon fameux carnet brun avait à nouveau disparu ! Sauf que, cette fois, il n'est pas perdu, j'y tiens trop désormais. Je ne l'ai consulté que sur cette table, il ne peut avoir disparu que parce qu'il a été volé, tandis que nous étions en pèlerinage du côté du jardin de la Reine. (Il prononce « pélérinage ».) Volé, j'en suis sûr, il nous faut donc découvrir la voleuse...

Oui, une voleuse, il ne peut s'agir que de l'une des femmes de service qui avaient cherché ce carnet, le jour où nous nous sommes connus, l'une d'entre elles a sans doute profité de mon absence pour entrer ici en se disant que je tenais à cet objet pour des raisons particulières, elle a besoin d'argent, elle va sans doute chercher à me faire « chanter », projet stupide mais moins stupide que son réflexe, faire le ménage quand même ! Je donne des pourboires à TOUT le monde, elle le sait forcément, j'en donne à ces femmes pour ne PAS faire le ménage ici, tout remuement de poussière me cause une crise d'asthme, et voilà que l'une d'entre elles veut obtenir de moi une rançon EN PLUS des largesses que je leur fais et du repos que je leur offre, quelle BÊTISE ! J'ai vu, dès que j'ai ouvert la porte, que tout avait été changé de place, remué, soulevé, tripoté, épousseté, la malheureuse idiote a cru nécessaire de maquiller un vol en travail et de transformer son forfait en meurtre, puisqu'elle sait bien ce que je risque en respirant la MOINDRE poussière ! Ah, mon petit, pardonnez-moi cette sortie mais elle me libère un peu de mes « humeurs peccantes », comme dirait Molière !

Il tombe en riant sur le canapé mais il est rouge et respire mal. Je n'avais pas pensé à Daniel dans l'escalier, le souvenir de ses yeux furieux me revient, me conduit à un raisonnement peut-être hasardeux, je m'autorise quand même un effet semblable à celui que j'avais osé lors de la première disparition du carnet.

— Je sais qui a volé votre carnet, Monsieur.

— Déjà ?... Je comprends, vous connaissez le personnel de la maison, vous savez que l'une des bonnes est voleuse, laquelle, dites-moi laquelle, je vais la convoquer sur les lieux de son crime pour lui passer un savon à l'instant, vous verrez que, si je suis capable de me faire gruger, je suis également capable de me rebeller et de sévir quand il le faut... Vous hésitez à nommer la coupable, vous ne tenez pas à être accusé de délation, je vous approuve. Sachez que je ne vous citerai d'aucune façon, nul ne vous accusera d'avoir « cafté » dans l'hôtel, je m'arrangerai pour égarer les soupçons. Dites-moi qui est cette femme, je lui parlerai sans causer de scandale, je n'aurai bientôt plus à récompenser, ce que j'aime tant, ni à me méfier ou à sévir, ce que je hais, dès la fin du mois je serai loin. Mais à nouveau en possession de mon carnet, je vous écoute.

256

— Je dis que je sais mais je ne suis pas sûr. Si c'est bien la femme à laquelle je pense, qui a volé votre carnet, elle l'a pas fait pour elle, elle l'a fait pour un homme. Un homme dont il faut se méfier.

— Quel homme ? Que savez-vous, mon petit ? Dites, dites vite.

— Vous rappelez-vous le soir où vous m'avez raccompagné jusque dans le couloir ? Une femme poussait un chariot, elle nous a vus, elle a tourné l'angle mais elle est revenue presque tout de suite avec un serveur que vous connaissez. Nous parlions encore sur le seuil de votre porte, il vous a salué, vous lui avez répondu.

— Oui, je me souviens, il s'appelle Daniel. Il m'exaspère mais je le ménage parce que... parce qu'il me fait de la peine, il n'est jamais heureux. Je lui donnais de trop gros pourboires, dans le passé, pour qu'il soit un peu moins malheureux, je lui en ai donné de plus modestes récemment, le soir de notre dîner au restaurant et le soir de notre dîner ici, parce qu'il était avec Joseph, un brave garçon toujours content de ce qu'il reçoit, à qui j'ai donné la même somme que d'habitude, je ne pouvais donner plus à Daniel en sa présence. Il m'a peut-être trouvé moins généreux qu'autrefois et m'en a peut-être voulu mais je le crois incapable d'avoir chargé une femme de chambre de m'en punir, il méprise son métier, ses collègues et les femmes, les femmes surtout. Vous devez vous tromper, il vous faut chercher ailleurs.

Je vois bien que Monsieur Proust aimerait chercher ailleurs lui-même, il regarde autour de lui, comme pour trouver une autre hypothèse que la mienne dans un coin de la pièce. Il est pâle et mécontent, je ne me suis donc pas trompé, il y a eu quelque chose entre ce Daniel et lui, quelque chose que je ne veux pas savoir en détail mais qui explique la disparition du carnet.

— Je me trompe sans doute, Monsieur, vous avez raison. Mais les femmes de ménage ont un passe des chambres, Daniel a pu demander à Denise de voler votre carnet parce qu'elle peut entrer dans votre appartement quand vous n'y êtes pas, lui non, un serveur n'entre pas chez un client absent.

— Cette hypothèse ne me convainc pas. Il a reçu assez de pourboires pour payer cette Denise, puisque Denise il y a, mais ne l'aurait pas fait pour qu'elle vole à sa place. Tel que je le connais, il lui aurait plutôt demandé de lui prêter son passe pour entrer ici et fouiller mes affaires tout seul.

— Il n'aurait pas pris le risque d'être surpris et il n'a pas eu à payer Denise, elle est sa femme.

— Sa femme ? Impossible.

— Pourquoi, Monsieur ?

— Il méprise les femmes, je viens de vous le dire, il me l'a dit à moi-même, il a d'autres... d'autres objectifs. Il est étrange, angoissé, malheureux, il ne se serait pas encombré d'une femme.

— D'une femme et d'un enfant. Ils ont eu un bébé, il y a six mois.

— Un enfant ? Il est père et ne me l'avait pas dit... Ah, cette affaire est plus compliquée que je ne croyais, je me demande si je dois vous y mêler...

Le monsieur riche qui fréquente des valets se lève et marche en respirant fort pour calmer son inquiétude. Les riches clients ont des secrets, les valets pauvres aussi, ils partagent parfois les mêmes, il vaut mieux ne pas se mêler de ces secrets-là, en effet.

— Vous avez raison, Monsieur, si je veux garder de bonnes relations avec le personnel, il vaut mieux que je m'occupe pas de cette affaire.

— Oui, il me reste peu de temps avant mon départ, j'en ai tout de même assez pour élucider cette disparition tout seul. Cette fois, c'est moi qui retrouverai mon carnet, je serai fier de le montrer à celui qui l'a retrouvé une première fois, cher enfant... Nous allons nous séparer, courez rejoindre votre maman, moi, je vais dîner au restaurant de l'hôtel. Je m'y ennuierai sans vous mais il n'y a pas de meilleur endroit pour recueillir des informations, comme on dit en langage policier, n'est-ce pas ?

— Oui, Monsieur. Au revoir, Monsieur, à bientôt, j'espère.

Je redescendis l'escalier de service. Si Monsieur Proust mène son enquête trop vite et parle trop, si Daniel me rencontre maintenant, me disais-je, et s'il est accusé de vol demain, il comprendra que les soupçons viennent de moi, c'est dangereux.

Je n'avais pas tort de pressentir un danger, il y en avait un qui flottait sur l'hôtel, exactement au même moment, nous allions en avoir la preuve dès le lendemain, mais ce ne fut pas moi qui en fus victime.

UN CRIME À L'HÔTEL

Je me levais toujours très tôt, nous étions en hiver, il faisait encore nuit lorsque je sortis, ce matin-là. La rue était déserte, un moteur lointain se fit entendre et se rapprocha, des lanternes apparurent, une automobile s'arrêta devant la maison. J'étais au milieu de mon trajet (je descendais de ma mansarde par l'échelle), le chauffeur ouvrit sa portière et me fit un signe... c'était Monsieur Bâtard. Mon patron venait me chercher lui-même, en automobile !

Je courus derrière la maison pour prendre un morceau de pain dans la cuisine et boire un verre d'eau. Le moteur tournait encore quand je revins et montai près de mon patron, il n'eut qu'à augmenter les gaz pour démarrer dans le bruit des voitures de l'époque. L'ami de ma mère, pour une fois levé de bonne heure, entendit ce son, rare encore en ces années-là dans un modeste quartier de Versailles, et sortit dans son jardin. Ma tête ne dépassait pas de beaucoup la portière, il me vit tout de même, Monsieur Bâtard avait allumé une lampe dans l'habitacle pour pouvoir lire son journal en m'attendant. Je crus que mon parâtre serait jaloux en voyant qu'on venait me chercher en voiture à domicile et qu'il m'en voudrait, je me trompais, ce fut le contraire qui arriva (Monsieur Proust aurait pu me le dire), cet homme envieux fut admiratif...

Un « monsieur » prenait son automobile pour bénéficier plus vite des services d'un gamin, ce gamin était donc un personnage important qu'il était glorieux d'héberger chez soi, Maurice Legrandet (c'était son nom) en fut fier et redevint avec moi, le soir même, celui qu'il avait été lorsqu'il avait commencé à faire la cour à ma mère, charmeur et charmant.

Ce revirement arrivait trop tard, ma décision de partir était prise, adieu Legrandet.

Mon départ annoncé me sembla également la cause de l'empressement de mon patron. Il ne veut pas te perdre, me disais-je en attendant qu'il voulût bien me parler, il vient te chercher en automobile pour te proposer une augmentation qui ferait jaser, s'il la faisait devant Madame Cachassin, elle en parlerait, il vient te la proposer à domicile. Je me trompais sur ces points aussi. Non seulement Monsieur Bâtard me recommanda vivement, quelques jours après, à l'un de ses frères mais il le fit à celui qui « quadrillait » Paris, la ville où j'avais le plus envie d'aller, je fus stupéfait : quand on nous rend service, c'est en général trop tard et pas comme on voudrait (je savais déjà cela, même avant d'avoir lu Marcel Proust).

Si Monsieur Bâtard était venu me chercher, c'était parce qu'il avait besoin de moi pour un événement qui venait de se produire à l'hôtel des Réservoirs. Il y avait ses entrées (« l'hôtel le plus intéressant de la ville question renseignements », disait-il) et d'autres informateurs que moi mais j'y connaissais un client ; voyant son intérêt dans l'immédiat, il vint me chercher là où il savait que je serais, par le moyen le plus rapide, son automobile.

— Il y a eu un meurtre, cette nuit, aux Réservoirs... Tais-toi, écoute. Le directeur n'aime pas le commissaire de son quartier, il a été obligé de le prévenir mais il veut que je m'occupe de l'affaire discrètement.

— Qui a été tué, Monsieur ?

— Pas le portier, ni le maître d'hôtel en second ni le chef cuisinier, des amis à toi, tu vois que je sais tout par mes autres petits...

Ces « petits » étaient les jeunes employés, occasionnels ou réguliers, qu'il plaçait un peu partout pour se renseigner, la police d'alors les appelait des mouches, le reste de la population disait des mouchards (je ne me considérais pas comme l'un d'eux). Je retins les questions qu'un employé, même proche du patron ainsi que je l'étais, ne doit pas lui poser. Il n'avait rien dit du client pour lequel j'avais enquêté au nom de la maison Bâtard, Monsieur Proust, était-il la victime ? Avait il été maladroit avec Daniel, avec sa femme ?... Me rappelant sa façon de nous regarder, le client du 22 et moi, quelques jours plus tôt dans le couloir, j'imaginais très bien Denise poussant son mari à un crime, la terreur me paralysa, j'obéis malgré moi au conseil de notre patron, « Dans le service, ayez toujours un visage de marbre. Sourire de marbre quand les gens sont contents, tristesse de marbre quand ils sont tristes », je ne pus parler.

— J'aurais pu faire appel à Gaston. (L'un des grooms de l'hôtel.) Je viens d'abord à toi parce que tu es le seul à avoir un ami parmi les clients, ami ou protecteur, peu importe, du nom de Proust...

— C'est lui qui a été tué ?

— ... de passage à Versailles, riche Parisien qui retourne à Paris en fin d'année. Est-ce pour le suivre que tu veux entrer au service de mon frère ?

Si Monsieur Bâtard évoquait son départ prochain, c'est que Monsieur Proust était sauf... Je recommençai à respirer et m'efforçai de répondre en gardant le calme que mon patron avait tenté de me faire perdre en me taisant d'abord l'identité de la victime pour tester mon aptitude au marbre.

— Je vous ai pas demandé de me recommander à votre frère de Paris, Monsieur, je vous ai dit que j'irais chez le frère que vous voudrez.

— C'est vrai, bonne réponse, bon visage, bien. Tu veux partir, soit, je t'enverrai là où tu en apprendras le plus, tu es doué. Pour le moment parlons de cette affaire. Ce n'est pas un client qui a été tué, c'est un domestique, un serveur du nom de Joseph Péret.

— Je vois, Monsieur. Vingt, vingt-cinq ans, plutôt grand, assez beau garçon et gentil, ça me fait de la peine. Comment il est mort ?

— Étranglé.

— Il était robuste, ça peut pas être par une femme, c'est par un homme...

— Si tu penses à quelqu'un, dis-moi qui.

— Je veux pas accuser, Monsieur, mais...

— Parle ou je te mange une oreille.

— Joseph allait souvent jouer aux dames chez Monsieur Proust. Il nous a servi à dîner deux fois avec un autre, je crois que cet autre-là était jaloux de Joseph à cause de ses rendez-vous avec un client qui donne des gros pourboires. (Je m'aperçus en parlant que je soupçonnais de plus en plus Denise, ne voulant pas encore parler d'elle afin de garder une avance sur mon patron mais ne voulant pas lui mentir non plus, je fis « marche arrière » à propos de Daniel.) Je dis pas qu'il a tué Joseph, Monsieur, il est trop nerveux. Et trop maigre.

— Son nom ?

— Je ne connais que son prénom, Daniel. J'ai jamais parlé avec lui, il me déteste, je le vois quand on se rencontre. Je crois qu'il m'en veut d'être ami avec le personnel...

— Et d'être ami avec ton client ?

— Oui, Monsieur... Mais c'est seulement une impression, Monsieur.

— Je vois qui c'est, Daniel Martinon, dit Le Martinet. Il avait une spécialité avant d'entrer à l'hôtel, donner le fouet à des messieurs, il a cessé mais il est peut-être passé à autre chose sans que je le sache, renseigne-toi. Le martinet, tu vois ce que c'est ?

— Oui, Monsieur. À Paris, près de chez nous, il y avait une femme qui donnait le fouet aux messieurs qui venaient la voir. On les entendait crier mais on sentait qu'ils étaient contents.

— Le dernier rapport que j'ai eu sur lui remonte à l'été, il sortait en ville avec un client de l'hôtel mais en public, donc rien de suspect côté mœurs, à première vue, mais on ne sait jamais. Je vais voir ce qu'on peut trouver sur le bonhomme, tire-moi son portrait.

À l'époque, lorsqu'on allait se faire photographier chez un professionnel, on disait qu'on allait se faire « tirer le portrait » ; quand il nous envoyait suivre quelqu'un pour la première fois, Monsieur Bâtard nous en donnait un bref signalement et nous demandait, à notre retour, de « tirer son portrait » avec précision, « je veux voir la bête comme si je tournais autour ».

— Entre vingt-cinq et trente ans, maigre, ni grand ni petit, plus en nerfs qu'en force. Blond, rasé, sauf un rien de moustache, des yeux marron-jaune. Bien de sa personne, bien mis, l'air inquiet, les mains fines, malin.

— Tu ne crois pas qu'il aurait pu étrangler Joseph, si ton portrait est exact, tu te trompes, un petit nerveux peut tuer un grand robuste. Mais un type à histoires ne tue pas à la main, il tue autrement, tiens-le quand même à l'œil. Observe tout le monde à l'hôtel, fais parler qui tu peux, je suis sûr que l'assassin y habite, domestique ou client, ou plus.

— Vous pensez au personnel de direction ?

— Dans une affaire de crime, il faut penser à tout le monde. Je pense que la personne qui a tué Joseph, homme ou femme, une faible femme peut étrangler un gaillard si elle y tient, je pense que l'assassin ne tardera pas à lever le camp. À toi de voir qui prépare des bagages en cachette, tu sauras tout avant la police parce que tu seras sur place. Et parce que tu connais le métier, c'est moi qui t'ai formé... Va voir ton Monsieur Proust. J'étais déjà renseigné sur lui quand tu lui as retrouvé son carnet, il ne dort pas de la nuit, tout le monde lui obéit, il en apprendra toujours plus sur ce qui se passe que la flicaille, fais-le parler. Il doit se confier à toi, puisque vous passez tant de soirées ensemble au 22, n'est-ce pas ?... Ts, ts, ts, je ne t'accuse de rien, ton beau monsieur non plus, pourtant, je pourrais, il recevait Joseph, comme on te l'a dit, pour « jouer aux dames », peut-être pour autre chose aussi, jouer à la dame, ah, ah ! Un homme de son âge, pas encore marié, riche, pas de travail, vie d'hôtel, serveur dans sa chambre, il se passe forcément des choses...

Des choses qui ne se passent pas avec toi, je le sais, tu ne fais que ce que tu veux, corps de ficelle, tête de fer, et tu aimes les dames. Lui, je sais ce qu'il aime, il y a une maison à Versailles où il est allé une fois, j'y ai des petits qui me renseignent. Toi, tu ne couches pas encore, lui, il ne couche déjà plus, c'est un caresseur, pas un baiseur, un tueur non plus. Interroge-le quand même mine de rien, il est malin mais toi aussi, bavardages et observation sont les mamelles du métier...

— Il fait rien de mal, Monsieur, et moi non plus.

— Je viens de te dire que je le sais mais, quand on a un air de fille, on n'y peut rien, les gens parlent, et fréquenter certains messieurs donne mauvaise réputation, aucune importance tant qu'on peut s'arranger pour ne pas coucher, d'ailleurs les gens couchent moins qu'on croit, ils préfèrent qu'on les allume. Et ces messieurs-là t'apprendront beaucoup de choses, les bonnes manières, par exemple, pas de carrière sans ça, continue, tu feras carrière, foi de Bâtard !

Je n'ai pu oublier des phrases qui me troublèrent mais me firent réfléchir, non à ma carrière encore indéfinissable (dont l'une des clés fut l'usage des bonnes manières, en effet) mais à l'homme que je préférais déjà à tous les autres, quel qu'il fût, même « un caresseur », indication qui me fut utile pour le comprendre mieux, plus tard, j'y reviendrai.

— Il est trop bon pour tuer, Monsieur ! Et il est malade, il a de l'asthme...

— Avec ce genre de sensible et ce genre de maladie, on ne sait jamais. Cela dit, je pense que s'il peut tuer, c'est plutôt par les mots.

— Par les mots, Monsieur ?

— Les mots sont des armes, ils peuvent blesser, même tuer. Réfléchis, si on te disait que ta mère ne veut plus te revoir, tu serais blessé à mort, n'est-ce pas ? Si tu avais une fiancée et qu'elle te disait qu'elle te quitte, tu pourrais penser au suicide, pas vrai ?... Tu as compris, les mots peuvent tuer. Nous voici près de l'hôtel, débrouille-toi pour y entrer malgré la police, si elle est encore là. Une dernière chose. Tu es attaché à ce monsieur, il est doux, instruit et intelligent, tu n'attendais que ça, un père comme en rêve. (« Comme en rêve » était une des expressions de Monsieur Bâtard pour signifier que l'humanité se faisait des illusions sur tout mais pas lui.) Mais attention, les riches et les malades pensent d'abord à eux, n'oublie pas ça.

— J'ai compris, Monsieur. Comment vous savez qu'il est intelligent ?

— Par le meilleur espion possible, toi. Au moment de l'affaire Cornard, tu disais « un ami de ma famille pense que », l'ami, c'était lui. Tu me sortais des idées qui étaient les siennes, elles étaient bonnes, « le sac n'est pas perdu, il est chez la dame »... Est-ce que tu lui as confié les lettres de Madame Cornard, finalement ?

— Oui, Monsieur.

— Reprends-les, il va y avoir des policiers dans l'hôtel, je ne veux pas qu'on remonte jusqu'à la maison Bâtard si on fouille son appartement. Va le voir tout de suite.

— Si tôt le matin, il dort, Monsieur.

— Les bruits de l'enquête l'auront sûrement réveillé, il aura déjà demandé à te voir, ne perds pas de temps. Si nous allons plus vite que la police, je dirai au directeur ce que nous aurons trouvé, il mettra les enquêteurs sur la bonne piste. Il me paie pour éviter que des indiscrétions nuisent à la réputation de son hôtel, le meurtre a eu lieu en fin de soirée, aucun journal du matin n'en parle, c'est déjà ça, nous verrons ceux du soir.

— Vous dites qu'un petit maigre peut tuer, vous avez raison, Monsieur, j'ai peur de Daniel. Je sais pas s'il a tué Joseph mais il était jaloux de lui parce que Monsieur Proust le recevait. Il me reçoit encore plus, Daniel est encore plus jaloux de moi, je crois qu'il vient de lui voler le carnet que j'avais retrouvé pour se venger de lui et de moi, Monsieur.

— Tu retrouveras le carnet plus tard, ne t'inquiète pas de Daniel, fais d'abord parler ton client, prends modèle sur lui, en se faisant raconter les potins de l'hôtel par Joseph et d'autres, il en a forcément appris long sur tout le monde. Ah, les potins ! C'est notre point commun avec les messieurs de la jaquette. (Si j'avais connu le sens de l'expression, les invertis, j'aurais souffert mais je l'ignorais, je crus qu'il voulait parler des messieurs riches bien habillés.) Eux, c'est pour se distraire, nous c'est pour gagner notre vie, va gagner la tienne, file à l'hôtel. Ton ami Massimo n'est pas de service, dis au portier de jour que tu viens de ma part, je l'ai vu en passant devant le porche pour aller chez toi. C'est un de mes anciens petits, il te laissera entrer et monter chez ton monsieur.

— Qu'est-ce que je fais, si un policier est chez lui pour l'interroger ?

— Dis que tu viens chercher le carnet qu'il a perdu. Vu l'importance du client, ce sera sans doute le commissaire en personne, un idiot mais qui fait toujours faire des enquêtes de routine sur les gens qui séjournent longtemps à Versailles. Il sait donc déjà qu'il s'agit d'un monsieur qui a des relations dans la capitale, il le ménagera même s'il le soupçonne. Si tu vois un gros chauve, c'est lui. Il sera très gentil avec toi, il aime les petits garçons, gare tes petites fesses et tes bonnes joues, lui, ce n'est pas un caresseur, c'est un pinceur ! Maintenant, au travail.

Il m'avait appris à obéir « visage de marbre et sans mot dire », je ne lui demandai pas dans quelle catégorie il classait les baiseurs de bonnes joues, quittai sa voiture (arrêtée bien avant l'hôtel pour éviter qu'on nous vît ensemble), saluai de la tête, descendis la rue et me dirigeai vers le porche en m'interrogeant sur la dernière phrase que je venais d'entendre.

Mon patron disait que les gens « couchaient » moins qu'on ne croit, il avait quand même fait beaucoup d'allusions à des messieurs amateurs de fouet, de caresses et de pinçons avec des hommes. J'aurais préféré en savoir plus sur ce qui pouvait se passer avec les femmes, ces histoires de messieurs me semblèrent soudain trop nombreuses, je compris plus tard que leur proportion était faible, dans toute la société, mais parfois plus élevée dans certains milieux favorables aux rencontres, comme les hôtels.

Monsieur Bâtard ne dirigeait pas une grosse maison d'enquêtes par hasard, tout ce qu'il avait prédit se produisit.

L'hôtel avait déjà repris son aspect habituel, on me laissa entrer, Monsieur Proust avait prévenu qu'il m'attendait. Je ne rencontrai personne dans l'escalier de service, je frappai. Le beau monsieur ouvrit aussitôt, pâle de fatigue, les yeux rouges de sommeil et le visage bleu de barbe, sinon, tel que je l'avais laissé la veille.

UN CRIME À L'HÔTEL, SUITE

— Ah, mon petit, quelle nuit ! Vous avez appris la terrible nouvelle, n'est-ce pas ? Je l'ai sue avant tout le monde, figurez-vous, dès la découverte du drame, par le directeur en personne vers onze heures du soir. Nous nous connaissons un peu, il sait que je ne dors pas la nuit, il est venu frapper à ma porte avant même l'arrivée de la police. Je vous rapporte le plus exactement possible ce qu'il m'a dit, nous verrons ensuite ce que nous pouvons en déduire.

(Il n'imite pas le directeur autant que Montesquiou, j'ai pourtant l'impression de voir et d'entendre de près un personnage que je ne connais que de loin.)

« Je ne vous dérangerais pas si je ne savais, cher Monsieur, que vous vous intéressez à tout, et à *tous*, dans cet établissement, n'est-il pas vrai ?... Un drame affreux vient d'arriver, un de nos employés avait une bonne amie, elle est allée le rejoindre, à la fin de son service, dans sa chambre à l'étage des domestiques et l'a trouvé mort sur son lit, étranglé, un serveur que vous connaissez, *je crois*, Joseph Péret, pauvre garçon... Oui, étranglé, je comprends votre émotion, je la partage, un tel événement dans mon hôtel, vous imaginez ! Vous en connaissez la vie quotidienne mieux que moi, je suis rarement là, vous êtes un écrivain, un observateur, je viens vous demander conseil avant de recevoir le commissaire du quartier. Il a déjà enquêté ici sur de petites affaires auxquelles il a donné un retentissement fâcheux, il va se précipiter sur le premier racontar qu'on lui fera, je préférerais lui indiquer moi-même une première piste, ainsi que l'on dit dans la police, puis-je nier avec force que l'un de nos estimés *clients* soit le moins du monde impliqué dans ce crime, *à votre avis* ?

« Non, non, je n'accuse nullement quelqu'un du personnel mais enfin les domestiques sont ce qu'ils sont, n'est-il pas vrai ? Nous faisons ce que nous pouvons pour les bien choisir, nous pouvons également en changer, en revanche et bien au contraire, nous ne désirons pas changer de clientèle, une clientèle qui vient de partout dans le monde séjourner chez *nous* afin de se trouver dans un lieu proche du château, que dis-je, faisant partie du *château*, n'est-il pas vrai ? Il ne faudrait pas qu'un policier maladroit ou un journaliste en mal de copie jetât d'injustes soupçons sur nos chers clients en rapportant des on-dit sur les liens qui s'instaurent *parfois*, dans les hôtels, entre certains d'entre eux et certains membres du personnel chargés de les servir... Personnel que vous connaissez *bien*, je ne l'ignore pas, j'ai donc pensé à vous, cher Monsieur, pour me renseigner, un fin connaisseur du cœur humain en sait plus que la police par ses mouchards... Oui, Monsieur, des mouchards, du haut en bas de la maison, vous n'avez pas idée de la vénalité des êtres humains, ces mouchards inventeraient n'importe quoi pour justifier leurs émoluments, je souhaite infirmer à l'avance leurs éventuelles clabauderies en disant au commissaire "voilà ce que je sais de source sûre, *moi*, respectable Directeur de ce *respectable* hôtel" ! Et cette source sûre, c'est vous, Monsieur, vous qui *connaissiez* la victime, n'est-il pas vrai ? Que pouvez-vous me dire de ce jeune homme ? »

Vous vous doutez bien, mon petit, qu'il est au courant des parties de cartes dont je vous ai parlé, dans un hôtel, tout se sait, même ce qui n'a pas lieu. J'ai donc bien compris que notre élégant directeur craignait autre chose que des parties de dames entre ce garçon et moi, des parties de dames sans dames, si je puis dire... (Rire réprimé, rougeur furtive.)... Je ne reçois pas de vraies dames dans ce petit appartement enfumé, si j'en veux voir d'une autre sorte, il y a des maisons pour cela, mais enfin ces rencontres avec Joseph avaient eu lieu, le directeur voulait me faire savoir qu'elles étaient connues dans l'hôtel, m'incitant ainsi à lui faire des révélations utiles et me prévenant ainsi, discrètement, que la police serait informée de mes relations avec la victime et m'interrogerait sans doute, le soupçon m'a choqué mais pas surpris.

Je me rappelle ma propre surprise à cet instant, le monsieur affectueux que je connaissais pouvait donc rire dans des moments pareils. Si je suis assassiné à mon tour, sera-t-il capable de s'amuser d'un petit détail, à peine quelques heures plus tard ? Une personne familière et rassurante en dissimule-t-elle une autre, au fond d'elle-même, insensible et qui fait peur ? Je dirais aujourd'hui que cet homme fut le premier à me révéler que l'on ne s'habitue jamais tout à fait à la vie telle qu'elle est. Une part de lui savait tout, une autre part était toujours capable de s'étonner, d'où ses rires brusques (ce que nous appelons des « rires nerveux » lorsqu'une petite chose introduit une seconde de gaieté inattendue dans le chagrin d'un enterrement, par exemple), rires libérateurs et vraiment joyeux, de la famille de l'humour, non de l'ironie.

Nous pouvons avoir une idée de cet humour en lisant les citations de Corneille que fait à son petit-fils la grand-mère mourante de la *Recherche*. Il y a une tradition de courage souriant dans la famille du Narrateur, il y avait une aptitude de ce genre dans la manière d'être du Monsieur Proust que j'ai connu. Je revois sa silhouette de vagabond, dans la pièce enfumée où il me racontait la visite du directeur, il regardait autour de lui sans voir, il étudiait les étonnants aspects d'une situation dramatique sans parvenir à les croire tout à fait réels, tantôt ses yeux se remplissaient de larmes, tantôt brillaient du plaisir que lui procurait toujours le spectacle de la comédie humaine.

— J'ai manifesté mon émotion pour la fin de ce pauvre garçon, confirmé l'innocence de mes jeux avec lui et le caractère honnête de tous ceux des employés de son hôtel que j'ai approchés – sauf Daniel, nous ne savons pas encore s'il est voleur ou non, dangereux ou pas. Le directeur m'a remercié avant d'aller rejoindre les policiers appelés pour les « premiers constats » et de prévenir quelqu'un, qui, à votre avis, en pleine nuit ?... Monsieur Bâtard, cher Noël, votre patron ! Qu'il connaît, qu'il veut charger d'une enquête parallèle sur l'affaire, à travers l'un de ses meilleurs limiers, lequel ? Vous ne devinez pas ? Vous-même, cher Noël ! Dont les qualités sont appréciées en haut lieu, dont les visites chez moi sont également de notoriété publique, il fallait s'y attendre...

« La maison *Bâtard et Fils* s'est occupée récemment de vous retrouver un précieux carnet perdu, *cher* Monsieur, vous vous êtes attaché au jeune, TRÈS *jeune* détective chargé de cette mission, vous le recevez souvent, il connaît bien l'hôtel, lui aussi, dites-lui de notre part, quand vous le verrez, que nous lui faciliterons l'enquête dont le chargera sans nul doute Monsieur Bâtard que je vais engager de ce pas, je vous salue, Monsieur. »

Eh oui, cher Noël, tout se sait dans un hôtel, même les qualités des gens ! Le directeur nous fait confiance, à vous comme employé de Monsieur Bâtard, à moi parce qu'il connaît ma famille. Je l'avais assuré de mon innocence, il a respiré plus librement en me quittant, je n'en dirai pas autant de moi. Je suis bouleversé par ces événements et je n'ai plus de poudre pour mes bronches, j'attends depuis hier qu'on m'en apporte, tous les coursiers ne sont pas aussi prompts que vous, cher enfant.

Les événements lui avaient causé à la fois de la peine et de l'excitation, son récit achevé, la peine prenait le dessus, la fatigue également, l'humour demeurait.

— Si j'osais, je vous demanderais d'ouvrir la fenêtre mais c'est l'heure des balayeurs, il n'y a pas beaucoup d'heures qui ne me soient fatales dans la journée, voilà que se produisent des drames durant la nuit, mon seul moment de paix... Ne parlons plus de moi, comment avez-vous appris l'affreuse nouvelle ?... L'omniprésent Monsieur Bâtard devant chez vous, en automobile, oh, oh, que vous a-t-il dit ?

Bien, à nous d'agir. Je n'ai pas dormi depuis hier à la même heure, faisons un « tour d'horizon » quand même, j'essaierai de dormir un peu ensuite, espérons qu'on ne me dérangera pas, pensons à Joseph qui vient de mourir si jeune, de si terrible façon, juste au moment où sa bonne amie et lui allaient se marier, le saviez-vous ? Il me l'avait annoncé, je lui avais promis un cadeau, je ne cesse de me demander qui a pu commettre un pareil acte et pour quelle raison. Je me dis que le coupable ne peut être que quelqu'un de l'hôtel, vous y connaissez tout le monde, avez-vous une idée ?

— Je connais pas tout le monde, Monsieur, seulement Massimo et André au rez-de-chaussée, le personnel de cuisine au sous-sol, pas le personnel des étages. Pour les serveurs du restaurant, j'ai vu Joseph et Daniel de près seulement à vos deux dîners. Je vous ai dit que je soupçonnais Denise de vous avoir volé votre carnet, poussée par son mari, je vous ai pas dit pourquoi. Il me regardait toujours de travers quand on se rencontrait, depuis vos deux dîners, il me déteste. Je crois qu'il est jaloux de votre gentillesse pour moi, Monsieur.

— Quel rapport avec le crime ? Soupçonneriez-vous Daniel ?

— Je pense comme vous, Monsieur, le coupable est quelqu'un de l'hôtel. Je ne sais pas pourquoi Daniel aurait tué Joseph mais je suis sûr qu'il peut être méchant, il a un mauvais regard, sa femme aussi. Vous dites que vous le connaissez un peu, que pensez-vous de lui, Monsieur ?

— Je... je ne sais pas. J'avais un peu parlé avec lui, au début de mon séjour ici, j'ai cessé, il devenait collant et familier, vous avez vu sa façon de me servir trop copieusement lors de notre premier dîner, malgré mes reproches. M'en a-t-il voulu de mon éloignement et de l'amitié que je vous ai témoignée, a-t-il été jaloux au point de faire voler mon carnet par la Denise dont vous m'avez dit qu'elle était sa femme, c'est possible, mais cette jalousie aurait dû s'exercer contre vous ou moi, non contre le pauvre Joseph, il y a là quelque chose d'incompréhensible... J'ai à écrire un mot urgent, puis-je compter sur vous pour le mettre à la poste ?

— Daniel était peut-être jaloux de Joseph, parce que Joseph vous rendait des visites, Monsieur, il l'a peut-être disputé hier soir.

— Une dispute peut se terminer par des coups, un étranglement réclame une haine méditée, je ne peux croire cela...

— Dans la vie tout est possible, Monsieur.

— En effet !

Il change de porte-plume, regarde les papiers sur la table comme s'il les feuilletait en pensée pour trouver une réponse aux mystères de la vie et finit par répondre à la question que je lui ai posée sur Daniel Martinon, dit Le Martinet, vais-je enfin savoir ce qu'il y a eu entre eux ?

— À mon arrivée à l'hôtel, sachant que j'y demeurerais longtemps, souffrant de la tristesse dont je vous ai parlé et voulant m'en distraire, j'ai questionné Massimo, les portiers d'hôtel savent toujours tout. C'est lui qui m'a conseillé de jouer aux cartes avec Joseph, « oune bonne garçonne », s'est-il trompé, le doux Joseph était-il un intrigant ?... Il m'avait déconseillé de fréquenter Daniel, je ne l'ai pas fait, c'est Daniel qui a cherché à me parler en me servant au restaurant. Ne pouvant faire autrement, je lui ai parfois répondu, ai-je eu tort, je ne sais plus que penser. Je n'ai aucune raison de vous mentir, voici la vérité. (Quand quelqu'un prévient qu'il va dire la vérité, il faut se méfier, il va mentir.) Il y avait quelque chose de touchant dans cet homme, jeune encore et déjà désabusé, qui disait qu'il était orphelin, je l'étais aussi, qu'il était seul au monde, je l'ai cru. En réalité, il était non seulement marié, vous me l'avez révélé, mais sa femme a eu un enfant et son mari ne m'en a jamais parlé du temps où nous nous sommes un peu connus, tout cela est bien étrange, bien étrange, en vérité...

Ce que j'apprendrai au cours de ces journées et, plus encore, à la fin du séjour de Monsieur Proust à l'hôtel me fera voir à quel point je connais peu les êtres et les comprends mal. Il me faudra pour mûrir beaucoup d'autres enquêtes, la lecture de beaucoup d'ouvrages – dont *À la recherche du temps perdu* est l'un des plus scientifiques, le croirait-on ?

Le monsieur qui sait s'intéresser aux serveurs et aux petits coursiers a commencé à dire la vérité, il ne l'a pas dite encore tout entière, je m'en suis aperçu (je suis déjà habitué à écouter le son des voix, un mensonge sonne d'une certaine façon, une omission aussi), je me lève pour prendre congé, rien de tel pour faire parler.

— Je vais continuer d'enquêter sur la mort de Joseph pour mon patron et sur le vol de votre carnet pour vous, Monsieur.

— Attendez une seconde, je viens de penser à quelque chose. Si Daniel a bien volé mon carnet, vous avez raison, tel que je le connais, il l'a fait pour me punir de m'intéresser trop à vous, autrement dit par jalousie. Nous voici revenus à la passion qui a causé la mort de Madame Cornard, ces deux affaires ont des points communs que je découvre en vous parlant. Après la disparition d'un sac, celle d'un carnet, après l'étranglement d'une jeune épouse, celui d'un jeune homme qui allait se marier, il y a là une ressemblance qui me frappe, nous rappeler la première affaire pourrait bien nous aider à comprendre la seconde... Monsieur Cornard a tué par jalousie, nous ne pouvons savoir encore si la cruelle déesse a joué un rôle dans la mort de Joseph, elle pourrait bien en avoir joué un dans l'affaire du carnet, vous avez sans doute vu juste, mon petit.

Je m'étais seulement rappelé les regards mauvais que Daniel m'avait jetés, je les avais attribués à une jalousie qui m'avait paru dépasser les rivalités entre employés mais n'avais pas su aller plus loin. Les paroles que je viens d'entendre m'apprennent ce qu'est la pensée, une pince qui rapproche ce qui est éloigné, deux étranglements différents de deux personnes différentes sont peut-être reliés par une jalousie similaire.

Lorsque je saurai, des mois plus tard, ce qui a causé la mort de Joseph, j'admirerai la justesse d'une pensée qui voit tout de suite ce qui diverge et ce qui ressemble, tire la vérité aussi bien des abîmes qui séparent que des ponts qui réunissent. Des policiers expérimentés et le meilleur détective privé d'une grande ville allaient enquêter avec les nombreux moyens dont ils disposaient, un amateur en chambre, seulement muni des quelques renseignements que je lui avais fournis, allait réfléchir, déduire, conclure, plus vite et plus juste que nous tous.

S'il ne put aller jusqu'à la découverte des vraies raisons de la mort de Joseph, c'est qu'il lui manqua les éléments qu'une seule personne sut se procurer afin de comprendre ce qu'elle seule comprit, je le raconterai en son temps. Comme Monsieur Proust elle était passionnée d'observation et de raisonnement, comme lui immobilisée, elle obtenait presque tout ce qu'elle voulait, à force de charme et d'intelligence, tissait ses toiles au fond d'une chambre, attrapait la vérité et la ramenait vers elle. Je vais bientôt aller consulter la concierge du bâtiment des domestiques, elle va bientôt apparaître...

— Il semble surprenant que le pauvre Joseph, si timide et banal, ait été victime d'un drame de la jalousie mais on peut être banal et provoquer des passions sans même le savoir, on n'est jamais banal pour tout le monde, la preuve, une jeune fille a remarqué le discret Joseph et s'est fiancée à lui. La connaissez-vous, mon enfant ?

— Oui, Monsieur, un peu. Elle s'occupe de la couture à l'hôtel. Un soir, j'étais dans les cuisines, le chef m'apprenait à tourner une sauce, j'ai brûlé ma manche sur le fourneau, Joséphine était là, elle a cousu une pièce sur le trou. Elle est très douce, très timide.

— Joséphine était amoureuse de Joseph... « Joseph et Joséphine », on croirait le titre d'une opérette ! On pleurait, voilà qu'on rit d'un rien, d'une simple coïncidence de prénoms, comme c'est bête, continuez, je vous en prie.

— Après, on s'est salué quand on se rencontrait, j'aurais aimé plus, elle me plaisait mais elle s'intéressait pas à moi, je le voyais bien. Elle était amoureuse de Joseph, je le savais pas, je le connaissais même pas.

— Allez la voir, si elle est encore à l'hôtel et si on vous laisse lui parler. Dites-lui que je pense à elle et n'oublie pas le cadeau que j'avais promis à son fiancé, allez voir aussi Denise. Si Daniel lui a bien demandé de voler mon carnet, elle refusera d'abord de parler, jouez sur deux tableaux à la fois, c'est presque toujours dangereux, parfois utile... D'un côté, faites-lui peur en lui rappelant que la police est dans l'hôtel, un mot de moi et on l'emmène au poste, de l'autre, rassurez-la en lui disant que je ne suis pas un méchant homme, je ne porterai pas plainte, je cherche seulement à récupérer mon carnet, je quitte l'hôtel dans quelques jours. Cette « stratégie » vous semble-t-elle bonne ?

— Je sais pas, Monsieur, je suis pas intelligent comme vous mais je vais lui parler et parler à Joséphine. Faites-moi appeler quand vous voulez me voir, je bougerai pas de l'hôtel.

— Dites que vous *ne* savez pas mais ne dites pas que vous n'êtes pas intelligent ! Il ne faut jamais dire cela, les gens nous croient toujours quand nous disons que nous sommes bêtes, et même quand nous disons que nous sommes intelligents... Dans ce cas, ils ne nous le pardonnent pas mais ils y croient ! Je ne vous retiens plus, courez de suite à vos enquêtes, mon petit.

— J'y vais *tout de suite*, Monsieur.

Je ne sais pas encore ce qu'est une « flèche du Parthe », j'essaie quand même d'en lancer une en partant... Monsieur Proust m'a fait remarquer que j'oublie toujours les négations, j'ai voulu me venger en soulignant une de ses rares fautes à lui... échec, il n'a rien entendu ! Il était trop habitué à son « de suite » amputé pour entendre le « tout » qui manque, même prononcé avec force, trop fatigué pour rien entendre. Je revois son visage, à cette heure si exagérément matinale pour lui, malheureux et livide malgré sa plaisanterie finale (détestant les fins, il parvenait presque toujours à nous laisser sur un rire ou un sourire).

Au soir de sa fameuse colère, je n'avais pas eu pitié de son chagrin en le quittant ni en le retrouvant hagard, le lendemain, cette fois-là, je fus ému, je m'en souviens – je me rappelle aussi mon affreuse joie à la pensée d'une nouvelle enquête, fût-elle sur la mort de quelqu'un...

L'AFFAIRE DU CRIME
À L'HÔTEL CONTINUE

Je parcourus l'hôtel du sous-sol aux combles, j'y rencontrai des visages tristes ou illuminés par le plaisir des drames, pas de policiers, sauf celui qui avait été posté devant la porte de la chambre de Joseph pour empêcher qu'on y entre mais qui ne savait pas grand-chose du crime. On me laissa faire mes recherches, le directeur m'avait sans doute annoncé, je pus dire ma peine à la pauvre Joséphine mais sans pouvoir l'interroger, ni même savoir si elle m'avait entendu. Elle était assise dans sa chambre, veillée par une collègue, immobile sur sa chaise, les yeux fermés, le visage privé de toute couleur, comme pris dans de la glace.

Je descendis de l'étage des domestiques et trouvai Denise à la lingerie, repassant des draps, le visage rouge du feu des braises dont elle faisait chauffer ses fers mais aussi de larmes visiblement récentes.

Pourquoi ces larmes ? Avait-elle eu de l'amitié pour Joseph ou la présence de la police dans l'hôtel lui faisait-elle craindre pour elle et son mari, s'ils avaient volé le carnet ? Je me demandais comment poser ces questions à une femme que j'avais toujours saluée en la croisant dans l'hôtel, je saluais tout le monde, mais qui ne m'avait jamais répondu, comme si j'avais été invisible à ses yeux. La seule fois où elle avait semblé m'apercevoir était le soir où elle nous avait regardés si bizarrement, Monsieur Proust et moi, dans le couloir.

— Pardon de vous déranger, Madame Denise, j'ai besoin d'aide pour un client. Il a perdu un carnet, il y a quinze jours. Je l'ai retrouvé, il l'a perdu à nouveau, avant-hier. Je me demandais si vous n'aviez pas fait le ménage du 22 ce jour-là.

— Ce client, faut pas m'en parler ! On a le droit de rien toucher au 22, rien balayer, rien faire, même pas les poussières... T'es son chouchou, retrouve son carnet tout seul, fous-moi le camp !

— Vous avez pleuré à cause de Joseph, Madame Denise ?

— De quoi qui s'mêle, çui-là ? Suffit pas qu'la police, al nous force à rester icite, comme des criminels, faut un chiard, en plus, pour nous faire endêver ! (On dirait aujourd'hui « faire chier ».) J'pleure parce que je m'suis brûlée en repassant, j'fais mon travail, moi ! Toi, t'as ren à faire ici, va t'faire foutre, comme l'Joseph... En voilà un qu'a bien profité des clients, lui aussi, mais à c't'heure y profite plus, y a une justice ! Fous l'camp ou j'te brûle ta p'tite gueule !

Me rappelant le soir où elle avait été chercher son mari pour qu'il me vît avec Monsieur Proust dans le couloir, j'avais imaginé, en parcourant l'hôtel pour la rencontrer, qu'elle avait peut-être poussé Daniel à se venger de son autre rival, Joseph ; en découvrant sa haine envers moi, j'aurais pu me dire qu'elle avait peut-être commis le meurtre elle-même, elle ne me laissa pas le temps de réfléchir. En deux secondes, elle avait contourné sa planche à repasser, marché dans ma direction, levé vers ma tête le lourd fer brûlant qu'elle tenait à la main. J'étais dans l'embrasure de la porte, un pas en arrière et un de côté nous sauvèrent d'un drame de plus, elle, moi, tout l'hôtel. J'eus le temps de voir jaillir de nouvelles larmes sur le visage rouge de la repasseuse avant de m'enfuir dans le couloir et de descendre aux cuisines, me demandant si elle m'aurait frappé, au cas où la peur m'aurait immobilisé, ou bien si elle se serait arrêtée à temps.

Mon enquête dura jusqu'en fin d'après-midi, sans encombre mais sans rien m'apprendre sur Joseph, apprécié de tous, y compris des clients, je le sus par Massimo lorsque je sortis de l'hôtel. Il venait sans doute de prendre son service et m'attendait dans la rue, devant le porche des voitures.

— Tu pourrais m'interroger s'il n'y a pas de courses à faire avant de t'escamper, *no* ? Va me poster cette lettre, on a oune cliente toute retourné par la morté du *povero* Joseph. Il avait son bateau, demain, pour l'*Ingliterra*, il est anglaise, cette lettre est pour prévenir sa famille qu'il reste à l'hôtel, la *polizia* veut encore lui faire des questions, pauvre Maïlorde Smite Sonne... Il s'appelle Smite Sonne, tu ne le connais pas, il ne sort que pour aller au château, c'est sa passione. Il ne parle pas bien française, alors je lui parle anglaise quand je le vois sortir à la matine ou rentrer le soir, il est contente de pouvoir parler avec quelqu'une. Il était joyeuse quand les Anglaises sont arrivées, elles sont parties, à présent le pauvre Joseph est parti aussi, pauvre Maïlorde Smite Sonne, tellement gentile !

— J'ai vu Lord Smithson quelquefois. Vous qui savez tout, Monsieur Massimo, vous savez sûrement pourquoi la police veut l'interroger...

— *Certo* ! elle veut l'interroger parce qu'il connaissait le *povero Giuseppe*. En arrivant à l'hôtel, il y a deux mois, Maïlorde Smite Sonne m'a dit « aïe canote slip, Massimo », ça veut dire « je ne peux pas dormir, Massimo ». Il voulait une personne près de lui pour l'aider à s'endormir, je ne pouvais pas lui proposer une femme de chambre, pas de ça dans un hôtel convenable, je lui ai dit de prendre Joseph, « oune verri goude garçonne, Maïlorde ». Ils ne pouvaient pas se causer, Joseph ne parle pas les langues comme moi, mais il allait le voir toutes les soirs après son service et, quand il sortait, le Maïlord dormait, si, si ! Je demandais à Joseph comment il faisait, je lui pinçais l'oreille, il rougissait, il me disait : « Je fais rien, Monsieur Massimo, il me fait signe de marcher dans la chambre, je marche, je marche, au bout d'un moment je le regarde, il dort déjà, je sors. » Ah, c'était une bonne garçonne, il faisait ce qu'on lui disait et il me donnait ma manche du pourboire, un gros pourboire, j'étais contente, lui aussi, et maintenant il est morte. Dans l'hôtel, je sais toutes les choses, je ne comprends pas qui a pu faire ça et *perché...* Qu'est-ce que tu fais là ? Tu devrais déjà être à la *posta* !

Je courus à la poste, où je pus trouver du papier, une plume et de l'encre pour prendre des notes sur ce qui venait de se passer, puis je me rendis à la maison Bâtard afin de les lire à mon patron. Il écouta sans rien dire, plus longtemps que d'habitude.

— Je ne vois toujours pas qui pourrait avoir étranglé Joseph, il peut s'agir d'un accident, il faudrait savoir s'il est resté seul dans sa chambre toute la nuit. Essaie de faire parler tous les domestiques, il y en aura bien un qui aura vu ou entendu quelque chose.

— Pardon, Monsieur, mais voulez-vous dire qu'il aurait pu s'étrangler tout seul ? Ce serait un accident ?

— Oui, ce genre d'accident-là arrive même quand on est tout seul, tu te rappelles l'affaire Brochardeau ?

— Oui, Monsieur, mais Monsieur Brochardeau s'était pas étranglé tout seul...

— On avait accusé sa femme d'avoir voulu le tuer, elle avait seulement voulu lui rendre un petit service, pourquoi pas ? C'est la même chose dans l'affaire Joseph Péret. Seul ou non, il a été victime d'un accident. J'aimerais bien avoir l'avis de ton Monsieur Proust, il connaissait Joseph, il connaît la vie, il est doué pour le métier, il l'a prouvé dans l'affaire du sac, va lui lire tes notes à lui aussi avant de continuer l'enquête. S'il repère quelque chose, reviens me voir pour me le dire, ce sera bon pour l'affaire d'aujourd'hui et pour ton futur, je te recommanderai à mon frère de Paris. S'il ne trouve rien, nous l'avons mal jugé, toi et moi, il retournera d'où il vient, tu resteras ici, je continuerai à te former, tu iras proposer tes services ailleurs quand tu seras vraiment prêt... Tends-moi ta joue et file.

Je sortis et me dirigeai vers l'hôtel en repensant à l'affaire Brochardeau.

Monsieur Bâtard nous avait expliqué comment une dame pouvait avoir un peu étranglé son vieux mari pour l'aider à remplir des « devoirs conjugaux », le cas du jeune Joseph Péret était donc différent, je ne sus que penser. Mon patron avait accepté l'idée de m'envoyer chez son frère de Paris, j'en fus ému, il espérait que Monsieur Proust nous vînt en aide, j'en fus heureux. Serait-il plus habile encore que le grand Bâtard en personne, je l'espérais sans certitude, réfléchir était une chose, l'habitude des enquêtes policières en était une autre.

Je fis à nouveau le tour de l'hôtel sans recueillir de nouveaux indices et remontai chez le client du 22. J'étais inquiet, voilà que mon départ pour Paris dépendait en partie de lui. Je croyais moins que mon patron à une aide de sa part mais, plus encore qu'inquiet, j'étais excité. J'aurais dû avoir honte de mon allégresse, nous sommes ainsi, nous autres enquêteurs, la promesse d'une belle déduction nous fait l'effet d'un alcool.

Je m'aperçois qu'au moment où j'en suis arrivé de cette enquête nous avions déjà, Monsieur Proust, Monsieur Bâtard et moi, les éléments nécessaires pour reconstituer les événements au cours desquels Joseph avait perdu la vie, mon éventuel et cher lecteur les a donc aussi...

Il n'a pas grand monde à soupçonner, il découvrira facilement le responsable de cette mort, le mobile lui en restera caché plus longtemps, comme il nous le fut à tous, Police et Justice comprises. Ce que je peux dire déjà, sans nuire au « suspense », est que Monsieur Bâtard avait vu juste pour la cause matérielle de l'étranglement, je suis un peu embarrassé d'avoir à l'évoquer mais les faits sont les faits.

Malgré sa jeunesse, Joseph avait eu besoin d'utiliser la technique de la pendaison interrompue (connue de presque tout le monde en 1987, j'imagine), afin de parvenir au sommet d'un plaisir nocturne. Il lui était hélas arrivé la même chose qu'au malheureux Brochardeau, la pendaison ne s'était pas arrêtée à temps. Il s'était donc agi d'un accident, ainsi que Monsieur Bâtard l'avait supposé, sans doute survenu en compagnie de quelqu'un. De tous les enquêteurs, débutants ou professionnels, Monsieur Proust fut le premier à deviner l'identité de ce quelqu'un, dès le rapport que je lui fis, on va le lire dans un instant.

Ce quelqu'un fut interrogé officiellement, donna sa version des faits, le comment devint clair mais le véritable pourquoi échappa à tous jusqu'à la fin de l'affaire, sauf à la personne dont j'ai annoncé la prochaine entrée en scène. Incapable de discerner ce pourquoi, j'avais été la consulter, le lecteur va faire la connaissance de ce personnage, je lui demande, en attendant, d'écouter avec moi ce que va dire le génial observateur que je courus rejoindre après avoir quitté mon patron, ce sera l'occasion de déduire avec lui...

LA DISPARITION DU CARNET
EST-ELLE LIÉE AU CRIME?

Devant l'hôtel, des clients descendaient d'un fiacre en lourds vêtements d'hiver, parlaient avec la joyeuse excitation d'explorateurs retour d'expédition, deux grooms se chargeaient des bagages, Massimo s'agitait, tout le monde semblait heureux, le directeur pouvait se rassurer, il avait craint qu'un crime ne nuise à son hôtel, la vie continuait comme avant. Du moins pour le moment.

Nous étions en fin de matinée, Monsieur Proust devait dormir, je ne le fis pas prévenir de mon arrivée, montai chez lui par l'escalier de service et frappai tout doucement à sa porte, espérant que, malgré les prodiges de son ouïe, il ne m'entendrait pas, s'il dormait. Il vint m'ouvrir aussitôt.

— Alors, quelles sont les nouvelles? Dites-moi tout.

Ah, ah! Joséphine pâle et glacée, aucune trace de larmes, et Denise ayant pleuré, toute rouge et comme folle, voilà qui est intéressant... Non, non, la chaleur des fers à repasser n'est pas en cause, croyez-moi, cette femme est agitée par des émotions qui l'envahissent jusqu'aux joues, elle pleure, elle perd la tête, elle va jusqu'à vous insulter et vous menacer de ce qu'elle a sous la main, vous avez bien fait de me rapporter ce détail mais elle ne vous aurait pas frappé, sachez-le, sa main serait retombée avant, j'en suis sûr.

Cela ne l'empêche pas d'être méchante, ses mots de haine contre le pauvre Joseph et vous-même en sont la preuve, comme le sont les indices relevés par des policiers sur le lieu d'un crime et comme l'écrit notre cher Edgar Poe du cœur d'un cadavre dont l'assassin croit entendre les « battements révélateurs », à travers le plancher sous lequel il a caché le corps. Ces méchancetés atroces et mensongères disent au moins la vérité sur l'accusatrice.

Cette femme haïssait Joseph, qu'elle connaissait sans doute, mais aussi vous et moi, qu'elle ne connaît pas. Sa haine ne peut provenir que de son mari, ils sont donc bien les voleurs de mon carnet mais ce vol est secondaire, réfléchissons d'abord au sentiment de cette femme envers Joseph, il nous renseignera peut-être sur le crime.

Selon Denise, le brave garçon aurait eu de sales rapports avec des clients, commençons par mon cas, nous connaissons mieux Monsieur Proust que Monsieur Smithson... Joseph était un timide respectueux des ordres de la direction, il n'aurait jamais osé venir chez moi s'il n'avait su que je bénéficiais d'un statut particulier dans l'hôtel et ne passait me voir qu'en fin d'après-midi, durant l'heure que la direction accorde aux serveurs avant l'ouverture du restaurant. À peine avions-nous eu le temps de faire une partie de dames ou de cartes et d'échanger quelques mots qu'il descendait pour manger un morceau et commencer son service à la salle à manger, si de « sales rapports » avaient été envisageables entre lui et moi, nous n'en aurions pas eu le temps, sachez-le, examinons le personnage.

Selon Massimo, il rendait visite au vieux Smithson le soir, après une longue journée de travail, j'en suis surpris, il était consciencieux par devoir, indolent de nature. Je suis égale-

ment surpris qu'il m'ait caché la chose, il était fier des pourboires qu'il recevait, il me disait « Madame Une Telle m'a
remercié de l'avoir bien servie à table, elle m'a donné ça,
Monsieur », il sortait la pièce de sa poche, me la montrait
comme un écolier montre à son père la croix d'honneur qu'il
vient de recevoir à l'école et ajoutait « avec ce que vous me
donnez, je vais pouvoir me marier bientôt, merci Monsieur »,
il aurait donc dû me parler aussi du Milord. Il ne l'a pas fait,
peut-être par délicatesse, pour me faire croire que j'étais le
seul à bénéficier de ses gentilles visites, et puis chacun a ses
secrets, soit. Examinons le cas de l'Anglais.

Je ne l'ai croisé que deux fois, nous avons échangé
quelques mots en français, Massimo exagère, il ne le parle
pas si mal. Il faut se méfier des apparences, son visage de
vieux poupon rose cachait peut-être des noirceurs, j'ai de la
peine à le croire, je l'avoue, je crois plus à la vérité d'angoisses
nocturnes qui poussent à réclamer des visites. Bien des
adultes demeurent toute leur vie l'enfant nerveux qu'ils ont
été, ils ont besoin d'une présence pour trouver le sommeil, je
vois très Joseph favoriser celui de quelqu'un d'autre par gentillesse et par intérêt, tenons pour acquise la réalité de ses
visites nocturnes au poupon rose. Mais que le vieux Smithson
ait pratiqué avec lui des choses du genre de celles qu'a évo-
quées Denise, je n'y crois pas, et pas non plus que le pauvre
garçon ait pu faire ces choses-là avec quiconque, « j'en met-
trais ma main au feu ». Denise vous a donc dit du mal de lui
par jalousie, une jalousie transmise par son mari, jaloux
maladif, quel âge a-t-elle ?

Bien jeune pour avoir une idée exacte des relations dont
elle parle, elle en connaît plutôt l'existence par Daniel. Il voit
le mal partout, il a sûrement su les visites de Joseph au
Milord, il y a forcément vu le pire, de sorte qu'il a pu provoquer, indirectement, la mort de son collègue en disant du mal

de lui, ou même volontairement, en poussant sa femme à semer les soupçons, comme on dit. On sème le doute comme une graine, en effet, il germe, grandit comme une plante, pénètre les cerveaux comme un poison, devient certitude, suscite les jalousies, la violence, c'est peut-être ce qui s'est passé pour le carnet. Daniel dit à sa femme que je suis un vilain bonhomme, elle le croit et cherche à me nuire par solidarité conjugale tout comme elle cherche à nuire, par méchanceté, à Joseph. Elle a dû le faire en disant du mal de lui dans l'hôtel avant sa mort, elle le fait après par les paroles qu'elle vous a dites, qu'elle dit évidemment à d'autres. Ont-elles provoqué cette mort par répercussion, Denise y a-t-elle joué un rôle direct ? À nous de répondre.

Monsieur Proust faisait, une fois de plus, la preuve de la justesse de ses intuitions, de sa méthode, nous en eûmes des preuves fragmentaires tout de suite, des preuves définitives beaucoup plus tard. Pour le moment, je pense à cette journée-là. Il est malheureux, il souffre en pensée, je le vois dans ses yeux, il souffre aussi dans son corps, la respiration lui manque, il cherche l'air et repousse une vision.

— Nous ne savons pas encore s'il y a un lien matériel entre l'affaire du carnet volé et celle du serveur étranglé mais nous pouvons déjà constater un point commun, un climat de méchanceté, un mal moral, la jalousie puis la calomnie et ce qui peut en découler... Nous n'avons pas encore étudié ce qui a pu provoquer le crime, ce qu'on appelle le mobile en langage policier, faisons-le. À première vue, le mot « étranglé » peut faire penser à un suicide, ne dites pas encore ce que vous savez à ce sujet si vous avez pu vous renseigner sur les affreux détails de cette mort, je veux envisager d'abord le cadre général de la situation. Joseph était fou de joie de pouvoir se marier bientôt grâce à tous ses beaux pourboires, il n'avait aucune raison apparente de s'ôter la vie. En revanche, sa façon d'obtenir des gratifications dont personne d'autre ne bénéficiait dans l'hôtel a pu causer une jalousie qui a pu, à son tour, causer sa mort, pauvre petit... Ne dites rien encore, il n'y a pas que les autres qui puissent causer notre mort, il y a nous, sans qu'il s'agisse d'un suicide, je pense, par exemple, à un certain type d'étranglement provisoire que nous pouvons pratiquer pour notre plaisir mais...

— Mais quoi, Monsieur ?

— ... mais la raison pour laquelle il arrive qu'on fasse appel à ce système ne peut concerner Joseph, il était trop jeune. Vous l'êtes également trop vous-même pour que je puisse évoquer devant vous certaines pratiques, vous n'aurez que trop tôt l'occasion de découvrir les petites horreurs de la vie et les grandes, si vous continuez votre métier d'enquêteur, laissons de côté l'étranglement provisoire et pensons quand même à l'hypothèse du suicide, on ne sait jamais. Savez-vous si la police l'a envisagée ?

Je ne réponds pas, je réfléchis.

Je me demande si Monsieur Proust n'a pas entendu parler d'une affaire semblable à celle des Brochardeau, il ne veut pas qu'on parle de ce qu'il appelle les horreurs de la vie (Monsieur Bâtard dirait les faits), je réponds.

— J'ai parlé avec l'agent qui garde la chambre de Joseph, je le connais un peu d'une autre enquête. Il m'a dit qu'on avait trouvé Joseph tout habillé sur son lit, étranglé par quelque chose comme une corde, il a vu la trace sur la peau avant qu'on emporte le corps. Mais il y avait plus rien autour du cou, c'est la preuve qu'il s'agit pas d'un suicide, le coupable a retiré la corde. La police pense qu'il l'a emportée avec lui, moi pas.

— Vous pas... Auriez-vous vu l'arme du crime dans la chambre, alors que la police ne l'a pas retrouvée, mon petit ?

— Si c'était la ceinture ou les bretelles du mort, non, puisque le mort était plus là, mais l'agent m'a laissé entrer, je l'ai peut-être vue en regardant toutes les choses qui peuvent étrangler quelqu'un, même dans une petite chambre sans presque rien dedans. Par exemple, la ficelle du linge devant la fenêtre.

— Écartons l'idée d'un criminel qui retire sa ceinture ou ses bretelles à quelqu'un pour l'étrangler avec puis les lui remet ensuite, même si ce quelqu'un dort profondément, mais cette idée confirme l'hypothèse que m'a suggérée votre récit, Joseph connaissait l'assassin. Il l'a vu entrer sans inquiétude ou dormait déjà mais attendait sa visite, il n'avait donc pas fermé sa porte à clé ou avait donné la clé à la personne attendue...

— Permettez-moi de pas être d'accord, Monsieur. (Je me rappelle très bien mon ton sec, celui de Monsieur Proust m'avait semblé railleur, j'étais vexé.) J'ai parlé de ceinture et de ficelle pour montrer que beaucoup de choses peuvent servir à étrangler quelqu'un, j'ai pas dit que Joseph a été étranglé avec ces choses-là. Pour la clé, il avait pas besoin de la donner, les portes des domestiques s'ouvrent toutes avec la même. Tout le personnel qui dort à l'hôtel a pu entrer dans sa chambre, ça fait beaucoup de suspects, plein de gens que vous connaissez pas.

— Ne vous fâchez pas, dites-moi votre hypothèse sur l'arme du crime mais pas sur le criminel, je veux vous prouver que je peux le découvrir en me servant des indices dont vous disposez, alors que je *ne* connais pas tous les membres du personnel... je vous écoute, cher Noël.

— Mon patron nous a parlé d'un cas où une chemise fine, tordue en longueur, avait servi à étrangler quelqu'un. Pas besoin de cacher l'arme du crime après, il suffit de la déplier ensuite et de la remettre sur soi, elle a servi à tuer, rien dans les mains, rien dans les poches, comme on dit.

— Ingénieux, très ingénieux... Joseph était de complexion lymphatique, il a pu s'endormir tout habillé et ne pas se réveiller quand la personne est entrée, même pas quand elle lui a passé un linge tortillé autour du cou, oui... Mais il était robuste, quand on étouffe, on se débat, je peux vous le dire, on développe la force d'un animal qui défend sa vie, on râle, c'est affreux, même un homme plus robuste que Joseph ne serait pas parvenu à l'étrangler complètement. Sauf s'il l'avait attaché avant, c'est un peu compliqué mais possible si Joseph dormait profondément, et si la personne a pu l'empêcher également de crier avec un bâillon ou avec la main... Cela fait beaucoup de « si » mais n'écartons aucune hypothèse. Y avait-il des traces de liens autour de ses poignets, de ses chevilles ? Avez-vous pensé à poser la question ?

— Oui, Monsieur. Pas de traces sur les membres ni sur la bouche, pas de traces de lutte sur le lit.

— Alors, il n'y a que deux hypothèses, une que je ne veux pas encore envisager, et celle d'un hercule. Il n'y a personne d'herculéen à l'hôtel, il faudrait en venir à la théorie de la personne venue de l'extérieur, toujours évoquée pour expliquer les crimes, mais comment cette personne aurait-elle pu entrer, monter jusqu'au dernier étage, redescendre et sortir sans être vue, vous m'avez dit qu'il y a une concierge en bas de l'escalier. À ce propos, vous deviez me parler d'elle, n'oubliez pas de le faire avant mon départ. Il reste enfin la grande question que posent tous les crimes, celle du mobile, nous ne l'avons pas encore évoquée, qui aurait eu un motif pour tuer le doux Joseph ? Je vais y réfléchir, faites de même et continuez d'interroger les gens...

La fatigue marquait le visage de mon hôte, il se laissa aller de tout son long sur le canapé, respirant fort. Je m'apprêtais à prendre congé, c'était mal connaître l'enquêteur de l'appartement 22, il se redressa soudain.

— Il faut que je sois bien fatigué pour avoir oublié cela ! On a porté le corps à la morgue pour l'autopsier, n'est-ce pas ? On a donc le moyen de trouver la trace d'un somnifère. La thèse de l'hercule de passage ne tient pas mais on peut avoir étranglé Joseph endormi par une drogue. Dans ce cas, l'assassin peut être un homme vigoureux mais aussi une faible femme, ma première hypothèse était la bonne, je le crains...

— Vous aviez pensé que l'assassin était une femme ?

— Hélas oui, mais n'essayez pas de me faire parler trop tôt, cher détective, certains éléments nous manquent encore, donneriez-vous vos conclusions avant de les avoir eus, « jeune présomptueux », comme dirait Corneille ?

— Non, Monsieur, je fais comme vous. Je ne suis pas sûr quand il me manque des informations mais je me fais quand même des idées, je peux pas m'en empêcher...

Il s'est un peu redressé, il sourit.

— De sorte que vous avez déjà une hypothèse, alors qu'on ne sait pas encore si le pauvre Joseph a été drogué ?

— Oui, Monsieur. D'abord, je crois qu'il a pas été drogué.

— Il *ne* suffit pas de croire, il faut des preuves.

— Oui, Monsieur, c'est ce que dit toujours... (Le ton du détective en chambre est devenu nerveux, mieux vaut ne pas citer Monsieur Bâtard, comme je viens de le risquer, et respecter les négations, comme il vient de me le suggérer.)... C'est ce que disait toujours mon grand-père, « croire c'est la foi, pense avec ta raison »... Au début d'une affaire, je commence par croire une chose ou une autre, après j'élimine ce que je *ne* crois pas et je pense au reste avec attention.

— Dans le cas de la mort de Joseph, les hypothèses auxquelles vous ne croyez pas vous ont-elles déjà mené à quelque chose de positif ?

— Oui, ce qui n'a pas pu se passer me fait penser à ce qui a pu se passer.

— Cette idée d'hypothèse négative est excellente, je vous en félicite, pouvez-vous me dire à quelles possibilités vous avez renoncé ?

— Une personne étrangère à l'hôtel n'a pas pu y entrer pour tuer Joseph, comme vous avez dit, Monsieur. Il ne s'est pas débattu, la chambre était pas en désordre, personne a rien entendu. (Les négations recommencent à me fuir, rattrapons-les et flattons un peu.) Comme vous l'avez dit, Monsieur, Joseph connaissait la personne.

— Si quelqu'un que nous connaissons commence à nous étrangler, nous évitons peut-être de crier, afin d'éviter un scandale, mais nous ne pouvons pas nous empêcher de nous débattre, de gémir, il a donc été drogué, peut-être, pourquoi en refuser l'hypothèse ?

— Joseph *n'*a pas été attaché, il *ne* s'est pas débattu, il *n'*a pas été endormi, la personne qui a fait le coup aurait dû acheter une drogue pour y arriver, il y a personne à l'hôtel qui aurait pu aller en acheter.

— Ah, ah, vous croyez à une personne qui appartiendrait au petit personnel, vous éliminez donc le personnel de direction et les clients de la « liste des suspects »...

— Oui, Monsieur.

— Vous oubliez que les événements et les gens sont toujours surprenants. À force de patience et de malice, le plus respectable des hommes et le plus insignifiant des grooms peuvent parvenir à se procurer un somnifère, s'ils y tiennent vraiment.

— Je sais, Monsieur, mon patron dit toujours « le vol, le crime et l'amour peuvent tout, même rendre intelligents les crétins », mais cette affaire-là n'est pas un crime crapuleux. On n'a pas endormi Joseph pour le voler ou l'étrangler, on n'a pas remué ses affaires dans sa chambre, son argent n'a pas disparu, pour une bonne raison, Monsieur, il n'y était pas, on le savait. Il disait à tout le monde que Massimo le mettait dans le coffre de l'hôtel.

— Crime passionnel, alors... C'est possible mais on ne voit pas comment il a pu être commis sans somnifère, on en revient toujours là.

— Monsieur Bâtard pense que c'est un accident, Monsieur. Ça explique pourquoi la victime n'a pas été droguée et n'a pas bougé, il m'a rappelé une affaire dont la maison s'est occupée, il y a pas longtemps, alors j'ai compris. Si vous voulez, je vous la raconte, Monsieur...

— Surtout pas, je veux comprendre par moi-même... Votre patron a compris en se référant à une autre affaire, c'est son métier, je voudrais tirer ma compréhension seulement de ce que nous savons de cette mort, des gens, des lieux, des circonstances. M'avez-vous tout dit ?

— Je crois, Monsieur.

— Alors soyons modestes, votre patron, vous et moi, attendons que la police ait examiné le corps du malheureux Joseph. S'il y a eu somnifère, nous devrons renoncer à l'hypothèse de l'accident, s'il n'y en a pas eu, j'essaierai de trouver une solution à ce mystère, se laisser étrangler sans réagir, en attendant, repensons à l'affaire du carnet volé. J'ai le sentiment qu'il ne faut pas perdre de temps pour le retrouver, il me faut donc vous donner le maximum de renseignements sur l'éventuel voleur avant que vous procédiez à l'enquête, mais encore avant cela je vous suggère ceci. C'est l'heure du déjeuner, allez aux cuisines vous restaurer tout en continuant vos enquêtes, les cuisines sont propices aux renseignements. De mon côté, je vais me faire aider par Félicie pour descendre, vêtu de frais, à la salle à manger, autre lieu propice aux informations. Je me reposerai après le déjeuner, revenez à l'heure du thé, j'aurai décommandé certaines visites entre-temps. Je mettrai ma fatigue sur le compte de ma santé, ce ne sera pas la première fois, je n'aurai pas à exagérer, les événements m'ont épuisé... À tout à l'heure, cher Noël.

Cet épuisement m'avait frappé en entrant, il me parut avoir diminué quand je sortis, quoi qu'en eût dit Monsieur Proust en me donnant congé. Il avait eu un sourire qui me rappela deux moments de nos deux conversations du jour.

Dès ma première visite de ce matin, j'avais vu son visage changer d'aspect lorsqu'il avait découvert la ressemblance entre le passé (sac disparu, assassinat de Madame Cornard) et le présent (carnet volé, mort de Joseph), la fatigue avait aussitôt cessé parce que ce qu'il préférait à tout venait de se produire dans son esprit, une analogie et un retour.

La même chose s'était produite lorsque j'avais parlé de chemise entortillée comme arme du crime, son visage s'était éclairé d'une lumière. Lorsqu'il avait dit « ma première hypothèse était la bonne » et laissé entendre qu'une femme aurait pu commettre le crime, cette lumière était revenue et ne l'avait plus quitté.

Quelle femme ? Je ne cessai d'y penser jusqu'à la tombée de la nuit.

OÙ IL SEMBLE CLAIR
QUE LE CARNET A ÉTÉ VOLÉ

Je courus partout sans trouver de nouveaux renseignements ni le temps de manger, non à cause de la tristesse d'une
mort, je l'ai dit, mais à cause de l'excitation de la recherche,
rien n'excite comme la recherche policière, nous savons cela
– par « nous », je ne veux pas dire nous autres policiers mais
nous tous, lecteurs de romans, spectateurs de films dans le
monde entier : la recherche est le mouvement même de
l'esprit, aussi bien pour trouver le moyen de ne pas mourir de
faim sur la terre que la cause d'une éclipse de soleil dans le
ciel ou le coupable d'un meurtre dans une fiction, c'est ainsi,
n'est-ce pas ?...

Je frappai au 22 à l'heure dite, on m'ouvrit, souriant, bien
habillé, requinqué, on aimait les recherches policières de ce
côté-là aussi.

— Vous êtes pâle, mon enfant, avez-vous mangé ? J'en
étais sûr ! Je vais demander à Félicie de descendre aux cuisines nous préparer un thé, ce n'est pas son rôle habituel
auprès de moi mais aujourd'hui n'est un jour habituel pour
personne dans la maison, tout le monde est « aux cent
coups »...

Mon hôte passa dans sa chambre, je l'entendis frapper à

la cloison qui la séparait de celle de sa femme à tout faire (c'est, au fond, ce que fut Félicie pour Marcel Proust, à Versailles, ancienne cuisinière de ses parents devenue son valet de chambre, sa nounou, sa coursière à Paris, etc.). Pas de réponse. Monsieur Proust revint, sortit dans le couloir, cogna à la porte, insista et parla, rien. Il revint, à la fois mécontent et riant.

— Elle savait que je me reposais après une nuit blanche et un déjeuner au restaurant, elle s'intéresse à tout ce qui se passe à l'hôtel, elle n'a pas pu résister au désir de s'éloigner un moment pour aller aux nouvelles, nous pouvons la comprendre mieux que personne, nous autres cueilleurs de renseignements, n'est-ce pas ?!

Je vais téléphoner à Hector, important comme il l'est dans la maison, il doit avoir « la tête à l'envers » mais il n'ignore pas je suis souvent plus au courant que lui de ce qui se passe, il viendra par curiosité si ce n'est par devoir.

Le maître d'hôtel en chef, important personnage de la maison, en effet (il impressionnait tout le monde, je me le rappelle saluant le client du 22 comme si le Premier ministre d'un roi rencontrait le prince héritier), répondit qu'il était trop occupé mais envoya son second. Toujours efficace et discret, André nous apporta quasi tout de suite un plateau, trouva mystérieusement une place où le poser dans le désordre de la pièce et sortit sans avoir parlé ni reçu de pourboire, mais en m'adressant son affectueux sourire de grand-père.

L'incomparable cueilleur de renseignements regarda en silence un morceau de biscotte se dissoudre dans sa tasse de thé puis se renversa en arrière comme s'il avait absorbé un festin, le petit détective but et mangea tout ce qui restait du plateau, l'enquête pouvait reprendre. L'enquêteur en chef se taisait, une question me « brûlait », j'osai la poser.

— Vous avez dit que Daniel est un jaloux, Monsieur, comment le savez-vous ?

— Parce qu'un malade chronique repère forcément chez d'autres les symptômes du mal dont il souffre lui-même, j'ai observé cet homme...

Nouveau silence. Allais-je devoir poser des questions embarrassantes ?

— Quand la police apprendra que je connaissais Joseph un peu mieux qu'un client ordinaire ne connaît un serveur ordinaire, elle m'interrogera, je n'ai rien à cacher, je répondrai, on sera correct avec moi, on n'en fera pas moins des suppositions répugnantes, un client d'hôtel qui parle amicalement à un domestique est toujours suspecté de ces choses dont Denise vous a parlé de si atroce façon. J'aurais voulu vous épargner un retour sur ce sujet, il est inévitable, voici la vérité, toute la vérité, ainsi qu'on est censé la dire dans les procès...

Retour au silence, la vérité était-elle si difficile à dire ?

— Je n'avais pas de raison de vous parler des relations étranges qui se créèrent entre Daniel et moi, dès mon arrivée à l'hôtel, cet été, à son instigation, sachez-le, elles n'en ont pas moins existé. Elles sont peut-être la cause de la disparition de mon carnet, je me dois donc de renseigner avec exactitude celui à qui j'ai demandé de le retrouver, elles pourront peut-être servir à éclairer aussi ce que la mort de Joseph a de mystérieux, je vais donc vous raconter le plus exactement possible comment naquit cette relation, se développa, prit fin.

Pour la première fois peut-être Monsieur Proust me parle en détail de ce qu'on appelle vie privée. Lorsqu'il évoquait sa mère, il étendait son cas personnel à quelque chose de plus vaste, l'amour familial, cette fois il regarde un fragment de son passé comme un présent défini.

— Après une année de souffrances et de soins médicaux, je m'étais décidé à quitter l'appartement où mes parents étaient morts, avant d'en trouver un autre, il me sembla qu'un séjour dans un hôtel que je connaissais, dans une ville où j'ai des amis, où l'on peut facilement venir me voir de Paris, me ferait du bien. Je me suis installé ici l'été, Versailles était vide, je m'y suis ennuyé, de l'ennui proviennent la plupart de nos erreurs, sachez-le…

Je ne parvenais ni à commencer ni à continuer sérieusement aucun des trop nombreux projets littéraires auxquels j'avais pensé, les années précédentes, je n'avais pas le courage d'en prévoir d'autres ni de sortir, sauf quand des amis me venaient voir, ce qui arriva peu. Je me résolus donc à chercher des distractions sur place en cultivant quelques personnes de l'hôtel, dont le pauvre Joseph, je vous ai raconté comment. Je l'avais vu au restaurant avant que Massimo m'eût recommandé de le fréquenter, manger à l'hôtel au moins une fois par jour était une distraction quotidienne facile d'accès et vécue en public, j'aime à observer, vous le savez.

Je notai bientôt que l'un des serveurs essayait de me servir « plus souvent qu'à son tour » et plus copieusement que je n'eusse voulu. J'interrogeai Joseph qui ne put me renseigner, « je sais rien de lui, Monsieur, il s'appelle Daniel Martinon, il vient d'arriver, il parle à personne ». Ne me restaient que mes yeux pour voir, je m'en servis pour observer ce serveur.

Ce Daniel s'occupait des autres clients avec application mais comme à contrecœur, je m'aperçus qu'il prenait soin de moi d'une façon différente, brusque mais empressée, presque jalouse, empêchant les autres garçons de s'approcher de moi,

prévenant tous mes désirs. D'abord irrité de trop d'attentions, moi qui en réclame sans cesse, mais sans doute flatté
d'être ainsi préféré, nul ne résiste à la flatterie même si elle
exaspère, je finis par m'intéresser au personnage. Vous le
connaissez, quelque chose dans son visage vous a-t-il frappé
en le rencontrant pour la première fois ?...

...Vous m'étonnez, pour nous autres observateurs, le
moindre détail compte. Ce qui m'intéressa, dans le visage de
cet homme, fut d'abord que la direction lui permît de conserver sa moustache. (Au début du siècle, les domestiques
devaient être rasés pour ne pas ressembler aux maîtres, rien
que savoir cela donne une idée de l'époque.) Je compris
pourquoi en l'observant, un jour où les fenêtres de la salle à
manger étaient ouvertes.

Il répugnait à parler de ses relations avec Daniel, peut-être
avaient-elles été gâchées par quelque chose, voilà qu'il est
remonté à une époque d'avant ce quelque chose, il est heureux, une certaine épaisseur de temps passé le protège du
présent.

— Venant d'un parc dédié au soleil par le Roi-Soleil et
passant à travers les fenêtres, la lumière de l'été éclaboussait
les nappes, les clients, les serveurs, l'extrême blondeur de ce
garçon m'apparut alors. Plus blonde encore que ses cheveux,
sa moustache se devinait à peine, raison sans doute pour
laquelle on ne lui avait pas demandé de la raser, exception à
la règle dont on sentait qu'il était fier comme d'une marque
de distinction lorsqu'il caressait parfois, furtivement, cette
ombre d'or imperceptible et charmante. (On dirait un pastiche, je ne fais que recopier ces quatre mots.) Il était le seul,
parmi les employés du restaurant, à se détacher des autres
grâce à cette luminosité de cheveux et de peau, comme un
saint entouré d'un nimbe dans un tableau religieux, un autre

détail est lié à celui-là, le voyez-vous ?... La couleur de ses yeux, mais oui ! Pourriez-vous la définir ?

J'avais noté cette couleur sans chercher à comprendre pourquoi elle m'avait semblé inhabituelle, j'ignorais que j'en étais incapable, indifférent, comme presque tout le monde, aux couleurs. On dit que la voiture volée était jaune, elle était orange, on met quelqu'un en prison pour moins que ça, c'est grave, on ne dit pas à sa femme que le bleu lui va merveilleusement bien, c'est grave aussi. M'enseignant mille choses sans même y songer, Monsieur Proust m'apprit à observer les couleurs, à me les rappeler, à les décrire, en somme à les voir. En sa compagnie, on ouvrait les yeux sur le visible autant que sur l'invisible.

La description de Daniel me causa un trouble que je compris mal sur le moment. Très blond moi-même, à la fois fier et embarrassé des compliments que m'attiraient encore mes cheveux clairs, ma peau rose et mes yeux bleus, j'avais ressenti une petite douleur inconnue me traverser la poitrine en entendant parler de la particularité chromatique de Daniel avec une précision, une délectation qui me troublèrent. Je m'entends encore penser, « il a remarqué la blondeur de Daniel, pas la mienne, c'est parce que je n'ai pas encore de moustache », éprouvant donc une forme de ce sentiment dont j'écrivais, en commençant ce récit, qu'il m'était demeuré étranger durant toute ma vie, la peur de ne pas être préféré, en un mot la jalousie.

Pas plus que les couleurs, je ne savais définir la passion dont je disais qu'elle avait peut-être causé le vol qui préoccupait Monsieur Proust, il me fallait pourtant répondre à sa question sur les yeux de Daniel. Je disais qu'il me détestait, j'ignorais que je le détestais aussi.

— Une drôle de couleur, Monsieur. Je sais pas pourquoi mais je l'aime pas.

— Examinons-la quand même. Daniel est de ce blond lumineux qui s'associe le plus souvent à des yeux clairs, clair veut dire bleu pour la plupart des gens, ils diraient donc qu'il a les yeux bleus, ce serait inexact. Ils sont plutôt gris mais, comme ce gris est entouré du blond de ses cils, ses sourcils, sa peau elle-même, du blond de sa moustache et de ses cheveux, ses yeux reflètent cette couleur, en tirent un éclat doré, on a l'impression qu'ils sont jaunes. Cette couleur bizarre vous a peut-être entraîné à trouver ce garçon plus inquiétant qu'il n'est, il faut se défier des impressions de ce genre si l'on veut observer les gens utilement, continuons.

Je pris donc la décision, ce jour-là, de ne plus laisser les étranges manières de ce garçon m'empêcher de le comprendre, alors même que ce qui m'intéressait en lui était justement son étrangeté, y compris du point de vue des couleurs. J'aime beaucoup la notion de point de vue, il me semble que je l'ai découverte enfant, en apprenant la langue latine, qui possède, figurez-vous, un « complément de point de vue », le « supin ». *Admirabile visu* veut dire admirable à voir, admirable du point de vue de la vue, pour ainsi dire, le supin nous signale que tout est point de vue, même ce qui ne se voit pas, un musicien pourrait dire *admirabile auditu*, admirable du point de vue de l'ouïe, la notion est particulièrement intéressante pour nous, n'est-ce pas ?

Mon maître à penser m'avait appris à voir les couleurs, plus encore à toujours chercher un meilleur angle de vue pour chaque chose, à reconsidérer la vie tout entière d'un autre point de vue, s'il le fallait, à changer de choix, à ne rien considérer comme fixe. C'est ainsi que, dès l'année suivante, comprenant que le latin me serait utile pour préparer les examens nécessaires à ma carrière, je me lançai dans l'étude d'une langue réservée, à première vue, à des gens plus jeunes, originaires de familles moins modestes, surtout. Sans le supin de Monsieur Proust, je n'aurais peut-être pas osé changer de point de vue sur moi-même, ni sur personne, ni sur rien.

Le mot figure pour la première fois dans mes notes en date de cette journée, j'y lis aussi « il ne veut pas tout dire sur Daniel, je ne comprends pas pourquoi », comme à peu près tout le monde, je ne prononce pas les négations en parlant mais les indique en écrivant.

— J'aurais pu attribuer l'excessif empressement de l'étrange Daniel à un maladroit désir de plaire, je voulus désormais y voir les symptômes d'un caractère malheureux dû à une nature nerveuse. Comment ne pardonnerais-je pas les effets d'une nature de ce genre, moi qui suis affligé de la même ? me disais-je. Je finis donc par céder à des amabilités exagérées auxquelles j'aurais dû mettre fin tout de suite. Associées à la curieuse brusquerie des manières de cet homme, elles me semblèrent la preuve d'une sincérité, je fus exagérément aimable à mon tour, oubliant que l'extrême amabilité, comme l'excès de compliments, est dangereuse, le complimenteur et le complimenté ne savent bientôt plus où est la vérité...

Descendu dans la salle à manger afin d'observer la vérité des êtres, j'aurais dû mieux observer certains regards, certains frôlements, certaines paroles, et m'en méfier. Je n'ignorais pas les propositions directes ou indirectes que font, en particulier dans des hôtels, des hommes d'une classe peu fortunée à des hommes d'une classe plus fortunée afin d'en tirer des avantages financiers grâce à certaines complaisances, je préférai lire dans ces yeux toujours inquiets, ces gestes esquissés, ces demi-mots une preuve de plus de la souffrance que j'avais tout de suite supposée en cet homme. Il est malheureux, me disais-je, je le vois bien à son joli visage encore juvénile mais soucieux, à l'arc amer de ses lèvres sous la transparente moustache blonde. Il essaie simplement, à force d'attentions, d'attirer la sympathie d'un réconfort, j'en cherche un aussi, n'est-il pas de mon devoir de donner à un autre ce que j'attends moi-même en vain, de la consolation après un grand chagrin, un espoir de bonheur ?

Il me semble que ce fut cette fois-là qu'il prononça une phrase qui manque à mes notes : « Car nous pouvons donner ce dont nous-mêmes sommes dépourvus, cher Noël, c'est l'un des beaux mystères de la vie... » Il me semble revoir briller ses yeux noirs comme des soleils, lorsqu'il évoquait sa rencontre avec Daniel, il me semble que je fus certain, alors, qu'il avait éprouvé un sentiment fort pour cet homme – j'avais déjà oublié une phrase entendue récemment, « ce que nous avons cru à première vue se révèle presque toujours faux, c'est souvent le contraire qui est vrai », des événements surprenants allaient bientôt me la rappeler...
— Le serveur d'un restaurant tant soit peu chic, cet hôtel tout entier a la prétention de l'être, ne doit adresser la parole à un client que pour lui demander ce qu'il désire ou s'il est satisfait, vous ne l'ignorez pas, Daniel s'affranchit peu à peu de la règle, je n'aurais pas dû le laisser faire, le malheur que je croyais lire sur son visage m'empêcha de parler, il le fit à ma place. Il trouva d'abord le moyen de murmurer à voix basse, afin de n'être pas entendu des tables voisines, des réponses furtives, chargées de bizarre mélancolie, aux « je vous remercie » que je lui adressais à la fin des repas. « Monsieur ne peut pas savoir comme il me fait du plaisir, je n'en ai pas souvent. – On ne vous remercie donc jamais de vos services ? – Si, Monsieur, mais les gens sont méchants, Mon-

sieur le sait bien. – Quelles gens ? – Tout le monde, Monsieur, tout le monde. »

Je commençai ainsi à découvrir chez cet être une pente qu'il vous faut connaître pour mieux comprendre la suite de ma narration et le vol éventuel de mon carnet. Selon Daniel, le monde entier était plein de gens acharnés à mal juger autrui, à en dire du mal, donc dire du mal de lui, j'imagine. « Ils parlent sans savoir, Monsieur », sans savoir quoi, il ne s'en expliquait pas, je n'osais lui demander de le faire, craignant les réponses infinies et incohérentes que font ceux qui sont atteints du mal dont il me semblait atteint, la fameuse maladie de la persécution dont on parle de plus en plus, maladie mentale non moins réelle qu'une maladie physique et que je redoute tout particulièrement parce que j'en suis atteint moi aussi, hélas...

Mais si, mais si, ma colère de l'autre soir en était un symptôme, vous avez compris que j'étais jaloux de vos compliments à votre patron, allez plus loin pour comprendre la maladie de la persécution, sachez que ces compliments me sont apparus comme autant de critiques indirectes à mon égard. Dans ces moments-là, tout, parole, silence, geste, tout devient cause d'inquiétude et de soupçon, de sorte que ce malade peut dire, comme le personnage d'une pièce de Racine, « tout m'afflige et me nuit et conspire à me nuire », ce malade a peur de tout et surtout de lui-même, sans doute.

Je ne compris pas cette peur de soi mais je fus amené à y repenser au cours des années suivantes, en regardant les autres et moi sous cet angle nouveau, en ouvrant les yeux, grâce à Monsieur Proust, sur ce que l'on commençait d'appeler l'inconscient.

— Il me semblait un peu fou mais malin, comme beaucoup de ces personnes un peu dérangées qui parviennent à rassurer, par quelques paroles raisonnables prononcées au dernier moment, ceux qui ont décidé de les faire enfermer comme fous à force de les entendre parler des poisons qu'on verserait dans leurs boissons et des orages que le ciel déchaîne tout spécialement sur leurs têtes : « Ainsi, selon vous, tout le monde serait "méchant", Daniel ? – Oh, non, Monsieur, pas vous ! À l'hôtel, le directeur est gentil mais il y a quand même des gens méchants partout, pas vrai, Monsieur ? – Vous voyez tout "en noir", Daniel, comment est-ce possible, vous si jeune ? – Monsieur est gentil de me faire un compliment, je ne suis plus si jeune, j'ai près de trente ans, Monsieur a du cœur, Monsieur n'est pas comme tout le monde... »

Tout le monde est méchant mais il y a des gens « pas comme tout le monde », tel était son credo, nous connaissons ce paradoxe, n'est-ce pas ? Chacun de nous croit n'être « pas comme tout le monde », bien sûr, et c'est parfois vrai, parfois triste, également, lorsque nous découvrons, dès le début de la vie, que nous n'avons pas la bonne santé de tous, par exemple. Combien de fois aurons-nous entendu ces formules, « cet enfant n'est pas comme les autres », « toi, tu n'es pas comme tout le monde », dans le temps même où ce que nous désirons le plus est d'être semblables à nos petits camarades, auxquels nous nous sentons inférieurs à tant d'égards, dont nous aimerions tant nous rapprocher, qui rient de nos efforts, pour la plupart... Alors nous cultivons, faute de mieux, nos différences, et l'impression d'être différents finit par nous donner celle d'être supérieurs, quel danger ! Un jour, nous serons devenus, oui, différents, et nous serons seuls, trop seuls, en compagnie de nos illusions de supériorité.

Il y avait de cela dans le drame secret de Daniel, il se sentait toujours incompris et menacé parce qu'il se croyait « au-dessus de sa condition », en tout cas supérieur à ses collègues. Il y eut peut-être de cela aussi de mon côté, je finis par me croire très au-dessus du « panier » que constituaient les clients de l'hôtel, ce serveur me le répétait sans cesse, ses flatteries me firent accepter des propositions, propositions bien étranges, vous l'allez voir.

Craignant sans doute que son chef, autrement dit Hector, si à cheval sur les principes, ne lui reprochât une trop grande familiarité avec un client, Daniel me fit une demande extra ordinaire, me rencontrer à l'extérieur de l'hôtel ! J'aurais pu mentir en prétendant que ma santé m'interdisait de sortir, en réalité je sortais un peu, l'été sec faisait du bien à mes bronches, j'aurais dû dire à ce garçon qu'un client n'a pas à être vu en compagnie d'un serveur, mon « oui » sortit de ma bouche malgré moi... Je ne vous dis pas l'extase subite sur ce triste visage, si touchante que je ne pouvais plus revenir en arrière, je vis le moment où on allait m'embrasser en public, il ne me restait plus qu'à tout accepter. On demandait à me rencontrer, le jour même, au *Café du Centre*, « un peu loin de l'hôtel, nous serons plus tranquilles, telle rue, tel numéro, j'ai ma pause de cinq à six, ce serait gentil, Monsieur », je dis oui de nouveau et remontai dans ma chambre, pouvez-vous croire une chose pareille, cher Noël ?

En m'installant à l'hôtel, j'avais pris l'habitude de me lever plus tôt, afin de pouvoir déjeuner au restaurant, et de faire une sieste après manger. Ce jour-là, je voulus téléphoner dès mon retour dans ma chambre, demander qu'on prévienne Daniel que je ne me sentais pas bien, mais j'eus peur de lui causer de la peine et d'être lâche, je me couchai sans me décommander, ni dormir non plus... À quatre heures, j'étais debout, à la demie, dans la rue, à l'heure dite, au café, chose incroyable, je n'arrive JAMAIS à l'heure !

Il était effectivement difficile, en ce temps-là, de croire qu'un monsieur eût accepté un rendez-vous de ce genre avec un domestique mais nous étions habitués aux caprices des clients, je l'ai dit, ma surprise fut plutôt l'audace de Daniel.

Je l'avais toujours trouvé bizarre et inquiétant, j'avais soupçonné quelque chose entre lui et ce monsieur-là, le récit de leur relation me parut plutôt rassurant. Le serveur avait désiré se faire valoir, exercer un pouvoir sur un client, gagner de l'argent, peut-être, rien de plus. Le client aimait observer et parler, j'étais bien placé pour le savoir, je comprenais qu'il fût allé retrouver le serveur dans un café, ce que je ne comprenais pas était l'âge adulte et ses passions.

On aurait pu me dire que je commençais à les éprouver, puisque je désirais passionnément rencontrer le même client, moi aussi ; j'aurais sans doute répondu que je voulais le voir pour écouter la personne la plus intéressante que j'eusse connue, j'aurais pu dire qu'elle était passionnante, je n'aurais pas nommé passion mon sentiment pour elle. Sentiment « extra ordinaire », oui, excessif peut-être, suspect, non.

Ce qui aurait dû sembler également suspect à tout l'hôtel fut le lien qui s'était établi entre l'occupant du 22 et moi. On le respectait, on savait que j'étais un brave garçon, Hector ferma les yeux, tout le monde sembla l'imiter. Que se serait-il passé si l'on avait surpris Daniel, personnage autrement plus intrigant que moi, en conversation avec un client dans un café de la ville, je l'ignore. J'ai dit plus haut que Monsieur Bâtard en avait été informé sans y prêter grande attention, en tout cas il ne fut pas question de Daniel quand Monsieur Proust fut interrogé sur ses relations avec le personnel, lors de l'enquête sur la mort de Joseph. Au théâtre, on « pince » toujours sur le fait les protagonistes d'un rendez-vous inhabituel mais, dans la vie, je l'ai souvent constaté, on dirait qu'un dieu malin étend volontiers sur eux un voile protecteur, c'est étrange mais ainsi...

Le serveur que je découvrais en écoutant le récit de Monsieur Proust était surprenant mais moins inquiétant que celui que je connaissais, plus surprenant était le narrateur ; pas rasé, les yeux cernés, le visage fatigué mais rosi, se cherchant des excuses, se reprochant sa bonté, embarrassé mais, au fond, nostalgique d'une sorte d'aventure. Je ne connaissais pas encore les passions des adultes, j'en notais déjà les mystérieux effets avec surprise (une surprise qui dure toujours).

L'AFFAIRE DU CARNET VOLÉ CONTINUE

— Nous nous rencontrâmes donc dans ce café une première fois, puis deux ou trois autres, pas plus. Café assez grand pour qu'on y passe inaperçu, selon le souhait de Daniel, où nous parlions un moment en buvant une bière. C'était toujours le même thème, il se sentait malheureux, semblait chaque fois sur le point de dire enfin ce qui le torturait, y faisait des allusions obscures mais se levait bientôt, disant, au bord des larmes, « c'est mon heure, il faut que j'y aille », et me demandant toujours de sortir un peu plus tard que lui, « il ne faut pas qu'on nous voye ensemble dans la rue, Monsieur ». Mais il tenait à « régler les consommations », attirant ainsi sur nous, à force de réclamer l'addition, l'attention qu'il redoutait.

À ces moments-là, il me devenait sympathique, une invitation tellement inusitée me touchait comme une marque d'affection sincère, même si elle était faite avant tout pour annuler les soupçons que le serveur du café aurait eus, dans l'esprit torturé de Daniel, si c'eût été le bourgeois qui avait « payé un coup » à un homme du peuple. Peut-être le serveur voyait-il d'un mauvais œil, en effet, le duo que nous formions, puisque nos usages excluent, hélas, la possibilité d'un lien amical entre deux hommes séparés par leurs conditions sociales, sauf que le désir de les dissimuler en signalait d'autant plus l'existence... Le serveur endimanché pouvait bien régler les consommations à ma place, le garçon penserait, de toute façon, que le riche monsieur mûr s'empresserait d'en rendre le montant au jeune homme pauvre, à peine sorti du café, Daniel était trop heureux du stratagème pour en voir la naïveté : fier d'appeler le garçon et de régler la note en ma présence, il sortait une pièce d'un porte-monnaie lourd des pourboires que je lui avais donnés au restaurant !

Je ne dis pas cela pour apparaître meilleur que je ne suis mais je connais l'hôtel, les clients sont presque tous des touristes, ils gardent leur monnaie pour payer l'entrée au musée du château et leurs menus achats en ville, ils ne restent jamais assez longtemps pour gâter un peu le personnel, je me suis donc arrangé pour améliorer les ressources de mon serveur attitré en lui glissant, à la fin de mes repas, non plus une pièce mais plusieurs, parfois un billet, espérant lui venir en aide et lui faire plaisir, espérance absurde puisque ce qui lui faisait plaisir était de me faire des cadeaux, non d'en recevoir de moi ! Sauf que, sans mes pourboires, il aurait sans doute hésité à m'inviter au café, lui qui avait, sans le dire, charge de famille, étrange homme, vraiment.

Je mis fin à ces colloques répétitifs, ennuyeux et embarrassants, car j'avais peur, moi aussi, peur d'être surpris par quelqu'un de l'hôtel ou l'une de mes relations versaillaises, je l'avoue. Je ne suis plus descendu au restaurant, je me suis fait servir des collations dans ma chambre et n'ai plus revu Daniel que deux fois, en votre présence. Voilà, vous savez tout.

Le narrateur avait pris plaisir à son récit, il avait oublié sa fatigue, j'avais moi-même oublié son vieux manteau, voilà que le prince des *Mille et Une Nuits* redevient un vagabond égaré dans une belle chambre Louis XV en désordre, et que je suis loin de « tout » savoir, loin de là.

J'avais pensé que Daniel avait volé le carnet pour punir le riche client d'avoir mis fin à leur relation principalement à cause de moi. Si j'en crois le récit qui vient de m'être fait, cette relation s'est arrêtée bien avant. Jusqu'alors, je n'ai pas voulu m'interroger sur elle, à présent il le faut, j'en sais trop et trop peu. Impossible de poser des questions sur des scènes qui n'ont pas été racontées, réfléchissons à celles que nous connaissons. Les scènes du restaurant de l'hôtel et du *Café du Centre* ont un point commun, les mystérieux propos de Daniel ; ces propos peuvent prouver que le serveur est bien le voleur, à cause de ses sentiments passionnés, ou prouver le contraire, à cause de la sincérité apparente de cette passion, essayons d'en savoir plus sur l'homme aux yeux jaunes (si je désirais en savoir plus également par curiosité, je ne crois pas en avoir été conscient).

— Pardonnez-moi, Monsieur, mais vous dites que Daniel a peur de tout le monde, que c'est une espèce de maladie, je comprends. Vous dites qu'il faisait des « allusions obscures », elles expliquent peut-être le vol de votre carnet, pouvez-vous me les dire ?

— Elles sont gênantes à rapporter, vous en saurez plus sur le vol en reparlant à Denise, elle explosera de nouveau et laissera échapper des indices.

Il me faut procéder autrement, « piquez les gens aux points sensibles », dit Monsieur Bâtard, Monsieur Proust en a plusieurs...

— Je me sens coupable, Monsieur, c'est parce que vous m'avez invité à dîner pour me remercier d'avoir retrouvé votre carnet qu'il a été volé, pas parce que vous n'avez pas revu Daniel après l'été. Mais tout ça est loin, vous avez oublié, je vais vous quitter, Monsieur. À demain.

— Oublié ! Comme si je pouvais oublier quoi que ce soit, moins encore des phrases pathétiques, je les entends encore… « Les messieurs comme vous, on ne les accuse pas de faire certaines choses, les domestiques comme moi, si… Pourtant, j'ai le droit de faire ce que je veux, n'est-ce pas, Monsieur ? – Cela dépend de ce que vous voulez faire, Daniel. – Oh, je sais bien que ce que je veux n'est pas bien, mais je n'y peux rien, Monsieur, je suis comme je suis. »

Je voulus d'abord croire que ces souffrances dataient d'autrefois, puisqu'on était plutôt gentil avec lui à l'hôtel, il l'avait dit lui-même, je crus comprendre ensuite qu'elles étaient actuelles. J'en fus embarrassé sur le moment comme je le suis d'avoir à vous les expliquer à présent, car j'en vins à penser que ces « choses », dont on n'accuse pas les « messieurs » mais dont on accuse les « domestiques », étaient du genre de celles dont Denise vient de nous accuser, vous, Joseph, Milord Smithson, moi-même…

J'en vins à croire que cet homme n'essayait pas de faire un aveu douloureux, si douloureux qu'il avait parfois les larmes aux yeux, je vous l'ai dit, mais de m'attendrir sur son sort afin d'obtenir de moi des avantages grâce à ces fameuses « choses », auxquelles j'avais pensé au début. J'en vins à me demander s'il ne faisait pas allusion à d'obscurs désirs qui l'auraient tourmenté seulement pour voir si j'en éprouvais moi-même de semblables envers lui, espérant que je finirais par lui faire des propositions qui lui auraient permis de gagner de l'argent en les acceptant ou en me faisant chanter en les refusant.

Je suis sensible aux larmes, il s'en était obligatoirement aperçu, je finis par conclure que les siennes n'étaient sans doute qu'un moyen de mieux me « ferrer », ce fut la raison majeure de mon éloignement, je me demande aujourd'hui si je n'ai pas eu tort, si Daniel n'avait pas de réelles raisons de souffrance, s'il n'est pas innocent du vol du carnet, si le venin n'est pas du côté de sa femme, c'est peut-être elle qui a « manigancé » le vol du carnet toute seule, qui sait ?

Je me dis aussi que j'étais empoisonné par les venins de la société, par ce que l'on raconte de ces messieurs qui se laissent embobiner par d'autres, dans les hôtels tout particulièrement, je me dis que Daniel n'a pas pu jouer l'angoisse à ce point-là, qu'il est trop torturé par ses passions, affolé par ses peurs, pour se lancer dans une carrière de jeune homme entretenu et de maître chanteur, même de voleur. Si je me trompe, alors je suis encore plus naïf que je le crois et lui-même est un machiavel...

... Machiavel est un italien d'autrefois très malin, plus malin encore que le Signor Minimo, Italien d'aujourd'hui dont vous venez de me dire qu'il tirait profit des relations qu'il avait organisées entre le placide Joseph et le charmant Milord. Mais voilà que je fais ce que je reproche à autrui, je généralise, rien n'est pire. J'aime l'Italie, sachez-le, j'aime les Italiens que je connais, Massimo n'est qu'un portier comme les autres, dans tous les pays ; c'est la pauvreté qui l'a forcé à l'exil et le pousse à voler, non son origine ; reprocher leur origine aux gens est une horreur, une cause de haines et de guerres sans fin, je hais la haine plus encore que la bêtise, ne faites jamais ce que je viens de faire, mon enfant, vous finiriez... antisémite, par exemple, mal absurde et terrible. Avez-vous entendu parler de l'Affaire, l'affaire Dreyfus ?

— Oui, Monsieur, un peu. Ma mère est pour Dreyfus, son ami est contre, je comprends pas pourquoi. Le meilleur ami de mon grand-père est juif, il lui vendait du cuir pour faire des chaussures, je vais toujours le voir quand je monte à Montmartre. Ma mère dit que sans Monsieur Lévisky, elle serait morte de faim avec ses parents pendant la guerre et la Commune.

Je me rappelle la phrase sur l'antisémitisme, ce fut l'une des rares allusions que fit Monsieur Proust à ce drame, durant toutes les années de nos relations. J'ai noté « je hais la haine », parce que la formule me frappa, même si ce sentiment m'était encore aussi difficile à comprendre que l'affaire Dreyfus. J'avais été préservé de la haine par ma mère et son père, mon métier m'apprendrait à en voir les effets, à tenter de les combattre, jamais à en comprendre les causes, ni à les prévenir, hélas. Mais ceci est une autre histoire, comme on dit à la fin d'un conte, je dirai seulement que j'étais encore incapable de comprendre la haine, à l'époque de mon séjour à Versailles, mais aussi son contraire, la compassion.

J'avais découvert avec surprise les rivalités entre coursiers dans la rue, entre les employés dans la maison Bâtard, sans les partager. À l'hôtel, j'avais entendu parler d'histoires d'argent et de jalousie entre domestiques, parfois même entre clients, j'avais soupçonné quelque chose de semblable chez Daniel dès le premier dîner, rien ne m'avait préparé à comprendre ce que me racontait Monsieur Proust à son sujet. Je ne connaissais que les petites souffrances du corps et la douleur de perdre un proche, j'étais loin de pouvoir mesurer la profondeur des peines de Daniel, plus loin encore de pouvoir en pressentir la nature. J'en devinai du moins la présence et le danger en me rappelant le visage inquiet, les gestes brusques, le regard menaçant, le sombre rayonnement dont était entouré cet homme si lumineux. Je décidai de continuer à me méfier de lui, la compassion me vint plus tard, au cours d'une scène qui eut lieu juste avant le départ de Monsieur Proust pour Paris et le mien, la fin de ce livre, donc.

— Ai-je eu tort de refuser d'autres rencontres avec ce malheureux, au *Café du Centre* ou ailleurs, je ne sais, j'eus sûrement tort de ne plus retourner au restaurant de l'hôtel, j'aurais continué à me distraire en observant, à manger convenablement et à manifester de la sympathie à un homme peut-être pervers... (Encore un mot, une notion dont je ne comprenais pas le sens.) Mais réellement malheureux, je le crois. Eût-il moins pâti de ses souffrances, j'en doute, il fait partie de ces gens qui préfèrent dépenser leurs forces à supporter un mal ancien plutôt que de les consacrer à conquérir une santé nouvelle, je les connais, je fais partie d'eux. Il n'aurait peut-être pas moins souffert, il aurait peut-être volé mon carnet quand même, du moins me sentirais-je innocent de sa douleur actuelle.

Nous croyons toujours que les gens qui nous servent nous flattent et nous mentent afin de tirer profit de notre argent, nous ne pensons qu'à nous, quel manque de cœur et d'intelligence ! Ils peuvent éprouver des sentiments désintéressés, des sentiments qui n'ont rien à voir avec ces différences de fortune qui font d'eux des inférieurs, de nous des supérieurs, quelle bêtise, et qui nous séparent d'eux, alors même que des choses plus essentielles pourraient nous réunir...

Mais vous comprendrez ces choses plus tard, à présent il vous faut revoir cette Denise au plus vite, ce que je viens de dire de son mari m'en persuade. Quelle que soit la nature exacte de ses sentiments, ils sont violents, mon carnet a disparu, lui seul peut l'avoir pris, ou fait prendre par sa femme. Oubliez la haine qu'elle vous a jetée au visage, à défaut de fer à repasser, faites-lui comprendre que mon carnet retrouvé lui éviterait l'enquête officielle que je serai obligé de réclamer si elle refuse de le rendre, enquête qui tomberait mal pour le couple dans un moment où la police en a commencé une autre à l'hôtel sur un sujet autrement plus grave. Sa colère est sûrement retombée, un coup de sang ne dure pas chez les sanguins, trouvez la rougeoyante Denise au plus vite. Dites-lui qu'un carnet à moi doit être à la lingerie, dans des draps qui viennent de ma chambre, par exemple, que je donnerais volontiers une certaine somme à la personne qui le retrouve-rait et le remettrait à Massimo, afin qu'il me le rende avant mon départ. Mais précisez bien que je ne quitterai pas l'hôtel sans avoir recouvré mon bien, m'obliger à y rester plus long-temps et à y faire revenir la police serait ennuyeux pour tout le monde, espérons que cette femme le comprendra.

Je m'apprêtai à sortir, Monsieur Proust m'arrêta de nou-veau.

— Je viens d'utiliser, à propos d'elle, un qualificatif qui me rappelle une hypothèse que je faisais, ce matin, en vous entendant raconter le début de votre enquête, avez-vous uti-lisé les mêmes mots, en rapportant les mêmes faits à votre patron ?... Alors, demandez-lui si deux mots ne l'ont pas frappé, deux adjectifs qui qualifient des couleurs et pour-raient servir à révéler l'identité du meurtrier de Joseph, je serais ravi qu'un détective professionnel partageât l'opinion du détective amateur que je suis... (De son côté, Monsieur Bâtard croit Monsieur Proust capable de tout deviner, « les grands esprits se rencontrent ».) Mais voilà que je parle avec excitation de la résolution d'une énigme policière alors que nous sommes face à une mort affreuse, j'ai honte, mort qui pourrait être suivie d'une autre, si l'arrestation du coupable entraîne sa condamnation à la peine capitale. Les proches de la victime sont en proie au chagrin, les proches du coupable vont apprendre avec horreur qu'un être cher a commis un crime, le coupable lui-même est déjà en proie au remords et à la peur du châtiment, peut-être, pensons également à lui.

— Au châtiment ?

— Au coupable, mon enfant, au coupable, les coupables souffrent aussi, et de douleurs peut-être pires, parce qu'elles sont coupables, précisément... Maintenant, allez rejoindre votre maman.

J'ai dit que la compassion me viendrait plus tard, les paroles de Monsieur Proust, à la mort de Joseph, y contribuèrent. Un texte de Marcel Proust, publié quelques jours après son départ de Versailles, aurait pu accélérer la révélation si j'avais été en mesure de le comprendre. Je ne l'étais pas et ne lus ce texte qu'en 1919, des coïncidences me frappèrent avec des événements de 1906.

À peine plus d'un mois après son départ de Versailles, Marcel Proust publia, le 1ᵉʳ février 1907 dans *Le Figaro*, un article à propos d'un acte qui avait suscité l'horreur et la stupéfaction du public, un matricide.

On lui avait demandé cet article parce qu'il avait rencontré l'auteur de ce crime une ou deux fois, quelque temps auparavant. Sa compassion, non seulement pour la victime mais aussi pour le criminel, nous semble naturelle aujourd'hui, ce ne fut pas le sentiment de tous à l'époque. Celui que j'allai voir à Paris, quelques semaines après son article, ne m'en parla pas, la mort de Joseph ne pouvait être comparée à celle d'une mère assassinée par son fils et je n'aurais pas compris ce qu'il avait écrit, il le savait, je ne connaissais même pas les auteurs auxquels il se référait.

Il me fallut attendre douze ans pour être bouleversé par « Sentiments filiaux d'un parricide », publié dans *Pastiches et Mélanges* que Gallimard venait d'éditer. J'avais lu Balzac et Saint-Simon, je pus les lire dans une version proustienne et en rire, impossible de rire d'un pastiche sans connaître l'auteur pastiché. J'avais lu Sophocle et Dostoïevski, je pus comprendre la signification de « Sentiments filiaux d'un parricide » et m'en émouvoir au point que, au lieu d'attendre d'être appelé par l'auteur pour lui rendre visite, je lui écrivis pour lui demander de me recevoir. Je voulais lui dire mon admiration pour ce texte, lui dire que j'étais devenu, en grande partie grâce à lui, sensible au malheur des coupables. Le parricide relaté dans son article, commis par Henri Van Blarenberghe, m'avait rappelé le meurtre qui nous avait bouleversés jadis, à l'hôtel des Réservoirs, il ne m'écouta pas.

Il venait de publier À *l'ombre des jeunes filles en fleurs*, deuxième partie seulement d'À *la recherche du temps perdu*, cinq étaient encore à rédiger, il ne voulut pas revenir sur le passé et m'interrogea sur une petite recherche à moi qui l'avait intrigué. Je ne sus donc rien d'autre de l'affaire Blarenberghe que ce qu'il avait écrit, en une nuit, au début de 1907.

Un jeune homme sensible et raffiné, qu'il avait rencontré quelquefois en compagnie de leurs parents à tous deux, avait perdu, comme lui, son père d'abord, sa mère ensuite, mais au cours d'un drame qui n'était plus celui de la santé, il était celui d'une tragédie grecque.

Le malheureux avait assassiné sa mère à coups de poignard avant de se poignarder lui-même puis de se tirer un coup de pistolet dans le visage, perdant un œil avant de perdre la vie. Rien n'expliquait ce geste, Marcel Proust ne chercha pas à le faire, il voulut seulement ouvrir ses lecteurs au sentiment qui avait été le sien, face à un tel acte, la compassion.

OÙ L'ON SUGGÈRE AU LECTEUR
DE RÉFLÉCHIR AVEC MONSIEUR PROUST

Le lecteur en sait autant, à présent, que Messieurs Proust et Bâtard, il connaît mon récit, s'il relit la courte page où je relate la visite que je fis, le matin de la mort de Joseph, aux habitants de l'hôtel, il repérera sans peine deux adjectifs évoquant des couleurs qui avaient alerté Monsieur Proust. Il connaît tous les acteurs du drame, je ne l'ai conduit sur aucune fausse piste, il peut découvrir le coupable...

Dans les romans de la grande Agatha Christie, le maître d'hôtel est le premier qu'on soupçonne, avec le fameux « rôdeur de passage » (« bohémien » en général), c'est également le premier qu'on écarte, mon sagace lecteur écartera donc André. Il écartera également le cuisinier et le directeur, trop peu décrits, ainsi que Monsieur Bâtard, personne extérieure à l'hôtel et dépourvue de mobile, ainsi que Monsieur Proust (lié à la victime mais innocent de sa mort), ainsi que moi (bien qu'un auteur soit coupable de ce qu'il écrit).

Ne resteront que Daniel et sa femme, celle de Joseph, Massimo et son « Maïlorde Smite Sonne ». J'aurais pu ajouter des comparses de fantaisie, ou inspirés de vrais coupables que j'ai connus au cours de ma vie professionnelle, afin de multiplier les pistes et d'augmenter la difficulté, je préfère m'en tenir à la vérité telle que je me la rappelle. Mes prétendus souvenirs ne prouvent pas l'historicité des faits, évidemment. Si quelqu'un faisait des recherches sur un crime qui aurait eu lieu à Versailles, à hôtel des Réservoirs durant les derniers jours de l'année 1906, et ne trouvait rien dans les archives, si des lettres de Marcel Proust ou des témoignages de contemporains évoquant cette affaire n'étaient pas retrouvés (il n'en existe pas pour le moment), mon récit ne serait pas confirmé, on devrait me croire sur parole.

Qu'on me croie ou pas, l'énigme est là, si mon livre est publié, si un lecteur découvre l'assassin avant la fin et veut me le faire savoir, je m'en réjouirai, malgré la tristesse du drame auquel mon Monsieur Proust et moi-même fûmes mêlés, mais il faut faire vite, j'ai dit mon âge dès les premières lignes, le temps à venir m'est compté. Mon plaisir à conter le passé n'en est que plus vif, il ne sera complet que s'il est partagé. Le lecteur a vite compris que ce petit livre est un roman d'admiration déguisé en roman policier mais il aime, comme Marcel Proust, comme tout le monde, résoudre les énigmes, petites et grandes, voyons s'il découvrira le meurtrier de Joseph avant la police...

Je fis ce que m'avait suggéré mon mentor, « allez rejoindre votre maman », une fois de plus il eut raison, ma mère était seule, nous passâmes ensemble une soirée de bonheur tranquille que son ami ne gâcha pas, lorsqu'il revint d'un « dîner d'affaires ». Je n'avais jamais su de quelles affaires s'occupait cet oisif, petit rentier mais rentier (il y en avait encore à l'époque), je le sus ce soir-là.

— Alors, Noël, bonnes affaires, en ce moment ? Le patron vient te chercher en automobile, tu ne t'ennuies pas, mon bonhomme ! Et tu gagnes bien ? Si tu as un peu devant toi, n'hésite pas à me demander conseil, les placements, ça me connaît, c'est mon boulot !

M'inspirant du flou de la notion d'affaires et d'un conseil de Monsieur Bâtard (« ne parlez pas de vous, laissez entendre que vous naviguez en haute mer, on vous respectera, on vous enviera, ayez du mystère »), je demeurai vague sur mes occupations et mes gains, le vague était ce qu'il fallait pour garder son mystère au flot prestigieux qui était venu me chercher en automobile ce matin, au seuil de la maison.

Le lendemain, je partis chercher du travail à pied, fis quelques courses, passai chez *Bâtard et Fils*, le patron n'était pas là. Je m'achetai un pain et une canette de coco, cachai le tout sous mon paletot pour passer devant le garde, entrai dans le parc par l'entrée de la rue des Réservoirs, m'assis sur le rebord du bassin de Neptune et mangeai mon pain en buvant ma boisson à la réglisse tout seul, comme un orphelin de Dickens. Je saluai le banc de Monsieur Proust en retournant à la grille et me rendis à l'hôtel.

N'étant pas sûr de pouvoir parler à Denise, j'avais besoin d'aide. La seule personne qui pouvait me la donner était la concierge du bâtiment réservé au personnel, j'ai annoncé l'entrée en scène de ce personnage, le voici.

J'aimais beaucoup cette femme, elle m'aimait bien, la voici telle que je la revois et l'entends toujours.

APPARITION D'UN NOUVEL ENQUÊTEUR

J'étais curieux de nature, j'observais les gens, je les écoutais mais, si je n'étais pas en mission, je ne les interrogeais pas, je les laissais venir, mon air d'enfant les engageait à parler, surtout les dames, presque toutes désireuses de me passer la main dans les cheveux, « comme ils sont légers, des cheveux d'ange », ou de me caresser la joue, « une peau de pêche, j'y poserais bien un baiser ». Ces habitudes m'humiliaient, je rêvais d'adresser les mêmes paroles à des jeunes filles de mon âge, elles ne me regardaient pas, j'en étais triste, je l'ai dit, mais je savais me servir de l'effet que je pouvais produire sur des femmes plus âgées, je l'avoue. Je l'avais fait pour des enquêtes, je n'en avais pas eu besoin pour Madame Edmée, nous avions eu de la sympathie l'un pour l'autre au premier regard.

Veuve du premier concierge de l'hôtel, elle occupait un petit appartement dans le bâtiment du fond de la cour, réservé au personnel. De la fenêtre de sa cuisine, elle voyait la cour et le porche obscur d'en face, dont la porte ouvrait sur la rue, donc ceux qui arrivaient ou partaient, ceux qui entraient dans l'hôtel par une porte latérale et ceux qui traversaient la cour afin de passer du côté de la *servitù*. De la

325

porte vitrée qui donnait dans l'entrée de ce bâtiment, Madame Edmée pouvait voir les domestiques monter dans leur chambre et en descendre, ouvrir le carreau pour tendre le courrier, un paquet, un cadeau (elle était généreuse) et de bonnes paroles (de mauvaises paroles, non, si quelqu'un ne lui plaisait pas, vitre close, bouche cousue).

Elle ne tirait pas le cordon, il n'y en avait pas, mais surveillait les passages, distribuait les clés, les sourires ou les regards sévères à travers le vitrage, savait tout ce qui arrivait dans cette partie de l'hôtel mais aussi dans le reste, par déduction, interprétant les silences aussi bien que les paroles. Son savoir s'étendait bien au-delà, on va le voir.

Je l'avais connue en entrant pour la première fois dans la maison. Monsieur Bâtard m'y avait fait faire un stage d'un mois comme groom afin que j'y prenne mes habitudes et qu'on se familiarise à ma présence, « tu pourras y revenir comme extra chaque fois que ce me sera utile, un hôtel est un puits à renseignements ». Devant loger sur place, au dernier étage du bâtiment contrôlé par Edmée, donc passer devant sa porte plusieurs fois par jour, il me fallait recevoir d'elle la clé de ma chambre. J'avais été présenté par le Signor Minimo.

— Madame Edmée, cet garçonne vient ici pour faire le groom toute le mois, s'il n'est pas gentile, vous me le dites, je lui fais le gros œil. Il s'appelle Noël, salue la dame, mon garçonne, une belle dame…

— Approche, approche, passe ta main par le carreau, je ne me lève plus, sauf pour rouler dans ma chambre, et encore, les jours de vent ! Oh, oh, visage d'enfant mais poignée de main d'homme, quel âge avez-vous ? Dix-sept, comme c'est joli, n'est-ce pas, Massimo ?

— Oh, oui, Signora Edmée, ioli, très ioli…

— Joli chiffre, joli visage mais on aimerait mieux porter moustache pour faire la cour aux belles, ne me dites pas le contraire, je ne vous croirai pas. Cela viendra, jeune homme, le jour où l'on regrette les joues en fleur aussi, croyez-moi. J'ai été jeune et jolie, moi aussi, et encore plus mince que toi, qui pourrait le croire, comment t'appelles-tu ? Noël, c'est bien joli aussi mais, attention, jeune homme Noël, « Joli visage, de bonheur n'est pas gage », comme on dit... Voici votre cleff. (Elle faisait sonner le *f* et passait souvent du tu au vous dans la même phrase.) Numéro 17, c'est ton âge, ce sera le numéro de ta chambre, dernier étage à droite au fond du couloir. Je n'y suis plus montée depuis dix ans, je la vois pourtant comme si j'y étais, un peu mansardée, jolie vue sur le parc, n'y reçois personne, c'est interdit. Si tu le fais, je le saurai, je ne bouge pas mais je sais tout... Ta cleff ouvre toutes les portes, c'est un « passe », mais n'ouvre que la tienne avec, sinon, tu auras affaire à moi !

Je ne l'ai pas oubliée, elle était inoubliable. Couvert d'écharpes de gaze légère, son corps énorme (elle était obèse) et minuscule (elle était presque naine) était invisible. On devinait seulement un ravissant visage de poupée dans l'ombre, une bouche et un nez d'enfant, de grands yeux d'un bleu clair qui pouvait foncer et faire peur, de fraîches joues roses sans rides ni trace de maquillage (je le sais, elle permettait parfois à mes lèvres de les baiser), une coiffe de dentelles fixée par de longues épingles à têtes bleues sur les brillants cheveux d'or d'une perruque (reste de son passé, je le sus aussi). La voix était sans rapport avec l'aspect d'enfant, grave, profonde, intelligente, railleuse (on la craignait), tendre (j'en tremblais), la personne était une ancienne comédienne venue à Versailles pour jouer une pièce au théâtre voisin, le théâtre Montansier, à deux pas de l'hôtel dans la même rue, et demeurée sur place.

— À cause du cœur, jeune homme Noël, à cause du cœur... Avec mes cheveux de page et ma voix grave, on m'avait fait jouer les garçons, quels succès, si je les racontais, on n'y croirait pas, quels succès, mais je n'aimais pas me travestir, je voulais des rôles de femme. On me disait de grandir, en attendant j'ai un peu joué les petites muettes, les orphelines et les idiotes, mais surtout les jeunes garçons à cause de ma voix. J'ai attendu, jamais grandi, j'étais honnête fille, au théâtre la vertu ne paie pas, ailleurs non plus, j'ai compris. Le concierge du théâtre était bel homme, veuf, pas d'enfants, du goût pour moi, moi pour lui, j'ai renoncé à la scène, on s'est marié, on est devenu concierge ici. Je tenais moins de place qu'une poupée, il est mort, j'ai fait des gâteaux, je les ai mangés, depuis je ne passe plus par la porte... on me garde comme gardienne ! Et toi, joli petit homme Noël, tout va bien, à l'hôtel ? On ne te pince pas trop la joue, ni les fesses ? Oui, les fesses, ouvre l'œil et gare-les, sinon, entre dames pas jeunes et messieurs pas convenables, tu les auras bleues... Ah, ah, une mouche de la maison Bâtard, j'aurais dû m'en douter. (Monsieur Massimo n'avait pas résisté à me trahir, réflexe professionnel, un portier veut prouver qu'il est au courant de tout.) Ne comptez pas sur moi pour vous dire les s'crets de la maison, jeune Noël. (Elle prononçait « s'crets » comme à Lyon, la ville où elle était née.) Mais vous pouvez me dire les vôtres, je les garderai sous cleff. La tienne ouvre toutes les portes, la mienne ne tourne que dans le sens de la fermeture...

Edmée était devenue une amie qui ne gardait pas tous ses « s'crets sous cleff » quand il s'agissait de venir en aide à son petit homme Noël : « Madame Fleury ? J'ai ce qu'il te faut, Ernestine a été chez elle avant de venir ici. Monsieur a des soupçons ? Inutile de te fatiguer à la suivre, je sais où elle va le mercredi. La maison de sa sœur a une porte sur le jardin, un fiacre attend, je connais le cocher, elle monte, arrive ici en voilette, va chez un client qui loue une chambre à l'année, je le sais, Ernestine l'a vue en sortir ! Madame retourne chez sa sœur par-derrière et en ressort par-devant... Eh oui, je ne peux pas me déplacer, j'en apprends quand même plus que la meilleure maison de filature de Versailles ! »

Madame Edmée avait la passion de la pâtisserie, le parfum de ses gâteaux passait jusque dans la cour. Dès que je le pouvais, je me glissais dans sa cuisine entre ses gazes et son fourneau, elle me faisait goûter ses chefs-d'œuvre, nous parlions des heures. L'entrée de Monsieur Proust dans ma vie diminua le nombre et la durée de nos entretiens, elle s'en aperçut et fit son enquête.

— Je sais pourquoi vous m'avez abandonnée, jeune homme Noël, vous rencontrez presque tous les jours un certain monsieur, ne me dites pas le contraire, je ne vous croirais pas. On ne le voit presque jamais dans la cour mais, depuis le temps, j'ai entendu parler de lui. Capricieux comme personne, aimable comme on ne l'est plus, trop aimable pour être honnête, si tu veux mon avis. Tu l'aimes, je ne demande pas mieux que de changer d'avis, il faut que je le voie, propose-lui de me rendre visite. Quel âge a-t-il ? Alors dis-lui mon nom de théâtre, Rose Bienaimé, sans e muet à la fin, il peut m'avoir vue à Paris, au Jardin d'Hiver, quand il était enfant, dans une féerie où je jouais le Prince Azur...

À ma grande surprise, il ne fut pas difficile de faire aller Mahomet jusqu'à la montagne, le difficile fut de l'empêcher d'y courir « de suite », en pleine nuit, sans avoir prévenu Madame Edmée. « Si j'ai vu la fameuse Rose Bienaimé dans *Le Prince Azur* ? Mais, mon petit, c'était le rêve de tous les enfants quand j'avais dix ans ! J'y ai traîné ma grand-mère deux fois, au prétexte que, la première des deux, un rhume m'avait empêché de bien entendre la merveilleuse voix d'alto de l'incomparable Bienaimé, j'ai hâte de l'entendre à nouveau. Grosse, la délicieuse petite Rose est devenue grosse ?... Beau visage, belle voix, elle a conservé ce qui la rendait unique, j'irai lui présenter mes hommages, organisez tout et je vole au rendez-vous ! »

Au soir et à l'heure fixés, Monsieur Proust mit son manteau le plus élégant, sa belle écharpe cramoisie, se coiffa d'un haut-de-forme (à ma demande), descendit les étages comme un courant d'air, traversa la cour comme un elfe, manqua buter sur un pavé comme un homme ivre, se rattrapa comme un danseur et frappa au carreau de la porte avec une timidité de page. Le carreau s'ouvrit, une main d'enfant gantée de dentelle s'offrit à un respectueux baisemain, je m'éloignai discrètement.

Au retour, l'admirateur du Prince Azur se tut. Félicie l'attendait, elle prit son chapeau, le débarrassa de son manteau et de ses gants, « Merci, Félicie, je ne vous dérangerai pas, cette nuit, dormez bien », et disparut.

— Ah, mon enfant, les ressemblances qui demeurent malgré le temps sont presque plus douloureuses à voir que les changements qu'il provoque ! J'avais peur de ne pas la reconnaître, le contraire s'est produit, elle est la même, incroyablement la même sous ses tulles. La voix n'a pas changé, le visage non plus, sous la même perruque, j'ai cru revoir le Prince Azur déguisé en petite fille, j'aurais dû être émerveillé, j'ai été horrifié.

Elle ne devait pas être beaucoup plus âgée que ses petits admirateurs, j'avais douze ans, elle n'en a peut-être pas encore quarante et elle est déjà prisonnière, veuve, seule, ne pouvant plus sortir de la tanière d'où elle observe la vie mais sans pouvoir la vivre. Elle ne peut plus chevaucher le poney, nommé « Fidèle », qui figurait son destrier dans *Le Prince Azur*, je me le rappelle ; de mon côté, je ne peux guère bouger non plus, je ne peux plus échapper à ma grand-mère pour arriver plus vite au théâtre, je ne cours plus. Nous avons changé, elle et moi, tout a changé autour de nous, le temps où elle jouait n'est plus, les théâtres où elle chantait ne seront plus jamais les mêmes sans elle, désormais enchaînée à son gros corps invisible comme Tantale à son rocher, elle ne quittera plus sa prison minuscule, obscure et embaumée, elle ne chantera plus, je n'habiterai plus l'appartement de mes parents, ma grand-mère n'est plus là pour me dire « vous marchez d'un tel pas qu'on a peine à vous suivre », j'espérais revoir le Prince Azur, j'ai pu baiser sa main gantée, il y a quelques minutes, mais il a parlé comme un vieux sage, je lui ai proposé de me rendre visite, on a soulevé un voile, on m'a dit qu'on ne pouvait plus marcher, l'espoir d'être à nouveau jeune avec le Prince a fui, comme l'azur, « vaincu, vers le ciel noir »...

Je n'avais pas l'intention de pasticher Marcel Proust en recourant à la règle des trois adjectifs (minuscule, obscure et embaumée) et en faisant passer mon Monsieur Proust, en deux phrases, de Tantale à Molière et à Verlaine (personnages encore inconnus de moi, à l'époque), l'enchaînement des citations et des adjectifs m'est venu malgré moi. Je pourrais couper ce passage, je le garde en hommage au climat culinaire qu'il aimait tant et à l'habitude que le petit Marcel avait prise dès l'enfance ; grâce à des citations, sa mère, sa grand-mère et lui savaient atténuer une douleur en reliant leurs vies à des œuvres aimées, ainsi mon hôte fit-il, ce soir-là, passant de la gaieté à la tristesse, comme toujours, de la nostalgie à l'admiration, comme sa bonne nature l'y engagea toujours (car le célèbre évocateur du temps passé, perdu ou retrouvé, n'était pas un homme de tristesse, il était non seulement capable de gaieté folle mais d'un positivisme sans lequel l'œuvre n'aurait eu lieu, ni dans sa conception, ni dans sa rédaction, ni dans sa publication).

— Il y a, en cette femme, quelque chose de merveilleux dont nous ne pouvions avoir idée, enfants, lorsqu'elle nous apparaissait en petit sauveur de princesses imaginaires, l'intelligence ! Que de choses intelligentes dites en quelques minutes et quelle perspicacité ! Elle m'entrevoit deux fois dans la cour, vous lui parlez un peu de moi, elle m'a déjà deviné... « Vous ne sortez pas beaucoup plus que moi, vous n'en faites pas moins votre miel, n'est-ce pas, petite abeille ? » Le plus étonnant est qu'on ne peut établir aucun lien entre ce qu'on voit et ce qu'on entend, entre une sagesse de vieille femme et ce visage de poupée, entre cette voix de jeune héros de conte et une loge de concierge, même transfigurée par les senteurs d'une pâtisserie qui semble, comme la voix, provenir d'un autre lieu, d'une autre époque. Son vrai lieu est celui où je l'ai vue pour la première fois, le palais magique des féeries enfantines, son temps est celui des fables, celui « où les bêtes parlaient » et suivaient Orphée, charmées par son chant comme nous le serions, plus tard, par celui de la merveilleuse Rose Bienaimé...

Mais j'y pense... Reynaldo vient de m'apporter la partition de l'*Orphée* de Glück, elle est là sur le piano, il faut que vous me chantiez « J'ai perdu mon Eurydice »... Non, pour Orphée, il faudrait la voix grave de la grande Bienaimé, pour votre voix il y a l'air de l'Ombre heureuse, si cristallin, comme écrit pour vous, et l'air de l'Amour, ne dites pas non, je vous en prie, Orphée m'est cher, connaissez-vous son histoire ? C'était un poète des premiers temps du monde, il enchantait par les mots et par la voix, ainsi que j'aimerais faire moi-même.

Dans la légende, son épouse est morte, il essaie de la ramener des Enfers mais n'y parvient pas, dans l'opéra il ramène

Eurydice à la vie en charmant de son chant les gardiens infernaux et les dieux du ciel, ce soir est le soir des résurrections et des miracles, Rose Bienaimé est revenue, grâce à Orphée Eurydice revivra un instant avec nous, si vous le voulez bien...

RETOUR AU CRIME
APRÈS UN INTERMÈDE MUSICAL

Il était difficile de dire non à Monsieur Proust, il avait fait monter un piano droit dans son salon aussitôt après notre première soirée musicale, je ne savais rien de cette musique mais il n'était pas tard, j'aimais déchiffrer à vue, j'acceptai.

Mon hôte m'indiqua les passages et s'allongea sur le canapé. Je jouai d'abord, en sourdine, l'entrée d'Orphée aux Champs Élysées pour me familiariser avec l'œuvre (ses délicieux murmures de ruisseaux et d'oiseaux sont désormais pour moi des échos du paradis, s'il existe), je fredonnai une fois l'air de l'Ombre heureuse, « Cet asile aimable et tranquille », qui me causa quelques soucis de respiration, puis celui de l'Amour, « Soumis au silence », tous deux un peu hauts pour moi, même en *falsetto*, puis les chantai, un demiton plus bas, presque à mi-voix (le piano avait une sourdine).

Lorsque j'eus fini, mon hôte n'ouvrit pas les yeux, nous restâmes silencieux, ayant vécu ensemble notre deuxième intermède musical. Sans le savoir ni me connaître encore, Reynaldo Hann m'avait ouvert les portes de ce qu'Orphée nomme lui-même, dans cette version adaptée par l'auteur, en compagnie du poète français Moline dans le Paris du XVIIIᵉ siècle, « un nouveau ciel ».

— Merci, cher Noël, de cette promenade au paradis, merci également de m'avoir fait retrouver la rose du jardin perdu de l'enfance, je sens encore son parfum, j'entends encore sa voix comme celle d'Orphée, j'espère que celle de Rose Bienaimé aura toujours pour vous, quand vous irez la consulter comme un oracle, du fond de sa loge, entourée de fumées culinaires, la voix des sibylles et des pythies. Elles ne parlaient que par énigmes, comme la vie, mais disaient toujours la vérité, comme la vie.

Il alla dans sa chambre, j'en profitai pour noter la phrase finale et, phonétiquement, des mots nouveaux à chercher dans le dictionnaire. Il revint, tenant un petit objet bleu cerclé d'or.

— Si vous le voulez bien, vous irez porter mes compliments demain à Rose Bienaimé, non pas avec des fleurs, elle n'en a pas la place, mais avec ce bijou. C'est un lapis-lazuli monté en épingle que j'aime beaucoup, il me vient d'un oncle qui aimait offrir des bijoux aux dames, cette pierre bleue rappellera le Prince Azur et son jeune admirateur d'autrefois à la Madame Edmée d'aujourd'hui. Bonne nuit, cher enfant, bonne nuit.

J'avais rendu visite à Edmée, le lendemain, amoureuse de Monsieur Proust à la façon dont il avait été amoureux d'elle autrefois, d'une image.

— Qu'il est beau, qu'il est élégant, et distingué, et savant, je t'envie de le voir souvent. Nous sommes de la même espèce, lui et moi, on vient à nous, pas le contraire, il s'est déplacé une fois, il a glané dans sa mémoire et dans la mienne ce qu'il voulait de souvenirs, il ne reviendra pas, mon Prince Azur n'est plus... Oh, que c'est beau ! Dis à ton prince à toi

335

que je porterai son épingle sur mon écharpe couleur du temps.

Les deux princes ne se revirent pas, en effet, Rose Bien-aimé joua cependant, à travers moi, un nouveau rôle dans la vie de son admirateur. Après la mort de Joseph et ma première journée d'enquête, ne sachant comment interroger à nouveau Denise sans me faire écharper, je vins demander son aide à la « Fée des Gâteaux et des Cleffs ». Pour éviter de compromettre l'enquête, au cas où Daniel et sa femme me verraient avec elle et refuseraient à tout jamais de lui parler, je ne restai pas devant sa porte mais, faveur spéciale, entrai dans la cuisine, me dissimulai derrière ses gazes et lui racontai tout.

Elle m'écouta en silence, posa peu de questions et promit de se renseigner.

— Ce sera facile pour Daniel, il ne s'abaisse pas à parler avec moi mais il m'a intriguée dès son arrivée ici, je me suis un peu renseignée sur lui dans la ville, je vais procéder à un complément d'enquête. Pour Denise, ce sera plus compliqué, pas de connaissances à Versailles, pas causeuse, trop méchante pour être gourmande mais peur de perdre sa place à cause de son gamin, je vais voir ce que je peux faire. À propos de gourmandise, il y a un paquet pour toi sur la table, prends-le... Je t'attends depuis hier, je t'ai fait des choux à la crème, petit chou toi-même ! Reviens demain en fin de matinée.

Le surlendemain du crime, elle avait déjà, sans bouger d'un millimètre, appris une foule de choses. Elle vivait beaucoup la nuit, elle aussi, surveillait le retour des domestiques, le soir, et leur départ, le matin, répartissant ses brefs sommeils sur vingt-quatre heures, dormant devant son fourneau entre deux chefs-d'œuvre, deux séances d'observation, deux séances de questions, s'épargnant ainsi l'effort de passer de la cuisine à la chambre.

— Je ne sais pas encore ce qu'a fait Daniel avant d'arriver à Versailles, je le saurai bientôt, mais je sais ce qu'il y a fait, pas fait... Une relation à la Préfecture, mon petit homme, j'en ai partout. Daniel Martinon est arrivé en ville, voilà presque deux ans, sans travail ni personne de connaissance. Au bout de huit jours, il était déjà installé dans une maison pour messieurs, tu vois ce que je veux dire... Rien de plus facile, il s'est sûrement promené dans le parc, on y fait des rencontres, il en a fait, on lui a donné cette adresse, la maison est connue jusqu'à Paris, des messieurs y viennent par le train... des trains de plaisir, c'est le cas de le dire ! (On appelait ainsi les trains qui permettaient aux citadins d'aller, le dimanche, goûter aux charmes d'une campagne, d'aller en vacances, l'été, au bord de la mer ou à la montagne.)

Il est joli garçon, il a des yeux jaunes qui font peur et cette blondeur qui fait rêver, j'en sais quelque chose, toi aussi... Ne me dis pas que tu n'as pas su très vite que tes cheveux d'or attiraient le monde. Moi, je suis brune aux yeux bleus, c'est plus rare mais, dès mon premier rôle, perruque blonde pour plaire au public, j'avais trois ans, j'ai figuré l'Enfant Jésus nouveau-né dans un tableau vivant, c'est dire si j'étais petite !

On a proposé quelques passes à l'essai au joli blond dans la maison de plaisir, il a donné satisfaction, il est monté en grade. Sa spécialité est devenue le martinet, d'où son surnom, tu dois le savoir par Onésime, il a deux mouches dans la maison, mais Daniel Martinon a fini par jeter son martinet aux orties. (Ai-je dit que le prénom de Monsieur Bâtard était Onésime ?) Par orgueil, dans l'espoir de changer de condition, je suppose, il ne me cause pas mais je le vois à sa façon de marcher, de relever la tête, de respirer son futur autour de lui, comme un parfum qui l'excite mais qui lui fait peur. Un jour, le joli blond aux yeux jaunes a dit à la patronne, « j'arrête », elle aurait pu lui proposer d'autres spécialités, elle l'a chassé. C'est une dure mais elle s'y connaît en hommes, elle a dû penser qu'il n'était pas fait pour le métier, la suite lui a donné raison... Tu vas voir.

Voilà Daniel une fois de plus à la rue mais il s'était fait des relations, quelqu'un l'a aidé à entrer ici, il a donné satisfaction côté direction et côté clientèle. Un peu braque mais sérieux, pas de martinet avec les clients. Au début, l'un d'eux lui a proposé autre chose, il a refusé, c'était pourtant plus facile que le martinet mais Martinon voulait être aimé pour lui-même. Il aurait pu gagner pas mal d'argent en pratiquant sa petite spécialité, il ne l'a pas fait, réfléchis à cela, c'est une cleff pour l'affaire du carnet... Je crois qu'il y est mêlé, oui, tu as du flair, tu mérites un bon point, il y a des meringues sur le fourneau, prends-en une.

Daniel voulait changer de condition, il fallait commencer par se ranger, il l'a compris, il a dû souffrir mais il y est arrivé. Il a fait la cour à Denise, elle est devenue grosse, il l'a épousée, la chose est à porter à son crédit, il aurait pu l'abandonner. Hélas, le combat entre le vice et la vertu n'est pas égal, à supposer que la vertu soit le mariage et l'amour le vice... Ne sois pas si pressé, mange ta meringue, écoute-moi.

Écouter, mâchoires collées, des discours trop adultes pour moi me rappela des souvenirs et me fit réfléchir. Je vis d'abord mieux la ressemblance que Madame Edmée avait découverte entre Monsieur Proust et elle ; trahis par leurs corps, ils ne pouvaient profiter du monde extérieur mais l'observaient mieux que personne en tissant, entre eux et lui, la toile dont ils étaient le centre. Une autre analogie me frappa, entre ma protectrice et moi, cette fois. Elle avait renoncé au théâtre quand elle avait compris qu'elle demeurerait une lilliputienne, devrais-je renoncer à être aimé de belles jeunes filles parce que je ne grandirais plus, moi non plus ?... Devrais-je renoncer à toute carrière dans la police à cause d'une taille qui m'interdirait l'uniforme ? (Je devais le porter un jour, quand la Grande Guerre eut besoin de tout le monde, mais « ceci est une autre histoire ».)

Je me dis aujourd'hui que, si j'avais mieux écouté Monsieur Proust et Madame Edmée lorsqu'ils m'avaient parlé de Daniel, j'aurais peut-être évité de blesser physiquement, ainsi que je le fis quelques jours plus tard, on va le voir, un être déjà blessé moralement. J'étais trop jeune pour être mêlé à des affaires de ce genre c'est certain, mais quand on était pauvre, en ce temps-là, on n'était jamais trop jeune pour rien.

— Ne me dis pas que mes meringues collent aux dents, je ne te croirai pas, écoute-moi. Daniel se marie au printemps dernier, l'été arrive et, avec lui, un client que tu connais bien. Martinon est époux et père, il se croit au-dessus des tentations et de son métier, voilà que le nouveau client suscite en lui un intérêt qui nous reste à définir mais qui le pousse à lui proposer, non le fouet dans sa chambre, mais des rendez-vous à l'extérieur, Onésime doit être au courant, il a une mouche au *Café du Centre*, t'en a-t-il parlé ? Le monsieur l'a fait lui-même, voilà qui est intéressant... Quelques rencontres ont lieu, le monsieur y met fin, t'a-t-il dit pourquoi ?

« Embarrassé » par l'homme aux yeux jaunes et la situation ? Je ne le crois pas embarrassable mais soit, je continue. Daniel semble se résigner, tu entres en scène, la jalousie aussi.

Il veut ramener sur lui l'attention du client, il lui vole un objet précieux, c'est logique, en passant par sa femme, je pense comme toi, c'est plus facile. Sois prudent, tu as retrouvé le carnet, tu es le grand rival, Monsieur Martinet n'a pas pu en parler à Madame mais lui en a dit assez sur toi pour qu'elle te haïsse, tu as vu à quel point, attention, elle est dangereuse.

Pas de renseignements sur elle, je te l'ai dit, elle vient de sa campagne, voilà ce que je sais. Arrive à l'hôtel juste après son futur mari, ne cause avec personne, sauf une, je t'en parlerai, passe devant moi plusieurs fois par jour, ni bonjour ni bonsoir, pas même pour avoir un gâteau, dont elle aurait pourtant b'soin. (« B'soin » comme « s'crets ».) Elle allaite encore. Pas d'argent pour mettre le petit en nourrice, le pose chez une concierge de la rue toute la journée, va le nourrir chaque fois qu'elle peut, n'a que ses hommes en tête, le père et le fils, c'est un garçon. Elle les défendra comme une bête fauve, comme elle a fait quand elle a cru que tu voulais la forcer à parler, elle t'a manqué avec le fer à repasser, attention à la prochaine fois... Elle est déjà descendue, je vais la guetter et l'arrêter quand elle remontera, je lui proposerai de l'argent de la part de ton prince, sans dire pourquoi, elle s'arrêtera. Si elle a volé, elle ne pourra pas refuser l'arrangement, elle prendra l'argent. Si elle n'a pas volé, elle le prendra quand même, elle en a trop b'soin... Ton prince me remboursera. Dis-lui que le mari n'a rien à voir avec la mort de Joseph, la femme peut-être. Tu veux comprendre la mort du pauvre petit, je vais te donner un indice. Je t'ai dit que Denise ne parlait qu'à une seule personne ici, cette personne est Joséphine.

Monsieur Proust et Madame Edmée se ressemblaient, en effet, ils devinaient toujours tout, elle avait deviné que je n'enquêtais pas que sur le carnet, voilà qu'elle me parlait des deux personnes sur lesquelles se concentraient, désormais, tous mes soupçons.

Je lui racontai mon enquête, elle écouta en silence, faute de place nous étions serrés l'un contre l'autre, je la sentis sursauter deux fois, lorsque je lui dis que j'avais vu Joséphine immobile, silencieuse et livide, lorsque je décrivis Denise furieuse et rouge. Les couleurs opposées qualifiant ces femmes étaient donc les deux adjectifs qui avaient frappé mon maître à penser de l'hôtel. Frapperaient-ils celui de la maison Bâtard ? Saurais-je moi-même en déduire l'identité de la coupable, la pâle ou la rouge ? En tout cas je ne voulais pas être aidé tout de suite, si mon amie avait déjà son idée, je l'empêcherais de me la dire. (Mais je n'empêche pas mon lecteur de déduire un crime de la couleur d'un visage tout de suite...)

Le visage de poupée qui semblait fait pour la gaieté devint triste puis l'oracle donna quelques réponses dans son antre traversé de vapeurs (la Pythie de Versailles avait continué à cuisiner en parlant, une eau parfumée bouillait sur son fourneau) mais sans faire allusion aux mots qui l'avaient fait sursauter, on avait compris mon désir de faire de justes déductions moi aussi.

— Tes patrons sont des malins, ils devineront sans doute le comment, ils ne pourront jamais deviner le vrai pourquoi, la police non plus, ni toi sans moi... Onésime connaît son métier, ton prince est plus fort que nous tous, mais il y a des choses qu'ils ne peuvent pas savoir. Je suis mieux placée qu'eux pour ça, le pauvre gentil Joseph me faisait ses confidences, il était même le seul qui avait la permission d'entrer ici, en dehors de toi, les autres restent devant le carreau, je les tiens par mes gâteaux, ils parlent en mangeant, on ne les nourrit pas assez. Si les patrons savaient tout ce qu'on peut obtenir par le ventre, ils seraient moins chiches... et plus riches, leurs employés les voleraient moins !

Comme Monsieur Proust, Madame Edmée usait du rire pour dissimuler ses peines ou triompher du malheur (la mort de Joseph avait été plus douloureuse pour elle que pour nous tous, je sus plus tard pourquoi) ; comme lui, elle ne perdait pas une seconde, réfléchissait toujours à plusieurs choses à la fois, lorsque je lui avais demandé de se renseigner pour le vol du carnet, hier, elle avait déjà presque fini son enquête sur le crime...

— Je peux déjà dire comment Joseph est mort, il sera plus difficile de comprendre pourquoi on l'a tué. La police aura des aveux sur le comment, jamais sur le pourquoi, ne m'interromps pas, lis les journaux demain. Je n'ai pas plus d'informations du côté journaux que du côté police, je me contente de réfléchir, fais pareil et laisse-moi, nous n'avons plus rien à nous dire pour le moment, Monsieur Noël... N'insiste pas mais sache que Messieurs Bâtard, Proust et Fils, tu es le fils, ne me dis pas le contraire, ne verront pas tout, si malins qu'ils soient. Onésime parle d'accident, ton prince parle de jalousie, ils ont raison mais ce n'est pas seulement un accident, pas seulement une affaire de jalousie non plus, c'est plus compliqué. Je ne sais pas encore tout, de ton côté tu as déjà bien vu certaines choses, en particulier pour l'arme du crime, sans toi je chercherais encore...

Non, non, continue à réfléchir, occupons-nous du carnet, chacun selon ses moyens. Ne reviens pas ici avant que je t'aie fait appeler, Denise pourrait nous voir ensemble, elle ne me dirait plus rien. Peut-être même qu'elle décamperait avec le mari, le fils, le carnet, pas de ça, Lisette, je veux que mon petit homme Noël retrouve une seconde fois le bien de mon bel admirateur et en soit félicité. Vous féliciterez la grosse Edmée quand tout sera fini, jusqu'au revoir, mince Monsieur Noël, mais avant, un petit baiser, là, sur le poignet, juste au-dessus du gant, comme dans le grand monde. Ah, que c'est bon ! Et ce sera encore meilleur quand vous aurez de la moustache, les femmes seront folles de vous. (Rose Bienaimé, avec un *é* masculin final, voyait presque toujours juste mais se trompa sur ce point, je finis par avoir un rien de barbiche) Rappelez-vous le dicton, « Moustache au nez, poil au menton, nids à frissons » !

L'ENQUÊTE SUR LE CRIME
À L'HÔTEL CONTINUE

Le lendemain, les journaux parlèrent pour la première fois du crime à l'hôtel mais en taisant les noms, les relations du directeur avaient été efficaces :

ÉTRANGE MORT DANS UN HÔTEL
DE NOTRE VILLE

On a trouvé, dans la nuit de mercredi à jeudi dernier, un homme de 23 ans, étendu sur son lit, dans l'hôtel où il était serveur. Une jeune employée du même établissement vient d'avouer le crime sans pouvoir expliquer son geste. La police tient à conserver la plus grande discrétion durant l'enquête, soucieuse des réputations des personnes et de la douleur des familles ; notre journal observera la même réserve jusqu'à plus ample informé.

L'affaire pose de nombreuses questions auxquelles il est impossible de répondre avant complément d'enquête mais nous posons celle-ci : nos lecteurs n'ont pas oublié la récente mort d'Émilie Cornard, née Boucher, étranglée par son mari, Justin Cornard, au cours d'une tragique scène de jalousie, le mois dernier, au domicile de l'époux ;

serions-nous face à un autre épisode du même ordre ? Notre bonne ville serait-elle frappée, une fois de plus, en l'espace de quelques jours seulement, par un drame de la jalousie ? Comment imaginer un autre mobile au geste de celle qui était, croyons-nous, la fiancée du mort ?

Nos enquêteurs ont fait leur travail, nos policiers ont fait le leur, la victime, robuste jeune homme, semble avoir été étranglée dans son sommeil par une faible jeune femme de 20 ans, sans se débattre. Les premiers résultats ne font état d'aucune trace de lutte, d'aucune médication somnifère, d'aucun excès de boisson, comment expliquer ce mystère ?

La maison *Bâtard et Fils*, bien connue de nos concitoyens, a été associée par le directeur de l'hôtel aux recherches officielles ; nous avons interrogé l'illustre enquêteur, il nous a répondu, avec sa brièveté légendaire, « qui vivra verra ». Il va sans dire que nous tiendrons nos lecteurs au courant du développement de l'affaire.

J'avais acheté le journal et j'étais passé à la maison Bâtard après avoir fait deux courses urgentes, le patron m'avait reçu sur le pas de la porte de son bureau, il allait sortir.

— Tu as lu *Le Petit Versaillais* ? Tu crois qu'une gamine a pu étrangler un gaillard sans qu'il lève le petit doigt ?

— Non, Monsieur. Qu'est-ce que vous pensez, vous ?

— Je crois toujours à l'accident. Elle pleure et dit que c'est sa faute sans expliquer comment, ce genre d'étranglement est difficile à raconter pour une jeune fille. Mais, si elle n'en dit pas plus, elle risque la guillotine, ce serait bête pour un accident.

— Je voudrais pas qu'elle soit guillotinée, je dirai rien à personne sauf à vous. Je crois que c'était un accident, mais pas seulement, Monsieur.

— Que veut dire ce « pas seulement », quelles sont tes preuves ?

— Je vous les dirai quand j'aurai fini mon enquête, Monsieur.

Monsieur Bâtard fit un pas en arrière et me regarda. J'eus de la peine à soutenir ce regard, si Edmée se trompait, j'aurais fait une grave erreur professionnelle, mon patron ne me recommanderait pas auprès de son frère de Paris et ne me confierait peut-être plus rien à Versailles.

— Rentrons dans mon bureau, assieds-toi. Si ce n'est pas un accident, qu'est-ce que c'est ? Ce que dit le journal, jalousie, crime passionnel ? Peu probable, la victime était un brave garçon fidèle à sa fiancée, elle-même brave fille, j'en suis sûr, explique-toi.

Que pouvais-je répondre avant d'avoir l'explication d'Edmée ? Rien... J'avais tiré vanité de quelques petites enquêtes réussies, Monsieur Proust m'avait donné du « Monsieur le Détective » quand j'avais retrouvé son carnet mais avec un humour que j'avais su discerner, j'étais conscient de mes manques – mon patron voulait une réponse tout de suite, je n'avais plus qu'à tirer le maximum de ce qu'avait dit Madame Edmée...

— C'est pas seulement un accident parce que c'est plus compliqué que ça. C'est aussi la jalousie.

— Qu'est-ce qu'il y a de plus compliqué que la jalousie et qu'est-ce que tu me chantes ?

— Je peux pas dire encore, Monsieur.

— Tu ne peux pas dire à celui qui t'a tout appris, ton maître, ton protecteur, ton patron, ce que tu fais de son argent, j'ai bien compris ?

— Vous ne m'avez pas encore payé pour cette enquête, Monsieur.

346

— Bonne réponse ! En réalité, tu ne me dis rien parce que tu ne sais rien encore mais tu t'es sans doute adressé à la bonne personne, elle est maligne et elle connaît la maison mieux que personne. (Monsieur Bâtard savait que je connaissais Edmée, j'aurais dû m'en douter !) Elle a refusé de parler à tous mes petits, Étienne, Émile, Gustave et même Gaston, il ne restait plus que toi, elle t'a à la bonne, elle t'a dit des choses, n'est-ce pas ?... Bien. Elle t'aidera, elle sait tout ce qui se passe dans l'hôtel, soit, mais trouver autre chose que l'accident va être délicat. En attendant, occupe-toi du carnet de ton monsieur. À propos de lui, est-ce qu'il avait deviné que c'était Joséphine ?

— Il me l'a pas dit mais je crois, Monsieur.

— Comment aurait-il fait ?

— En faisant attention à ce que je lui avais dit, que Joséphine était pâle et que Denise, la femme de Daniel, que j'ai vue juste après et qui s'est fâchée contre moi, était rouge...

— Denise n'a rien à voir avec le crime mais les gens qui ont tué sont souvent pâles, c'est vrai, ils sont vidés et ils ont peur. J'avais repéré cette histoire de pâleur en t'écoutant, je me suis dit que Joséphine savait quelque chose mais je n'ai pas pu croire qu'elle avait tué, je n'y crois toujours pas malgré ses aveux, c'est un accident, je te le répète. N'empêche que ton Monsieur Proust est malin, il fait attention aux mots, il a raison, pas étonnant, il écrit. Et il a le don, il l'a prouvé dans l'affaire du sac, tu sais quoi ? S'il cherchait du travail, je l'engagerais ! J'engagerais encore plus Edmée, elle refuse, dommage. Elle me donne quand même des tuyaux, dis-moi ce qu'elle aura trouvé à propos du crime, elle est forte. Mais si elle s'est trompée, si tu as eu tort de lui faire confiance, je te remets dans la rue pour des filatures, tu ne vas pas à Paris avant longtemps, passe devant, je sors, toi aussi, ne reviens que quand tu auras du sûr.

Mon patron recommençait à me menacer, j'étais humilié de n'avoir encore aucune idée personnelle sur le crime, je retournai au parc pour pouvoir réfléchir au calme.

Ainsi, Joséphine était passée aux aveux sans donner de raison à son crime, il était difficile d'en imaginer une seule, effectivement. Fallait-il supposer qu'elle n'avait rien à voir avec la mort de son fiancé ? Que l'aveu avait été arraché de force à une jeune fille timide, en deuil et affolée par des policiers pressés de classer une affaire ? Dans ce cas, qui avait étranglé Joseph ?

Il n'y avait apparemment pas d'autre coupable possible dans l'hôtel, cette nuit-là, il fallait alors envisager l'affaire autrement, penser à Joséphine comme simple témoin d'un accident, Monsieur Bâtard avait vu juste, comme toujours, l'étranglement dont il avait parlé expliquait tout. Comme il était arrivé à Madame Brochardeau avec son mari, Joséphine avait aidé son fiancé à une manœuvre bizarre destinée au plaisir, le hasard avait joué dans le sens du malheur, corde qui se coince, mort qui survient, on ne comprend pas, on reste livide et paralysé, on finit par se croire coupable, on avoue... Sauf que Madame Edmée pensait à un accident et à un crime à la fois, à de la jalousie et à autre chose en même temps. Je la respectais trop pour douter d'elle, je me rappelle la douleur de ces heures de réflexion, mon cerveau me faisait mal, ma petite vanité souffrait.

Une chose au moins me devint claire, ce jour-là : quelles que fussent mes aptitudes pour une activité d'enquêteur, je ne pouvais plus pratiquer mon métier de coursier. J'aurais dû chercher du travail avant de retourner à l'hôtel en fin de journée, j'en fus incapable. Ainsi qu'on dit en langage de roman, mes pas me portèrent jusqu'à la rue des Réservoirs, je m'en aperçus en reconnaissant la façade du théâtre où Rose Bien-aimé avait décidé de changer de vie, changeant peut-être du même coup, bien des années plus tard, la mienne.

J'aurais dû attendre l'heure du réveil probable de Monsieur Proust, je descendis encore un peu la rue, entrai dans la cour sans la traverser, il était hors de question de déranger Rose-Edmée avant son appel, et entrai dans l'hôtel par la porte latérale. Le restaurant venait de fermer, je descendis à la cuisine.

— On ne t'a pas vu depuis un moment, assieds-toi, on va te servir le plateau que le client du 22 nous a demandé de tenir toujours prêt pour toi, on peut dire qu'il te gâte, comment se fait-ce ?

Fernand, le cuisinier que j'aimais tant, plaisantait souvent, jamais en mauvaise part, sa petite équipe eut un rire moins franc cette fois-là. Je me sentis rougir et cherchai une réponse au mot qui venait de résonner au milieu de nous, « fesse », mal venu ou trop bien venu au moment où venaient d'être signalées les faveurs dont je bénéficiais de la part d'un client masculin célibataire, connu pour ses manières polies à l'excès donc suspectes. Aucune réponse ne me vint...

En langage de roman, toujours, un hasard me sauva. André avait tout entendu, il venait d'arriver de la salle à manger, en rapportait un billet qu'il fit voir à tout le monde et prit la parole.

— Je vais vous dire comment il se fait que ce client se préoccupe d'un jeune homme qui nous est cher à tous, n'est-ce pas ? (On respectait trop André pour oser le contredire, le vilain rire fut aussitôt contredit par un « murmure d'approbation ».) Le client du 22 aussi nous est cher, il nous fait tous endêver de temps en temps mais nous l'aimons bien. Il va partir, nous le regretterons, ses pourboires aussi, n'est-ce pas ? (Le murmure d'approbation se fit tempête.) Ce qui se passe est tout simple, Monsieur Proust écrit des livres, un carnet utile à son travail a été retrouvé par Noël, il veut l'en remercier en prenant soin de lui. Je serais bien heureux si mon petit-fils était tombé sur des personnes aussi gentilles, dans le restaurant où il sert en ce moment. Vous seriez content de même, Monsieur Fernand, si votre fille était aussi bien traitée dans son magasin. (Tout le monde convint de la chose avec un soupir, Fernand et André n'étaient pas les seuls à voir souffrir un proche dans son travail.) Monsieur Proust va mieux aujourd'hui, il a déjeuné au restaurant et m'a chargé d'un message pour toi, Noël.

Il me tendit un billet et, pris d'une intuition subite, me demanda de le lire à haute voix : « Les gens se demandent ce que vous pouvez vous dire quand vous vous voyez si longtemps dans son appartement, ils vont le savoir. » Encore tremblant, j'obéis sans réfléchir à un danger possible (c'était le premier message écrit que je recevais de Monsieur Proust, il aurait pu comporter un « cher petit » trop affectueux, ce ne fut pas le cas). La lecture du texte donna de mon client une haute idée, dont je bénéficiai aussi rapidement que j'eusse pâti d'une trop tendre formule.

« Montez me voir dès que vous aurez ce billet. Si vous ne pouvez pas, demandez de suite à Mr Bâtard d'engager de ma part le meilleur avocat pour la pauvre Joséphine. Je viens de lire le journal, il faut l'aider, M. P. »

Le murmure d'approbation monta jusqu'au ciel, « Pauvre Joséphine, sûr qu'elle est pas coupable, Monsieur Proust va lui payer l'avocat, Noël doit monter chez lui de suite ! ».

Je montai, ainsi qu'on me l'avait demandé, « de suite ». Les employés de l'hôtel pouvaient être versatiles et méchants, ils étaient sincères à propos de Joséphine, nul d'entre eux n'aurait jamais soupçonné une aussi douce jeune fille du moindre crime. Habitué aux enquêtes et aux crimes, Monsieur Bâtard avait également refusé de la croire coupable, le billet de Monsieur Proust exprimait le même sentiment, j'aurais dû le partager (la jeune fille m'avait inspiré de « tendres sentiments » quelques mois plus tôt), ce ne fut pas le cas. Je fus brusquement persuadé que sa pâleur prouvait son implication dans le crime, pourquoi ? Je ne le savais pas encore en frappant à la porte du 22…

UNE ÉNIGME POLICIÈRE RÉSOLUE
GRÂCE À DEUX MOTS ?

— Vous voilà enfin ! Vous avez lu mon billet ? Le journal aussi, j'imagine, savez-vous quelque chose de nouveau, du côté de la police ? La malheureuse petite continue-t-elle à se taire ?

— Je ne sais pas encore, Monsieur, j'en saurai plus en fin de journée par Monsieur Bâtard, il n'est pas au bureau en ce moment...

— Je sais, le directeur me l'a dit. Il m'a donné le numéro de téléphone de son avocat, j'ai appelé, il m'a semblé excellent, sans doute parce qu'il pense comme moi qu'il faut aider Joséphine à expliquer son geste, nous avons toujours haute opinion de ceux qui pensent comme nous !

— La croyez-vous coupable, Monsieur ?

— André va frapper ici, je me demande pourquoi, je ne l'ai pas appelé. Il porte un plateau plus lourd que d'habitude, pouvez-vous lui ouvrir la porte, mon petit ?

Monsieur Proust prit quelque chose dans sa poche tandis que j'ouvrais en admirant son ouïe. André entra sans avoir eu besoin de frapper, portant un plateau où se trouvait une collation beaucoup trop copieuse pour une seule personne.

— Pardon, Monsieur, mais Monsieur Noël n'a pas eu le temps de manger à la cuisine, voici le plateau que Monsieur demande qu'on lui prépare tous les jours. (Une fois de plus il trouve de la place là où il n'y en a pas.) Mais un plateau pour deux, Monsieur n'a rien mangé, tout à l'heure, au restaurant, ce n'est pas bien, je l'ai dit à Madame Félicie, elle aussi serait bien heureuse si Monsieur voulait bien se nourrir un peu... Bonne journée, Messieurs, malgré les tristes événements, et en souhaitant que l'appétit de Monsieur Noël se communiquera à Monsieur.

— Merci, André, ne sortez pas si vite... voici pour vous et le cuisinier... Ne discutez pas, vous prenez des initiatives, permettez que j'en prenne aussi !

André sortit, surpris qu'un client qui n'attendait personne eût un billet tout prêt, je fus également surpris, un peu plus tard, de voir Monsieur Proust manger avec un peu d'appétit. Ce qu'on dit est sans doute vrai, les émotions creusent, ému par la mort de Joseph, il l'était aussi par la situation de Joséphine, son message en témoignait, je ne savais plus que penser.

— Vous m'avez posé une question, je vais y répondre tandis que vous mangez. Joséphine a fait un aveu qui ne me surprend pas, je la crois mêlée au crime, en est-elle coupable pour autant, j'en doute.

— Croyez-vous que la coupable est Denise, Monsieur ?

— Je n'ai aucune opinion sur ces femmes, je ne les connais pas. Je me suis dit qu'un policier chargé de l'enquête sans connaître personne ici n'aurait pas craint, au risque d'affoler notre cher directeur, de chercher le coupable dans l'intouchable catégorie de sa vertueuse clientèle, je me suis mis « dans la peau » de ce policier, en l'occurrence plutôt sous celle de son crâne, dans son cerveau... Deux clients avaient un mobile, Messieurs Smithson et Proust. On pouvait les soupçonner, par exemple, d'avoir tué le malheureux pour mettre fin à un chantage, le gaillard les aurait menacés de révéler les horreurs auxquelles ils l'avaient contraint durant des mois ; les pires noirceurs sont toujours possibles, le policier que j'étais devenu ne l'ignorait pas, il eut plus de peine à imaginer le vieux monsieur ou le malade montant chez Joseph, l'un avec sa canne, l'autre son asthme, pour étrangler le gaillard sans qu'il ait eu le temps de dire « ouf »...

Cette idée vous fait sourire malgré la tristesse des circonstances, elle me fit sourire aussi, j'écartai la culpabilité du doux Milord et la mienne en fonction de ce que je savais de ces suspects-là mais aussi de ce que je savais de la victime. Je m'efforçai donc de repenser au sympathique Joseph sous un autre angle, le fait d'avoir souvent rencontré une personne ne garantit pas qu'on la voie telle qu'elle est, au contraire, on finit par ne plus la voir du tout. Le discret Joseph pouvait avoir été, en réalité, un sournois, avoir « fricoté » avec un client ou plusieurs pour de l'argent, il pouvait même en avoir réclamé plus, soit. Mais avoir menacé un bon client de révéler le « pot aux roses », s'il ne « crachait pas au bassinet », au risque de perdre les bénéfices de son fructueux commerce, je ne parvenais pas à le croire. Je ne parvenais pas non plus à transformer de pacifiques messieurs en criminels et en imbéciles, on ne change pas de nature aussi brusquement, on ne tue pas un taciturne pour le faire taire, on le paie ou on change d'hôtel...

N'ayant plus de clients à se mettre « sous la dent », je fus obligé de chercher l'auteur du crime là où l'espérait notre directeur, parmi les membres du personnel.

Les nourritures que le policier de l'appartement 22 aime à se mettre sous la dent sont dans son esprit, il cesse de manger et se promène en parlant.

— Mon enquête fut brève du côté des hommes, aucun de ceux que je connais n'avait de mobile plausible, pas même Massimo, malgré ce que nous savons de lui. Il prend un pourcentage sur les pourboires des serveurs, il vous a volé un baiser, nous pourrions penser qu'il est attiré par les jeunes hommes et profite de son rôle à l'hôtel pour les contraindre à plus qu'un partage de pourboires, qu'il aurait donc pu poursuivre Joseph de ses assiduités, en être repoussé, craindre un scandale et l'assassiner... Cette hypothèse vous répugne, moi aussi, rassurez-vous, elle ne « tient » pas.

J'ai fait parler le Signor Minimo, en arrivant à l'hôtel, je vous l'ai dit. Il a quitté son pays natal pour venir en aide à sa famille, il n'a pas les moyens d'en fonder une dans son pays d'adoption, il vous a donné un baiser parce qu'il a besoin d'une tendresse qui lui manque, comme Monsieur Bâtard, privé d'enfants, demande à baiser vos bonnes joues, rien de plus. J'en ai eu la preuve en interrogeant Hector, il se renseigne sur ses clients mais surveille aussi son personnel ; il connaît les maisons de passe de la ville, grâce aux mouches de Monsieur Bâtard sans doute, et sait même le nom de la charmante Italienne que le Signor Minimo rencontre régulièrement dans l'une d'elles, nous aurions donc tort de le soupçonner de faire partie de ces messieurs qu'il appelle des *travestiti*, ne faisons pas comme eux, qui « voient le mâle partout », comme dirait Montesquiou !

On vit bien que je ne comprenais pas le jeu de mots sur un sujet trop complexe pour moi, en ce temps-là (et pour bien d'autres, au moment de la publication de *Sodome et Gomorrhe*, pour bien d'autres, aujourd'hui encore), on me l'expliqua.

— Une fois de plus je ne veux pas généraliser, n'attribuons pas à trop de gens des mœurs limitées à une poignée d'individus. Si je décrivais, dans un livre, les descendants de la Sodome dont parle la Bible, que l'on accuse d'un mal infâme et que l'on croit partout présents, je les montrerais, oui, là où ils sont, c'est-à-dire comme tout le monde, dans toutes les couches de la société, les campagnes et les villes, les boutiques et les salons, ils sembleraient donc innombrables, ils ne le seraient pas, ils seraient simplement devenus visibles. Mon but est le même que celui de la police, dans l'affaire qui nous occupe, rendre visible l'invisible, remonter aux causes pour comprendre les effets ; la cause de la présence de Massimo en France est la nécessité de venir en aide à sa famille italienne, pour un exilé la famille passe avant le désir, il n'aurait jamais risqué de priver la sienne de ressources indispensables en commettant des actes qui auraient pu le conduire en prison, comprenez-vous ce que je voulais dire, à présent ?

J'étais convaincu de l'innocence de Massimo, je fus stupéfait de découvrir, une fois de plus, l'étendue des recherches de Monsieur Proust. Il avait dû en faire également sur moi, qu'avait-il appris ? Je n'osai jamais le lui demander, bien sûr...

— Il ne resta donc, sur ma liste mentale, qu'un seul employé assez violent pour être capable d'un meurtre, Daniel. Nous nous sommes dit que, s'il avait dû assassiner quelqu'un, c'eût été plutôt vous que Joseph et plutôt moi que vous, or il ne nous a tués ni l'un ni l'autre, c'est un fait. Un autre fait me fit réfléchir, la coïncidence des dates, le crime est survenu le lendemain du vol de mon carnet. Faut-il en déduire que Daniel, surpris par Joseph au moment du larcin, ait décidé de supprimer un témoin gênant ? Un policier y verrait peut-être un mobile suffisant, moi non. J'en étais là de mes réflexions lorsque vous êtes arrivé, hier matin.

Vous m'avez raconté l'enquête que vous veniez de faire et m'avez dépeint les deux femmes, la fiancée silencieuse et sans larmes, la probable voleuse de carnet, larmoyante et embrasée, c'est alors seulement que j'ai pensé que le coupable pouvait être *une* coupable. J'aurais pu le faire avant, puisque j'avais éliminé les hommes de ma liste, mais je connais peu le personnel féminin, j'avais aperçu Denise dans le couloir, je n'avais jamais rencontré Joséphine. Votre description de ces deux femmes m'a d'autant plus frappé, deux mots surtout me les ont rendues visibles, présentes, compréhensibles, deux adjectifs concernant des couleurs de visage, «pâle» pour la fiancée de Joseph, «rouge» pour la femme de Daniel...

Voilà ce qui fut pour moi le «déclic», cher Noël. Je crus Joséphine coupable de quelque chose mais quelle chose? Ne parvenant pas à la découvrir, je continuai d'étudier les autres éventualités, je viens de les récapituler avec vous, la lecture des journaux de ce matin ne m'éclaire pas beaucoup plus. La jeune fille se croit coupable, elle finit par le dire, coupable de quoi exactement, nous ne le savons pas encore, vous-même que croyez-vous?

— Quand on est rouge, on ne tue pas, quand on est pâle, on a tué?

— C'est un peu cela... Votre patron avait-il fait la même conclusion?

— Il croit que Joseph est mort d'un accident, que Joséphine est innocente mais il ne dit pas pourquoi. Il est toujours pressé, il pose des questions, il explique après mais pas toujours. Vous, au contraire...

— Continuez, mon enfant, continuez, vous m'intéressez!

— Vous expliquez ce que vous pensez, vous posez des questions... Il m'a dit que vous aviez sans doute deviné, «Monsieur Proust est écrivain, il fait attention aux mots, il est doué, il l'a prouvé dans l'affaire du sac volé, s'il cherchait du travail, je l'engagerais», ce sont ses mots, Monsieur.

— Il a dit cela ! Eh bien, je suis très flatté, très, si ma santé me le permettait, j'accepterais peut-être son offre... Je suis sérieux, elle est la plus tentante qu'on m'ait jamais faite pour un métier, moi qui n'ai jamais été capable d'en choisir un, sauf celui d'enquêteur, précisément, mais à ma façon, une façon qui n'a pas encore produit de grands résultats et qui ne fait pas « bouillir ma marmite » ! Ah, si j'en avais le temps, j'irais voir ce monsieur, nous aurions beaucoup à nous dire, j'en suis sûr.

C'était comme pour l'ami de ma mère changeant d'avis sur moi en une seconde, un retournement de situation « extra ordinaire » venait de se produire. L'homme qui avait explosé, véritablement explosé, à force d'entendre le nom de mon patron trop souvent répété par moi, quelques jours plus tôt, aurait aimé le rencontrer, aujourd'hui, sûr qu'ils auraient « beaucoup » à se dire tous les deux ! Le coup de théâtre, le renversement de situations et de sentiments me stupéfièrent. *À la recherche du temps perdu* allait m'en donner bien d'autres exemples, dans quelques années – nous les donner à tous...

UNE ÉNIGME POLICIÈRE RÉSOLUE
GRÂCE À DEUX MOTS, FIN

— Avant de parler à votre patron, un jour peut-être, je veux vous expliquer comment la couleur d'un visage a pu me faire soupçonner une culpabilité. Vous n'auriez sans doute pas remarqué la différence entre les visages des deux femmes et ne me l'auriez pas signalée, si vous n'aviez eu l'intuition qu'elle prouvait quelque chose...

Nos émotions peuvent se lire sur nos visages, notre état de santé aussi, vous l'avez sûrement constaté. On peut discuter la théorie des « tempéraments », qui nous vient de l'Antiquité, pour un médecin d'aujourd'hui le visage jaune d'un bilieux n'est pas nécessairement celui d'un envieux. Cependant, pour un professionnel ou même quelqu'un qui a observé les êtres humains, plus encore pour quelqu'un qui a dû soigner son corps malade, les différentes couleurs que peut prendre un visage ont un sens. Ainsi, quand le sang quitte le visage à la suite d'un événement extérieur inattendu ou d'un sentiment intérieur puissant, où va-t-il, le savez-vous ?... Vers le cœur, chargé de répandre ce sang là où il est plus utile à ce moment-là, dans des bras et des jambes qui en ont besoin pour réagir dans l'urgence par une action quelle qu'elle soit, violente ou non, s'enfuir ou se défendre. Le visage de celui qui s'apprête à l'action demeure donc pâle et glacé.

— Et si le visage est rouge ?

— Alors on peut s'agiter, pas agir, du moins pas de façon aussi rapide, aussi forte, aussi précise que si l'on était devenu pâle ; on est paralysé parce que le sang, « monté à la tête », prive les membres de l'énergie nécessaire à l'action. Sans doute le sang irrigue-t-il, alors, excessivement le cerveau ; est-il trop agité pour coordonner des actes réfléchis et efficaces, il faudrait que je pose la question à mon frère médecin. Quoi qu'il en soit, lorsqu'on rougit, on est embarrassé, l'esprit hésite, le corps est incohérent ou même immobilisé, cela vous est sûrement arrivé, c'est ce qui est arrivé à Denise lorsque, rouge et folle de rage, elle vous menaça de son fer à repasser sans aller jusqu'au bout de son geste, c'est pourquoi j'ai pensé qu'elle n'avait pas présenté de danger physique pour vous sur l'instant. Ce qui ne doit pas nous empêcher de nous méfier de ce qu'elle peut tramer contre vous et moi dans l'avenir, avec ou sans son mari, à propos de mon carnet ou d'autre chose.

— Joséphine était encore pâle, des heures après la mort de Joseph, mais elle avait peut-être été rouge et agitée au moment du crime, Monsieur.

— Oui, bien sûr. J'ai été frappé par les deux couleurs opposées que vous aviez décrites à propos de deux situations bien différentes, j'en ai tiré par la suite une conclusion sans certitude, la pâle jeune fille mourait éventuellement de faim et n'osait réclamer à manger dans un moment pareil, tout est possible, c'est la beauté de la vie... Ce matin, ma déduction a l'air d'être corroborée par des aveux mais un aveu n'est pas une preuve, Joséphine peut avoir avoué pour protéger quelqu'un d'autre ou simplement pour qu'on la laisse tranquille, je me suis laissé dire que les interrogatoires, destinés à obtenir des aveux rapides à tout prix, étaient souvent épuisants. Raison de plus pour venir en aide à une personne dont la situation me touche.

Le bienfait de quelques bouchées de nourriture est déjà loin, l'euphorie de la recherche et de la découverte a disparu, mon hôte est à nouveau pâle et inquiet, il regarde les rideaux fermés comme pour voir, à travers eux, une lumière.

— Hier au soir, le directeur m'a téléphoné pour me dire que le commissaire venait d'obtenir des aveux qu'il avait demandé à la presse de rapporter avec discrétion en attendant la suite de l'enquête, inspirons-nous de cette prudence. Une vérité n'est jamais claire de tous les côtés, la différence entre deux visages donne une indication, elle ne suffit pas, une énigme ne peut être résolue grâce à deux mots seulement, j'en suis conscient. J'irai plus loin, toute la vérité ne peut pas être non plus tout à fait contenue dans un aveu, si sincère soit-il. Même si nous avions assisté à la scène par le trou de la serrure, des détails auraient pu nous échapper, les motifs des actes nous demeureraient encore mystérieux, ils pourraient le demeurer même à ceux qui ont commis ces actes... Je vous assure, vous ferez, un jour, l'expérience de ce moment où l'on ne se reconnaît pas dans un acte qu'on a commis, où l'on croit même, contre toute évidence, qu'on ne l'a pas commis.

Dans ces conditions, à supposer que Joséphine soit responsable de la mort de Joseph et que ce soit prouvé, sera-t-elle capable d'expliquer son geste, pourrons-nous jamais en découvrir le pourquoi, j'en doute, elle est jeune, sûrement peu expérimentée en matière de retour sur soi et de réflexion sur autrui. Si elle est coupable, le pourquoi lui sera peut-être à jamais inconnu à elle-même, il nous le sera aussi, surtout si la cause de son geste est le sentiment auquel j'ai pensé immédiatement, la jalousie, pas de sentiment plus mystérieux, nous le savons.

Quant au comment, ce peut être un hasard dont elle n'a pas eu clairement conscience, un événement fortuit survenu au cours d'une activité dont j'hésitais à vous parler hier, par exemple, un accident, comme le croit votre patron.

— Madame Edmée dit que c'est plus compliqué, de la jalousie et un accident en même temps.

— Rose Bienaimé connaît le personnel mieux que quiconque, voyons, voyons, est-ce que j'aurais oublié quelque chose que Joseph a pu me dire et qui expliquerait le geste de sa fiancée ?... Je ne retrouve rien, il parlait peu, mais il était joyeux de son mariage prochain, cela au moins est sûr. Je ne connais pas cette pauvre fille, je l'imagine pâle et glacée, regardant son fiancé sans rien faire, j'en suis glacé moi-même, j'interroge ma propre théorie, est-elle restée immobile parce que son cerveau privé de sang ne lui suggérait plus rien ou s'est-elle dit que le mieux à faire était d'attendre, de garder son sang-froid, si je puis dire ?

— Si c'est ça, elle l'a laissé mourir volontairement, pourquoi ?

— En tout cas elle n'a rien fait, ou honteuse de la situation, il y aurait de quoi, ou pour une autre raison que nous ignorons, qu'elle-même ignore, elle a été trop pétrifiée pour réagir. Si elle avait été rouge et agitée, au contraire, elle n'aurait peut-être pas osé crier à l'aide, au moins serait-elle sortie de la chambre, affolée, quelqu'un aurait pu l'entendre gémir, serait allé voir, aurait coupé la corde et sauvé le malheureux, j'ai lu des cas de pendus ranimés au dernier moment... Ce moment n'a pas eu lieu, hélas, et je fais des suppositions sans preuves, la réalité diffère toujours de nos hypothèses. La seule chose certaine est que Joséphine s'accuse de la mort de son fiancé. Y a-t-elle assisté ? Si oui, elle n'a peut-être pas causé sa mort mais n'a rien fait pour l'empêcher, pourquoi ? Selon moi, nous ne le saurons jamais, même si un témoin vient fournir plus de détails, même si cette pauvre fille finit par s'expliquer avec la plus grande sincérité. Ses vrais motifs lui échapperont, comme à presque tout le monde dans des affaires semblables, je suis persuadé qu'aucun jugement, judiciaire ou privé, ne peut jamais être exact, même corroboré, cher petit.

Cela dit, un événement incompréhensible dans le présent a ses raisons dans le passé, Rose a les moyens de remonter le temps en faisant parler les gens, je lui fais confiance, elle trouvera des réponses. J'ai moins d'éléments qu'elle mais les actions humaines obéissent aux mêmes lois, réfléchissons...

Quand il se livrait à son activité préférée, Monsieur Proust ne cachait rien de ses efforts, on les voyait sur son visage tendu vers la recherche de la vérité, il oubliait alors le reste. La fin du séjour à Versailles fut l'occasion de vrais chagrins, qu'il évoqua rarement mais n'oublia pas. Il me dit, un jour : « Je me demande ce qu'est devenu le mélancolique Daniel, vous êtes le seul avec lequel je puisse parler de lui et du pauvre Joseph. Reynaldo ne l'a jamais rencontré à l'hôtel, j'ai un peu consulté Hector quand il est devenu antiquaire, je ne le revois plus, ces souvenirs-là, je ne peux les saluer qu'avec vous. Ainsi les cartes de nos vies sont-elles faites, certaines petites îles n'y sont bientôt plus visitables qu'avec une seule personne. »

Le détective en chambre a réfléchi en silence, il continue à voix haute.

— Joséphine est peut-être plus coupable que je ne pense, ou courageuse, elle a peut-être avoué pour ne pas laisser accuser des innocents, nous ne savons rien d'elle et n'en savons pas beaucoup plus sur Joseph.

Je croyais le connaître, nous apprenons qu'il recevait sa fiancée, timide vierge naïve en apparence, dans sa chambre, nous allons être obligé de penser qu'il lui demandait des services en usage dans les pires maisons de plaisir, si la thèse de l'étranglement accidentel est la bonne. L'Anglais qui me paraissait le plus inoffensif des vieux messieurs fait peut-être semblant de ne pouvoir dormir, la nuit, afin de pervertir de braves serveurs un peu simplets dans les hôtels où il passe sa vie, qui sait ?

Et moi-même, qui suis-je ? Un fou qui dort le jour et refuse qu'on nettoie sa chambre parce qu'il y dissimule des secrets honteux ou le plus sensé des hommes, qui essaie seulement d'apprivoiser une maladie pour survivre ? À votre avis, cher Noël ?

— À mon avis, il faut parler de l'accident, Monsieur.

— Je ne vous ai que trop entraîné à parler de sujets qui ne sont pas de votre âge, je vous l'ai dit, j'hésite à évoquer le genre de pratique qui a pu causer la mort de Joseph...

— Nous connaissons ces choses-là, chez *Bâtard et Fils*, ça arrive, Monsieur.

Je le revois, il est assis sur le canapé, il respire par petits coups en me regardant, il réfléchit avec étonnement puis avec un sourire.

— Comme je suis naïf! Je vous prends pour un enfant parce que vous vous avez un aspect juvénile et pas encore dix-huit ans mais, dans votre monde, on commence à travailler bien plus tôt que cela ; quand on travaille, on est un homme, on en sait déjà beaucoup sur les êtres humains, plus encore si on est au service d'un enquêteur dans une maison qui s'occupe d'affaires logiquement liées aux étrangetés humaines, je comprends...

Nous allons donc parler de ces petites horreurs qu'on appelle les choses de la vie pour ne pas avouer qu'elles nous choquent, ce qui n'a aucune importance, mais aussi qu'elles nous déconcertent, ce qui est plus grave, nous nous croyons incapables de les comprendre, nous avons tort. Elles nous entourent, elles se produisent en nous, parfois, il nous faut donc les regarder en face pour tenter de les comprendre.

Ces choses me paraissaient naturelles, ne me choquaient pas, je l'ai dit, elles embarrassaient parfois l'homme privé que j'ai connu, alors que, dans ses livres futurs, l'auteur oserait en parler comme personne. Au minuscule niveau de mon petit livre à moi, elles occupent une place que je n'avais nullement prévue – le titre que j'avais donné à ces souvenirs, avant même de les évoquer, *Les Enquêtes de Monsieur Proust*, aurait dû me rappeler ce que la vie m'a enseigné : il n'y a pas d'enquêtes sans abîmes.

— Ces choses, je les connais, Monsieur. La maison Bâtard s'est occupée, il y a pas longtemps, d'une dame qui avait été accusée d'avoir à moitié étranglé son mari. Elle a tout expliqué à mon patron pour qu'il parle à la police. Le monsieur était un peu âgé, il avait pris l'habitude de se pendre juste un peu, à l'espagnolette d'une fenêtre, pour pouvoir « honorer son épouse », elle a dit ça, et Monsieur Bâtard nous a expliqué le pourquoi de la pendaison dans ces cas-là. Mais ça peut être dangereux, c'est ce qui s'est passé pour ce pendu-là. Sa dame a pas pu dénouer la corde, cette fois-là, le poids du corps tirait trop, elle a dû appeler la bonne pour l'aider à couper la corde mais trop tard. La bonne a raconté l'histoire, des gens ont dit que cette dame avait voulu tuer son mari, c'était pas vrai, la police l'a reconnu. « Le malheureux croyait me faire plaisir, ça me faisait peur, je n'en demandais pas tant, loin de là ! », c'est ce qu'elle a dit à mon patron, il nous l'a raconté.

— Hé oui, nous nous sommes « tués à la tâche » alors qu'on ne nous en demandait « pas tant » !... Mais je m'en veux de rire, une tragédie a eu lieu pour cette femme et son mari, une autre tragédie a eu lieu ici pour un brave garçon dont je ne parviens pas à croire qu'il ait pu recourir à ces procédés, il n'en avait pas besoin, il était jeune, lui.

— Monsieur Bâtard nous a expliqué que des gens jeunes font ça aussi, quand ils ont des difficultés à honorer une dame ou quand ils aiment les choses de la « perversion », c'est le mot qu'il a dit. Il s'intéresse beaucoup à la perversion et à l'anatomie, il nous a expliqué le fonctionnement de ces étranglements-là, je peux vous dire comment, je me rappelle tout...

— Épargnez-nous une leçon de choses embarrassante, mon enfant, je connais le phénomène. Mon père était médecin, il me parlait de tout très librement, je lui parlais de même, il m'a cité un cas de ce genre, un jour. Il venait d'apprendre la disparition de l'un de ses collègues à l'Académie, adepte de la petite pendaison pour obtenir la « petite mort », mais c'est la grande que le malheureux avait fini par en retirer, à force de « tirer sur la corde », si j'ose dire !... Il était seul chez lui, il n'avait personne pour le sauver, personne à honorer non plus, si ce n'est la mémoire du malheureux Onan de la Bible, la seule corde qui fut coupée dans ce cas-là fut celle de sa vie, par les Parques. (Je cherchai Onan dans le dictionnaire, le soir même, et l'y trouvai, ainsi que les Parques, quoique plus difficilement – inculte et Versaillais, j'avais d'abord été à « Parc ».) Ainsi, pareil au vieux mari dont vous venez de parler, le jeune Joseph aurait été victime d'un accident de ce genre, totalement involontaire selon votre patron, plus ou moins volontaire selon Madame Edmée, si j'ai bien compris, vous-même, qu'en pensez-vous ?

— Je sais pas, Monsieur, je *ne* sais pas. Il faudrait savoir si

Joséphine avait l'habitude de l'étrangler un peu ou si c'était la première fois.

— Mais oui, c'est cela, c'est cela. C'était la première fois, bien sûr, c'est l'hypothèse la plus conforme à ce que nous savons du couple, elle est sûrement la bonne. La pauvre jeune femme découvrait avec stupéfaction un usage effrayant, la corde s'est coincée, elle n'est pas arrivée à la dénouer, au lieu de crier à l'aide, révélant ainsi l'affreuse cérémonie à laquelle elle venait d'être mêlée, elle a été paralysée d'horreur et elle l'est restée, livide et glacée, jusqu'au lendemain, ainsi que vous l'avez vue. Elle l'est peut-être encore, deux jours après, au commissariat où l'on doit continuer à l'interroger en ce moment, malgré ses aveux. Elle ne dira plus rien, elle ne saura pas s'expliquer, nous venons de comprendre pourquoi, on la guillotinera, il faut rappeler l'avocat !

Il va vers le téléphone puis s'arrête.

— Si Rose Bienaimé a raison, Joséphine n'est pas seulement coupable d'un meurtre accidentel, ainsi qu'elle le reconnaît elle-même, mais d'un assassinat.

— Je ne comprends pas, Monsieur.

— Elle n'a sans doute pas eu l'initiative de la pendaison mais l'a peut-être laissée tourner en mort pour des motifs que Rose connaît, mon intervention risque d'entraîner l'avocat dans des directions dangereuses pour sa cliente, mon rôle n'est ni de venger les crimes ni de précipiter les condamnations, ce n'est pas à moi d'agir...

Il est soudain effrayé, désespéré, des larmes remplissent ses yeux immenses, elles vont déborder, je ne peux pas le laisser comme ça.

— Non, Monsieur, vous devriez téléphoner plutôt à Monsieur Bâtard. (Depuis que je savais que mon client aurait aimé le rencontrer, je ne craignais plus de citer mon patron.) Il est habitué aux affaires de police et d'avocats, si vous lui dites que vous pensez comme lui, que c'était un accident mais que Madame Edmée pense autre chose, il ira la voir, ils parleront, ils sauront quoi faire après, voir l'avocat ou non.

— Vous avez raison, un simple spectateur comme moi ne doit pas intervenir dans une enquête mais l'avis d'un homme expérimenté peut compter, je vais l'appeler. Donnez-moi son numéro de téléphone. Merci.

PREMIÈRE FIN DANS L'AFFAIRE
DU CRIME À L'HÔTEL

Monsieur Proust et Monsieur Bâtard se parlèrent téléphoniquement mais ne se virent jamais. Le premier ne vint pas au procès, ce qu'il avait déclaré au commissaire ne justifiait pas une comparution. Le second alla voir l'avocat, qui sut interroger Joséphine avec patience et l'aider à répondre aux policiers. Peu à peu arrachée à son effroi, elle fut déclarée innocente. Voici ce que reconstitua l'enquête et le procès qui suivit, bien après le retour à Paris de Monsieur Proust.

Lorsqu'elle fut sûre d'être épousée, aux approches de Noël, la jeune fille résolut de « fêter Pâques avant les Rameaux » (mot de Félicie à la lecture des journaux). Elle entra, un soir, dans la chambre de son fiancé et s'offrit à lui. Surpris, ému et novice, le jeune homme ne parvint ni à éprouver ni à faire éprouver les plaisirs si longtemps attendus par le couple (il avait vingt-trois ans, sa fiancée vingt, ils se connaissaient depuis deux ans, tous deux avaient d'abord décidé de conserver leur virginité jusqu'au mariage). Après un deuxième échec, le jeune homme ne vit qu'une personne de confiance à consulter, son respectable client anglais. Il faut croire que le vieux Milord parlait mieux le français que ne le disait Massimo mais pas assez bien pour expliquer le danger de certaines pratiques, le seul moyen qu'il préconisa fut la pendaison interrompue.

Le pauvre homme put confirmer les déclarations de Joséphine sur ce point au commissariat mais mourut d'une crise cardiaque avant le procès, dans les bras d'un autre valet auquel il avait demandé des consolations dont je parlerai plus loin, et dans un autre hôtel de Versailles (il y avait pris pension pour pouvoir se tenir à la disposition de la police sans continuer à « souiller » de sa présence la réputation de son cher hôtel des Réservoirs, avait-il déclaré au directeur).

La première expérience eut lieu devant la fenêtre, l'espagnolette servit de crochet pour une corde, l'étranglement effraya les fiancés sans produire l'effet prévu, on y renonça. Selon ses déclarations, Joséphine jeta la corde, « des choses comme ça, c'est pas bien », dit-elle au procès, mais retourna, un soir, dans la chambre du jeune homme qui voulut de nouveau accéder au paradis en s'étranglant lui-même au moyen de la fine chemise de sa fiancée, entortillée pour remplacer la corde (ce système fut ma seule supposition exacte dans cette affaire). Il la serra trop fort, Joséphine s'en aperçut trop tard, tenta en vain de la dénouer, assista à une mort affreuse et demeura prostrée d'autant plus longtemps qu'elle ne voulait pas sortir sans chemise, « qu'est-ce qu'auraient dit les gens ? ».

À en croire la malheureuse, pétrifiée de la façon que j'avais décrite à Monsieur Proust, elle serait restée là jusqu'au matin si la porte de la chambre voisine n'avait claqué. Ranimée par le bruit, la jeune femme était parvenue à dénouer enfin sa chemise et à la remettre, non sans l'avoir soigneusement défripée, « je suis pas une souillon », était enfin sortie, avait frappé à la porte du voisin, un garçon de cuisine qu'elle avait guidé, sans un mot, dans la chambre de Joseph. Le garçon courut chercher du secours, Joséphine demeura muette jusqu'au lendemain soir et finit par faire la déclaration qui fut considérée comme un aveu, « c'est de ma faute, j'ai pas réussi à desserrer ma chemise ». Les précisions qui devaient conduire à sa libération furent données peu à peu, le procès se tint à la fin du printemps de 1907. Des commentaires eurent lieu durant des mois, on l'imagine. Monsieur Proust n'en fit guère, il était passé à autre chose, Monsieur Bâtard se contenta de dire « affaire classée » et Massimo « *Che miseria*, oune garçonne qui gagnait si bien ! ». Edmée, réfléchissant toujours à sa manière, renseignée par le personnel de l'hôtel et par les mystérieux informateurs qu'elle avait partout, ne changea pas d'avis, la mort de Joseph n'était pas un accident, pour elle Joséphine était coupable d'un crime. Accompli pour quel motif, elle refusa de me le dire quand je lui annonçai que je quittais Versailles, au début de janvier, « mon enquête n'est pas finie, petit homme Noël ».

Le départ de mon « beau prince » l'avait attristée, tous deux ne s'étaient pas revus, ils auraient voulu parler ensemble de certains détails ignorés par l'enquête, elle le fit avec moi un an plus tard, lorsque je vins passer le jour de Noël avec ma mère (mon installation à Paris avait eu lieu grâce à mes deux protecteurs, Monsieur Bâtard m'avait envoyé travailler chez son frère, Monsieur Proust m'avait présenté à un commissaire de sa connaissance qui orienta ma carrière, tous deux avaient tenu leurs promesses).

RETOUR À L'HÔTEL,
DERNIER DRAME

L'hôtel se remettait d'un crime, l'enquête qui allait disculper Joséphine suivait son cours, Monsieur Proust préparait son installation à Paris, je ne pouvais ni le voir ni rien faire pour son carnet, il fallait attendre que Madame Edmée eût parlé à Denise, j'attendis. Après deux longs jours de silence et quelques courses sans intérêt, on me fit savoir que la « Fée Aux Meringues » m'attendait. C'était trois jours avant Noël, il était midi.

— Échec, cher petit homme, Denise se méfie de moi, elle ne s'arrête pas à ma porte, même si je lui demande des nouvelles de son fils, même si je lui offre des gâteaux dont elle aurait pourtant bien b'soin, elle maigrit, elle est mangée par un souci. Elle n'est pas allée voir Joséphine en prison, elle a dû l'oublier, elle ne pense qu'à son fils et à son mari, au carnet aussi, peut-être. Le client du 22 part dans quelques jours, tout le monde le sait, elle tentera sûrement quelque chose avant, va dire au beau prince de se méfier. S'il sort de l'hôtel ou s'il descend au restaurant, qu'il mette sa domestique en faction dans sa chambre. Il a cessé de réclamer son carnet, Denise doit se dire qu'il faut voler autre chose pour qu'il propose une récompense ou seulement pour lui faire de la peine, on ne peut jamais savoir avec les méchants, elle a un passe, elle peut entrer chez lui ou donner le passe au mari...

— Vous croyez qu'ils chercheront de l'argent ?

— S'ils n'en trouvent pas, il y aura peut-être des bijoux, comme ma belle épingle bleue, et il y a évidemment des papiers, rien de pire pour un écrivain, évitons cela. Daniel a encore plus maigri que sa femme, il se ronge. Il sait que le client doit partir entre le 26 et le 28, il est de repos après-demain 24 et le lendemain, sa femme aussi, à mon avis il n'attendra pas le 26, il tentera quelque chose avant, il faut l'en empêcher. La seule personne qui puisse le faire est celle qui le fait souffrir, peut-être que parler avec elle lui ferait du bien, il renoncerait à la faire souffrir, il lui rendrait peut-être le carnet, tout rentrerait dans l'ordre, voilà ce que tu vas faire...

J'admire une fois de plus, rétrospectivement, l'intelligence de cette femme, si son plan avait réussi, un drame aurait été évité. Elle comprenait le déroulement des événements dans les faits mais aussi dans les têtes, dans les cœurs, elle avait à la fois de la tête et du cœur, elle-même.

— Va immédiatement demander à notre ami d'accorder une dernière rencontre à son voleur, le restaurant serait le mieux, dès aujourd'hui, au moins au dîner.

— À cette heure-ci, il dort encore, j'irai à quatre heures.

— Il est réveillé, il s'est fait servir un café au lait et monter ses journaux, à onze heures, je le sais. Prends cette cleff, c'est un passe qui ouvre toutes les portes du bâtiment des clients mais aussi la porte de communication entre les chambres des domestiques de là-bas et celles d'ici. Monte tout de suite, comme cela, tu ne risqueras pas de rencontrer Daniel, il prépare son service à la salle à manger, ni Denise, c'est l'heure de la tétée, ni besoin de passer devant Massimo pour monter au 22, je me méfie de lui, méfie-toi aussi...

Je pris le passe, trouvai le passage dans les combles, descendis par l'escalier de service et frappai chez Monsieur Proust à midi un quart. Il m'ouvrit en souriant, tenant à la main l'un des journaux sans nombre qu'il lisait quotidiennement.

— J'ai cessé de faire confiance à Monsieur Massimo depuis ce que vous m'avez appris à propos des pourboires, je lui rends néanmoins grâce de sa vélocité... Je viens à peine de l'appeler pour lui demander de vous prévenir de mon désir de vous voir, vous voici déjà !

Je lui expliquai que je venais de la part de Madame Edmée et lui transmis ses inquiétudes. Il s'assit en froissant les journaux étalés sur son canapé, porta une main à son cœur et commença aussitôt à respirer moins bien.

— J'avais justement l'intention de déjeuner au restaurant de l'hôtel, ce que vous me dites m'en retire toute envie. Je me sentais mieux, ce matin, même si la mort du pauvre Joseph me remue encore cruellement, et voilà que Rose Bienaimé veut m'effrayer ?... Elle a peut-être raison mais Daniel peut faire ce qu'il veut, je ne le crains pas. Et puis les précautions sont toujours inutiles, regardez ce qui vient d'arriver au malheureux Joseph, on aurait pu lui dire de se méfier de la terre entière, il ne se serait pas méfié de sa fiancée, elle l'a pourtant laissé mourir sans rien faire, si ce n'est pire. Que je me méfie ou non de Daniel et de sa femme ne changera rien. Si je dois mourir dans la rue, renversé par une automobile, j'aurai beau sortir encore moins que je ne fais, je serai fauché quand même comme l'herbe des champs et, comme le disent mes chers contes arabes, parce que « c'était écrit »...

Vous ne connaissez pas *Les Mille et Une Nuits*, je vous en procurerai un volume lorsque vous viendrez me voir à Paris, si vous ne réclamez pas la suite, je n'insisterai pas, il était écrit que vous seriez sensible aux histoires que je vous raconte, pas à celles de la belle Shéhérazade !... Quand vous sortez de chez moi et de l'hôtel, méfiez-vous de Daniel malgré ce que je viens de dire sur l'inutilité de la méfiance. Il peut vous guetter, un jaloux est un fou, il peut se déchaîner brusquement contre vous, dans l'escalier ou dans la rue, soyez prudent.

— Ne vous inquiétez pas, Monsieur, je cours vite, c'est mon métier, et je sais me battre, Monsieur Bâtard nous fait pratiquer la boxe française, je sais donner des coups de savate, j'ai même appris à me battre avec une canne. (L'idée fait sourire Monsieur Proust, on n'imagine pas le petit Poucet avec une canne, on a tort, une canne ajoute de l'allonge à des bras trop petits pour assener de bons coups de poing, à des jambes trop courtes pour porter les bons coups de « savate » de la boxe française.) Et puis j'irai bientôt à Paris travailler chez le frère de Monsieur Bâtard, il me l'a promis.

— Vous viendrez donc m'y voir bientôt, je n'oublierai pas ce que je vous ai promis... mais j'ai oublié pourquoi je vous ai fait monter, c'est ennuyeux, je vais devoir vous chasser, je me prépare à recevoir un ami qui vient me rendre compte de mon emménagement, je quitterai l'hôtel le 27 ou le 28... Comment le saviez-vous ? Je ne le sais moi-même que de ce matin !

Il trouva aussitôt une enveloppe, parmi cent autres sur la table, et l'examina.

— Mon ami m'écrit qu'il arrive par le train de quatorze heures trente-cinq, il sera là au plus tard à quinze heures, nous parlerons jusqu'à l'heure du thé, ce sera long, c'est un amateur de thé, il a longtemps conservé une maîtresse assommante parce qu'elle lui préparait du bon thé, revenez après avoir mangé à la cuisine, il sera parti. J'espère que j'aurai retrouvé entre-temps ce que j'avais à vous dire, peut-être vous demander de faire une course à la place de Félicie, elle n'est pas là aujourd'hui. Elle est retournée à Paris vérifier que les travaux de mon nouvel appartement sont bien finis, elle rentrera par un train du soir mais je saurai, avant son retour, qu'ils ne le sont pas, mon ami m'aura expliqué, d'ici là, que la pose d'un branchement électrique près d'un lit est une entreprise plus ambitieuse que la construction du château de Versailles, en tout cas aussi longue... Cette enveloppe a été ouverte ! J'avais demandé qu'elle fût cachetée à la cire, on a négligé de le faire, Massimo a lu la lettre, voilà pourquoi il est au courant de mes affaires avant moi, ainsi que les privilégiés auxquels il les communique, dont vous !

— C'est Madame Edmée qui m'a parlé de votre départ, Monsieur.

— Elle centralise les renseignements, cela ne m'étonne pas, je devrais aller la voir quand je me lève, son joli visage me ferait du bien et je serais informé plus vite des affaires des autres mais aussi des miennes ! Je ne vous chasse pas, comme on dit dans le monde, mais je dois me préparer aux contrariétés que me causera mon visiteur. Si vous voyez votre patron aujourd'hui, faites-lui tous mes compliments, à tout à l'heure, mon petit.

DRAME À L'HÔTEL,
CHEZ MONSIEUR PROUST

Je refis le même trajet pour sortir de l'hôtel, les rideaux de Rose-Edmée étaient clos, elle devait dormir. À cinq heures mes courses du jour étaient finies, je n'en cherchai pas d'autres et revins chez Monsieur Proust par le même chemin.

Comme je lui avais dit que j'étais en possession d'un passe, il m'avait proposé d'entrer sans frapper et de l'attendre dans le salon, s'il était retourné se reposer dans sa chambre ou si la fantaisie l'avait pris de raccompagner son ami à la gare. La pièce était vide et sombre, rideaux fermés comme toujours, seulement éclairée par la bougie habituelle. Au lieu d'allumer l'électricité je décidai de dormir un peu, dans l'espoir que la soirée serait longue (dans quelques jours il n'y aurait plus de longues soirées pour moi, le client du 22 serait parti).

Le canapé avait été débarrassé de ses journaux, un manteau et une canne y avaient été jetés, je les poussai le plus silencieusement que je pus, au cas où mon hôte aurait été endormi à côté, et m'allongeai.

Je somnolais quand j'entendis la porte d'entrée s'ouvrir, je pensai aussitôt « j'ai un passe, Daniel peut en avoir un aussi » et saisis sans réfléchir la canne demeurée près de moi. Il y avait de la lumière dans le couloir, je vis dans l'encadrement de la porte une silhouette d'homme couronnée d'or ; elle ne pouvait être que celle de Daniel Martinon, il n'avait pas à entrer en cachette chez un client auquel il avait déjà presque certainement volé un carnet, brave chien de garde, je me levai, courus et frappai l'homme aux jambes ; il tomba en poussant un cri, le plafonnier du salon s'alluma, je me retournai et vis Monsieur Proust sur le seuil de la porte de sa chambre.

Ne dormant pas, ou ne dormant que d'une oreille, à son habitude, il avait entendu ce qui se passait, il était déjà là. Il demeura immobile et silencieux, éclairé à contre-jour par la lumière de sa chambre plus que par celle du lustre électrique. On ne voyait pas ses yeux, il observait sans doute la personne à terre, qui ne bougeait plus mais gémissait doucement. Lorsqu'il parla, ce fut de sa voix la plus calme.

— Monsieur Noël, aidez celui que vous venez de frapper à s'éloigner de la porte d'entrée, vous pourrez ainsi la refermer. Je ne veux pas faire de scandale en demandant de l'aide ni être entendu lorsque je parlerai à Monsieur Daniel.

Je n'eus pas à toucher ma victime, elle se traîna sur le parquet en s'aidant de ses mains et d'une seule jambe, respirant par à-coups, étouffant des cris. Quand j'eus fermé la porte, Daniel était déjà parvenu au centre de la pièce. Il s'accrocha aux bras d'un fauteuil afin de relever le buste et tourna la tête vers la porte de la chambre. N'osant m'approcher de lui, je ne pus voir son visage mais crus entendre, sous des gémissements de douleur contenue, une peine plus profonde que celle du corps. Monsieur Proust reprit la parole, avec plus que du calme, une douceur.

— Que veniez-vous faire ici ?

— Vous rendre votre carnet, Monsieur...

Je craignis aussitôt une ruse, notre hôte pensa autrement, s'approcha du blessé et tendit la main. Daniel fouilla dans la poche intérieure de sa veste, en sortit le long carnet marron, le rendit à Monsieur Proust, baissa la tête et prononça des mots interrompus de sanglots.

— Je vous demande pardon, Monsieur, je... je vous ai volé votre carnet pour vous faire de la peine parce que... parce que j'en avais... C'est ma femme qui l'a pris en faisant le ménage, je l'ai forcée... Elle m'a prêté son passe pour que je remette le carnet sur la table, je me disais « il retrouvera le carnet demain, il croira qu'il l'avait perdu, il sera content de le retrouver avant son départ »... Que Monsieur dise que c'est moi, ne parlez pas de Denise, s'il vous plaît, ce n'est pas sa faute, je vais perdre ma place, on a un enfant à nourrir, faut qu'elle continue à travailler...

Entre l'ouverture de la porte et le coup de canne, je n'avais pas eu le temps d'avoir peur. Lorsque Daniel était tombé, j'avais craint une riposte, rien n'était venu. On aurait dit qu'il avait oublié la haine qu'il avait eue contre moi et même que je l'avais frappé, il ne pensait plus qu'à celui auquel il s'adressait avec honte et qui l'écoutait sans peur, comme d'habitude. J'avais craint, durant des jours, de rencontrer un homme qui aurait pu vouloir me « casser la figure », ou même me tuer, ce soir-là c'est moi qui lui avais sans doute cassé une jambe, qui l'aurais peut-être battu à mort, s'il s'était défendu, il ne sembla même pas y penser.

Je me rapprochai insensiblement de Monsieur Proust, comme pour le protéger, je voulais voir les yeux jaunes, toujours furieux autrefois, de Daniel. Tournés vers celui qu'il avait volé, dont il venait de forcer la porte, ils n'exprimaient plus que de la douleur et de la peine.

En les décrivant, j'ai l'impression de revoir ces yeux devant moi, d'entendre ces plaintes en direct, j'éprouve à nouveau le remords que je ressentis alors. Qu'avais-je fait ? Quelqu'un était entré sans frapper, cela peut arriver dans un hôtel. Nous étions tous bouleversés par le meurtre qui venait de s'y produire mais on ne se jette pas sur les gens à coups de canne avant d'avoir été menacé, on reste calme, on interroge, on allume la lumière, on jauge la situation. J'avais attaqué, persuadé que je défendais mon hôte, en réalité hanté par une crainte fondée sur quelques regards et des suppositions, rien de plus, en quelque sorte atteint moi aussi par la maladie de la persécution dont souffrait, selon Monsieur Proust, celui que j'avais blessé.

J'avais agis instinctivement, en « brave chien de garde », ai-je écrit, je corrigerai en chiot sans expérience. Et je prétendais vouloir entrer dans la police ! Ma honte me revient comme si je l'éprouvais en ce moment même. Daniel attendait une réponse, le corps recroquevillé par la souffrance mais le visage levé vers son hôte. Sur l'instant, la douleur exprimée par ce visage me donna le désir de tomber à genoux devant cet homme meurtri par moi et de lui demander pardon. Rétrospectivement, ce visage me semble avoir exprimé, au-delà de la honte et du remords, une tendresse blessée, maintenue contre toute espérance, presque sereine.

Je revois cette minute à la lumière de ce qui suivit, il me semble aujourd'hui que ce fut à cette minute-là que je devins adulte. Je ne savais presque rien de tous les sentiments dont j'avais été le témoin, ces derniers temps, ils m'avaient surpris, à présent j'en étais ému. Ils avaient dû toucher en moi des émotions communes à tous les humains, je les pressentais comme des souvenirs du futur, du temps où je serais complètement devenu l'un d'eux, capable de les comprendre, du moins de me reconnaître comme leur frère.

Le client du 22 ne regardait plus le voleur, il regardait le donneur de coup de canne. Il dut lire ma honte sur mon visage, la prit pour de la crainte, me fit signe de me rassurer et se retourna vers Daniel.

— Je vous crois et vous pardonne. Votre femme est-elle à l'hôtel ?

— Oui, Monsieur, dans sa chambre, il faut la prévenir, numéro 4, à gauche dans le couloir. (Il se tourna vers moi pour me donner cette indication de la même façon qu'il aurait dit à un passant, dans la rue, de prendre à gauche pour trouver la gare. De jalousie, de haine, de souvenirs, de maladie de la persécution, pas trace dans ses yeux jaunes, à présent couleur de plomb.) Il ne faut pas lui faire peur, s'il vous plaît.

— Nous allons la faire venir ici, je lui expliquerai la situation avant qu'elle vous voie. Je vais téléphoner à la clinique du docteur Maréchal, un ami à moi, il enverra des infirmiers et une civière pour vous faire descendre l'escalier...

— Non, Monsieur, s'il vous plaît ! Je remercie Monsieur mais je ne veux pas être vu comme ça dans l'hôtel, je peux marcher... que Monsieur regarde...

S'aidant du dossier d'un fauteuil voisin, il se leva d'un coup. Son visage devint si pâle que nous fîmes un pas, le monsieur et moi, pour aller soutenir le blessé. Il nous repoussa d'une main, l'autre agrippant le dossier du fauteuil, et fit un pas, lui aussi. Un second semblait impossible, il le fit.

— Vous voyez, Monsieur ? L'important est qu'on me voye pas sortir de chez vous, il ne faut pas de scandale. Après, ça sera facile, je descendrai doucement avec ma femme. Si on me pose des questions, je dirai que je suis tombé dans l'escalier...

— Après quoi, vous aurez à traverser la cour et monter les étages du bâtiment des domestiques avec une fracture, car c'est ce dont souffre votre tibia gauche, je le vois bien. Il n'est pas question que vous marchiez ce soir, vous le ferez demain avec un plâtre et une béquille, le médecin vous dira plus tard quand vous pourrez reprendre votre service. Pour l'heure, je veux bien accepter la première partie de votre programme, descendez avec votre épouse mais ce sera pour monter dans la voiture que je vais faire envoyer par la clinique où l'on vous soignera... Ne protestez pas.

Quand Monsieur Proust demandait quelque chose, on ne pouvait refuser, je l'ai dit, quand il usait d'autorité, on ne pouvait qu'obéir. Dans ces minutes-là, seulement celles-là, l'éternel jeune homme, toujours exagérément aimable, avait l'air d'un homme de son âge et d'un monsieur habitué à commander (il faisait même presque peur).

— Vous vous inquiétez des frais causés par cet accident, rassurez-vous, nous les réglerons, le directeur et moi-même. Je lui dirai que vous êtes tombé en venant me dire au revoir, puisque je suis sur le départ, vous le savez peut-être.

— Oui, Monsieur, je le sais... J'étais justement monté à mon heure de liberté pour vous rendre votre carnet avant le 28, je ne serai pas là ces prochains jours, je vais dans la famille de ma femme à Saint-Cyr.

— Asseyez-vous dans le fauteuil. Asseyez-vous... Bien. Écoutez-moi et répondez sincèrement à mes questions. Vous veniez me rapporter un objet que j'avais perdu, je vous en remercie, mais vous auriez dû frapper, entrer avec un passe était risquer ce qui vous est arrivé avec Monsieur. Il se trouvait là par hasard, la même chose aurait pu se produire avec un autre de mes amis ou avec moi-même, je m'endors parfois dans ce salon. J'ai l'ouïe fine, vous m'auriez réveillé, peut-être aurais-je eu la même réaction.

— Oh, non, pas vous, Monsieur, je vous connais ! Je n'ai pas frappé, parce que j'avais honte de ce que j'avais fait... André avait dit que Monsieur reposait après le thé, je voulais remettre le carnet sur la table et sortir tout de suite. Monsieur l'aurait vu en se réveillant, tout le monde était content, si le gamin n'avait pas été là, c'est ça qui se serait passé, Monsieur.

« Le gamin »... Je viens d'écrire le mot sans préméditation, je le crois donc exact. Au moins correspond-il à la révélation que je venais d'avoir, n'être qu'un gamin sans expérience, non sans qualités, non sans présomption également, capable de brutalité, d'injustice, de manque de sang-froid, de réflexion, de cœur.

— Vous venez de dire que vous aviez de la peine, je veux que vous me parliez de cette peine avant que nous nous quittions, Monsieur Daniel. Noël, allez un instant dans ma chambre, s'il vous plaît. Je vous rappellerai quand nous aurons fini, ne craignez rien, je ne risque rien.

Je compris qu'il avait raison. De toute façon, si quelque chose se produisait, je serais tout près, j'entrai dans la chambre.

DRAME À L'HÔTEL
CHEZ MONSIEUR PROUST,
SUITE ET FIN

Je n'écoutais pas derrière la porte mais ne pus pas ne pas entendre, au bout de quelques instants, des sanglots qui devinrent de véritables cris de douleur, ce qu'on appelle, dans les romans de gare, des cris « déchirants » qui déchirent le cœur de ceux qui les poussent et le cœur de ceux qui les entendent, les mots de la mauvaise littérature disent souvent vrai. Je faillis entrouvrir la porte pour entendre la conversation, la pudeur me retint.

Un quart d'heure après, Monsieur Proust vint me demander d'aller chercher Denise. Je vis qu'il avait les yeux pleins de larmes et que le blessé était allongé sur le canapé où j'avais somnolé, quelques minutes plus tôt. Il n'avait pu s'y installer seul, notre hôte avait dû le prendre dans ses bras pour l'aider, peut-être l'avait-il tenu ainsi, ensuite, pour le consoler en le berçant.

J'osai à peine regarder celui que j'avais blessé, j'entrevis son visage, en passant près de lui pour sortir. L'expression de honte et de douleur avait disparu, il était pâle et calme. Les yeux fermés avaient pleuré, la poitrine était encore soulevée par un reste de sanglots mais l'homme semblait dormir paisiblement, nimbé d'or comme un saint de vitrail, beau comme une statue ou l'une de ces personnes dont on dit que la mort leur a rendu la paix.

Je montai chez Denise. Elle devint aussi pâle, en m'ouvrant la porte, que je l'avais vue rouge quelques jours plus tôt. Je lui dis que Monsieur Proust avait reçu la visite de son époux, qui s'était malheureusement blessé en tombant. (La jeune femme devint plus pâle encore mais garda le silence.) Il avait donc besoin d'aide pour marcher avant d'être emmené dans une clinique où sa blessure serait soignée gratuitement.

À peine eus-je fini que Denise descendait l'escalier, en se tenant à la rampe mais rapidement, sans hésiter. Je pus voir ainsi le calme et l'efficacité d'une personne aussi pâle que l'avait été Joséphine.

Monsieur Proust avait dû aider Daniel à traverser le salon, les deux hommes étaient sur le seuil, l'un soutenant l'autre. Denise prit son mari par la taille, il posa un bras sur ses épaules, le couple s'éloigna lentement dans la direction de l'escalier des clients, plus commode pour une descente douloureuse.

L'homme boitait, souffrait sûrement beaucoup mais sans gémir. Il se retourna et regarda l'autre couple que nous formions, l'occupant de l'appartement 22 et moi. Effet de l'éclairage du couloir, dans la réalité d'alors, ou du temps passé depuis, dans mon esprit d'aujourd'hui, les yeux du serveur étaient redevenus jaunes. Il sourit, je rentrai dans l'appartement par discrétion, de sorte que je ne sus pas si celui auquel était adressé ce sourire y avait répondu.

Monsieur Proust rentra, éteignit le lustre électrique, alla refermer la porte de sa chambre et alluma une cigarette à la bougie qui éclairait la pièce. Je refermai la porte d'entrée et remis mon paletot, pendu derrière. Il me fallait prendre congé, j'étais incapable de parler.

— Restez encore un peu, je vous en prie. Il n'est pas tard et je vais être occupé ces prochains temps, je ne suis pas sûr de vous revoir avant le jour de Noël. Nous fêterons votre anniversaire ici, comme je vous l'ai promis, je ferai porter quelque chose des cuisines mais nous n'aurons pas les serveurs de nos précédents dîners, ni le pauvre Joseph, hélas, ni le malheureux Daniel, évidemment... Je connais maintenant les causes exactes de son vol et de ses souffrances, j'aurais dû les deviner, je n'ai pas su. Pas voulu, peut-être.

Je me sentais moi aussi coupable, je n'avais jamais blessé personne, cette affaire dépassait trop mes capacités de compréhension, j'aurais voulu partir.

— Je ne vous dirai pas tous les détails, par respect pour des confidences et en considération de votre jeunesse, je souhaite néanmoins que vous sachiez la vérité, non seulement parce que vous avez joué un rôle dans la vie de cet homme, involontairement d'abord, par votre simple présence ensuite, en défendant ma porte, mais parce que je ne vous ai pas tout dit lorsque je vous ai parlé de mes rapports avec lui, pardonnez-m'en...

Non, non, vous ne pouviez pas deviner que Daniel venait me rapporter le carnet, d'ailleurs il ne vous en veut sûrement pas, au contraire. S'il avait pu me rendre le carnet sans être vu, il n'aurait pas pu me parler comme il l'a fait, « vider son cœur », son pauvre cœur...

Je lis dans vos yeux, ce que je viens de dire ne vous convainc pas, vous regrettez une violence qui n'est pas dans votre nature, une souffrance que vous n'aviez pas prévue si forte, je le comprends. Ne vous reprochez rien, il y a des circonstances où il faut agir vite, au risque de commettre une erreur, erreur bénéfique en l'occurrence, la bonté morale du malheureux Daniel a été libérée par la violence physique de l'accident, la mienne également.

La pitié que m'a inspirée la douleur de son corps m'a rendu sensible à celle de son cœur, nous n'aurions sans doute pas connu cette douceur s'il était entré sans être arrêté par vous ou si je l'avais surpris moi-même. Peut-être lui aurais-je ordonné de sortir avec la violence qui peut être la mienne, nous n'aurions jamais eu ensemble le moment de solitude qu'il espérait tant, que nous n'aurons plus, hélas... Hélas pour lui, je ne partage pas le sentiment qu'il éprouve pour moi et n'ai rien à dire à cet homme, qui n'a lui-même rien d'autre à me dire que son impossible passion. Sa jambe guérira, espérons que son cœur guérira aussi. Je ne serai plus là quand il reviendra, je ne saurai plus rien de lui, à l'avenir, je voudrais croire que sa vie sera plus heureuse, j'en doute.

Mon hôte se leva, sa cigarette était éteinte, il en ralluma une qui le fit tousser.

— J'ai beau savoir que ces cigarettes me nuisent, elles sont censées me faire du bien, je veux y croire, j'espère contre toute espérance, il y a eu de cela, dans l'histoire de ce malheureux... Il a cherché, durant des années, à se persuader qu'il était un homme pareil à tous les autres, tels qu'ils sont censés devoir être, la persuasion n'a pas suffi à étouffer les désirs qu'il sentait en lui. Il a lutté, rencontré des femmes, il me l'a dit avec fierté, il en a même épousé une, qu'il aime, il me l'a dit aussi, dont il est aimé, dont il a eu un enfant, il devrait être heureux, il ne l'est pas. Il tente de ressembler à tout le monde, on ne ressemble qu'à soi.

Je reconstitue, comme toujours, mais « on ne ressemble qu'à soi » figure bien dans les notes prises au sortir de cette soirée.

— Je cherche des mots pour vous expliquer cette souffrance sans risquer de vous choquer... Disons que, très tôt, le jeune Daniel se trouva, comme le Daniel de la Bible, dans une fosse aux lions. De vrais lions épargnèrent le Daniel des Écritures, notre Daniel à nous n'a cessé, depuis sa jeunesse, d'être dévoré par les lions intérieurs de ses désirs. (« Lions intérieurs » figure également dans mes notes.) Désirs qu'un garçon puis un homme ne sont pas censés devoir éprouver pour certaines personnes, désirs qu'il est inutile de préciser, n'est-ce pas.

Rien ne révélait le combat qu'il menait contre ses lions, sauf cette violence qu'il réfrénait sans cesse, vous l'avez noté, brusque, maladroite, sans cesse contenue, d'autant plus renaissante, bizarrement mêlée à son contraire, les moments d'excessive douceur que vous avez notés aussi.

Ce cœur douloureux fut en proie à de vagues désirs, dès l'enfance, de plus en plus précis ensuite, pour différentes personnes au cours des années, pour un client de cet hôtel enfin.

Il n'a pas dit s'il avait connu la jalousie avant cette rencontre, il n'a pas prononcé le mot mais ce qu'il souffrit, ces derniers mois, est inhumain, ses pleurs en témoignaient durant son récit, et ses cris, de véritables cris, mon enfant, je les entends encore. (Je les entendais de nouveau, moi aussi.) Cris en me racontant sa douleur lorsqu'un autre garçon voulait me servir, douleur quand il apprit que je voyais Joseph, quand je mis fin à nos rencontres, quand je cessai de descendre au restaurant, quand il me vit vous recevoir à ma table... Ah, si j'avais deviné cette passion, lors de notre premier dîner au restaurant, je lui aurais épargné notre dîner dans ma chambre dès le lendemain, le malheureux ! Vous avez deviné l'existence de cette jalousie mais sans pouvoir en deviner l'excès, j'étais en mesure de le faire mieux que personne, je n'y ai même pas songé. Habitué au regard étrange de ses yeux jaunes, j'ai préféré ne pas voir ce qui crevait les miens...

J'éprouve beaucoup de peine pour ceux qui souffrent les tourments de l'amour, plus encore quand cet amour n'est pas partagé, ou s'il est impossible. J'en connais les douleurs, je ne peux pourtant croire que je puisse les causer à d'autres, croire qu'on s'éprenne de moi, figurez-vous, je fais alors souffrir à d'autres ce dont j'ai souffert moi-même si souvent, comment est-ce possible ? Ah, mon enfant, pourquoi sommes-nous si inconséquents, tantôt cruellement frappés, tantôt cruels à notre tour ?... Pardon de ces confidences incompréhensibles, mon petit, pardon, je ne me comprends pas moi-même, vous savez.

J'espère d'être aimé, j'espère que le miracle se produise, je fais tout pour le provoquer, lorsqu'il arrive, je n'y crois pas, c'est ainsi. Je fais donc également tout pour qu'il s'enfuie, à peine m'a-t-il effleuré d'un baiser. Je me suis refusé à voir l'amour dont j'étais l'objet ici, refusé à le déduire de nombreux signes bien connus de moi, en particulier ceux que me lançait, cachée sous l'enveloppe d'un humble mortel, la cruelle déesse Jalousie, qui m'accompagne toujours, visible ou non...

Si j'avais rédigé ces souvenirs à trente ou cinquante ans, je me serais cru incapable d'avoir pu comprendre, à dix-huit ans, une telle histoire. Je crois aujourd'hui, à près de cent ans, que je ne l'avais pas si mal comprise que cela, mes notes le prouvent, j'y lis, par exemple, « il dit qu'il ne se comprend pas... il ne croit pas qu'on l'aime, alors il n'a pas vu que D. était en amour, cela me rappelle mon histoire avec Marguerite » (je vais expliquer cette histoire dans un instant).

Il faut croire qu'adulte on sous-estime les capacités de la jeunesse parce qu'on commence à les perdre. Âgé, on en retrouve une partie, semble-t-il, est-ce la raison pour laquelle on comprend souvent mieux ses petits-enfants (et arrière-petits-enfants dans mon cas) que ses enfants ?

— La jalousie était la preuve d'un amour que je ne voulais pas voir, que Daniel avait combattu mais qu'il eut le courage de voir, finalement, je l'admire. J'aurais dû comprendre, lorsque je me suis laissé entraîner aux rendez-vous du *Café du Centre*, qu'il voulait nous arracher à notre milieu, lui et moi, afin de vivre pour une fois le vrai de son cœur. J'avais compris dans ce café, je ne vous l'ai pas dit, je l'avoue à présent, j'avais compris qu'il me faisait la cour, il n'y a pas d'autre mot, mais je me suis trompé sur les motifs de cette cour.

Pareil à celui de tant d'hommes à femmes, le mépris que Daniel professait envers elles m'a semblé la preuve qu'il les aimait, que j'avais affaire à l'un de ces jeunes hommes qui cherchent à séduire d'autres hommes plus riches afin de tirer de l'argent de leur vice supposé, j'étais tombé sur le contraire, un homme qui a peur de confier son amour à un autre, peur d'être repoussé, moqué, traité de vicieux ou de profiteur, peur de perdre sa place, aussi, puisqu'il servait à l'hôtel où j'habitais… Un mot de moi à la direction, il était chassé, il ne l'ignorait pas, répétait sans cesse que les gens sont méchants et craignait d'être vu en ma compagnie mais ne m'en invitait pas moins au café, désirant combler l'écart de fortune qui nous séparait, non en profiter. Je ne l'ai pas compris, il en a souffert, comme je regrette !

Je ne pouvais répondre au sentiment de cet homme, ces rendez-vous auraient cessé, de toute façon, nous aurions été surpris ensemble, un jour ou l'autre, la situation lui aurait nui plus qu'à moi, que d'injustices dans cette histoire, n'est-ce pas ?

Ainsi, le carnet n'a pas été volé pour m'extorquer de l'argent mais pour obtenir de moi une ultime rencontre avant mon départ, Daniel me l'a dit et je le crois. Sans la mort de Joseph, il aurait demandé à me voir et m'aurait rendu le carnet, la présence de la police lui a fait peur, il a préféré le rapporter en cachette. Il en a été heureux, finalement, puisqu'il a pu me dire ce qu'il ne m'aurait jamais avoué sans son intrusion chez moi et votre coup de canne, heureux, également, d'avoir tenu quelque chose à moi durant un peu de temps, contre son cœur, il me l'a dit, en me montrant avant de s'endormir un mouchoir que j'avais oublié au restaurant : « Ne me demandez pas de vous le rendre, Monsieur, je le garde parce que j'aime Monsieur… »

Ce sont les dernières paroles qu'il a prononcées en sanglotant et se blottissant contre moi, ses larmes jaillissaient sur mes vêtements, mes mains qu'il baisait, mon visage qu'il aurait voulu couvrir de baisers, où se mêlaient ses larmes et les miennes. Il s'est endormi d'un coup, comme un enfant qui a trop pleuré, je l'ai bercé pour le consoler, ne me consolant pas moi-même de l'avoir tant fait souffrir, de n'avoir pas compris son amour, car il s'agissait bien d'amour, pauvre petit… Amoureux de moi, c'est ridicule !

Monsieur Proust avait froid. Il était sorti de sa chambre sans manteau, je pris celui qui était resté sur le canapé, où se voyait encore l'empreinte du blessé, et le passai sur sa veste d'intérieur gonflée de coton. À ce moment-là, le malade ressemble à un enfant, lui aussi, un enfant qui souffre d'une punition incompréhensible. Le visage pâlit soudain, les yeux se creusent, le corps lui-même se creuse, s'allonge avec peine, comme celui d'un vieillard, sur le canapé.

— Moi non plus, Monsieur, je ne peux pas croire qu'on soit amoureux de moi. Dans mon immeuble, à Paris, des voisins avaient une petite fille de mon âge, très jolie. Elle s'appelait Marguerite, elle me plaisait, un jour elle m'a embrassé, je n'ai plus osé la regarder après.

— Je comprends cela, mon enfant. Vous étiez timide, vous l'êtes encore, sachez que vous êtes digne d'être aimé. Ce n'est pas le cas de tout le monde, nous ne sommes pas tous dignes d'être aimés, pourtant n'importe qui peut susciter l'amour de quelqu'un, ou du moins son désir, c'est un mystère mais c'est ainsi… Dans le village où nous allions en vacances, mes parents, mon frère et moi, j'ai entendu un dicton qui exprime la chose de façon très amusante et tragiquement vraie : « Qui du cul d'un chien s'amourouse, / Il lui semble une rouse »… Vous ne riez pas, vous êtes choqué, vous vous faites une autre image de l'amour, je le comprends, pardonnez-moi.

Vous souhaitez que le désir et l'amour ne naissent en vous que pour une personne digne d'être aimée, vous avez raison, une jeune fille qui vous aimera de même, vous la rencontrerez, soyez-en sûr. Souhaitez aussi d'être capable de compassion envers ceux qui n'ont pas cette chance, je vous le demande, cher Noël. Il ne suffit pas d'un esprit sans préjugés comme le vôtre, il ne suffit pas de ne jamais condamner à la légère, il faut aussi être bon. La vraie bonté n'est pas facile à déterminer, moins encore à pratiquer, sachez qu'elle n'est pas nécessairement douce pour être efficace, celle que j'ai voulu avoir pour Daniel en est la preuve, hélas…

Je n'ai pas été bon envers cet homme en lui donnant des pourboires qui n'ont pu adoucir ses tourments, même pas en lui pardonnant un vol si excusable ; j'aurais été véritablement bon en lui disant la vérité lors de nos rencontres au café, que ses désirs n'étaient pas des crimes, que je ne pouvais y répondre, je le regrettais, mais qu'un autre y répondrait sûrement plus tard, ce qui aurait peut-être desserré ce cœur souffrant… Sauf qu'il est marié, je l'ignorais alors, je préfère ne pas penser aux tourments futurs de ce malheureux.

LE BONHEUR DES AUTRES

La gaieté du narrateur n'avait pas duré, la mienne ne s'était pas déclenchée. J'avais été un peu choqué par le dicton qu'il venait de citer, oui, je l'étais surtout par le fait que l'homme que j'admirais tant considérât comme ridicule la possibilité qu'on fût amoureux de lui.

Au cours des deux dîners avec Monsieur Proust, je n'avais pensé à d'éventuelles relations suspectes entre le serveur aux yeux jaunes et lui que par fatalisme, dans un hôtel tout peut arriver avec un client, nous le savions tous. Daniel paraissait capable de ce tout, les jours suivants m'avaient rassuré, celui que j'avais admiré dès la première seconde m'avait semblé tous les jours un peu plus digne de l'amour tel que je l'imaginais, entre un homme et une femme. Être aimé moi-même, je ne voulais pas y penser, « si j'y pense trop, ça n'arrivera pas », mais lui, il serait un jour aimé d'une femme qui l'aimerait, je n'en doutais pas. Rien de ce que j'avais pu craindre ou soupçonner, depuis le début jusqu'à la scène finale avec Daniel, ne pouvait nuire à ce beau rêve.

La première fois que je découvris que la passion amoureuse pouvait exister d'une autre façon, ce fut en voyant ses ravages sur le visage de Daniel luttant contre la douleur, sa beauté sur son visage endormi, sa grandeur dans le regard d'espoir désolé qu'il n'avait cessé durant toute la scène, oubliant tout le reste, de diriger vers une personne comme vers un dieu.

La seule connaissance du « grand amour » dont je disposais me venait des chansons populaires que j'entendais, jouais, chantais depuis mon enfance. Aucune d'entre elles ne m'avait préparé à comprendre les souffrances de Daniel dans la fosse de ses lions mais elles m'avaient donné une idée des peines d'amour, ce fut peut-être grâce à elles que je n'eus aucun doute, cet homme aimait Monsieur Proust d'amour.

Je n'avais jamais causé de peine à personne jusqu'alors, la pensée d'avoir tant fait souffrir quelqu'un physiquement et moralement, les explications de Monsieur Proust sur les angoisses de l'amour interdit et la douleur des passions non partagées m'ouvrirent à des sentiments neufs, je l'ai dit, le remords et la compassion. Il me fallut attendre plus longtemps, le dernier mois de l'année 1913, pour rire du dicton « Qui du cul d'un chien s'amourose / Il lui paraît une rose » (réellement entendu par l'auteur ou inventé par lui, il apparaît dans le premier tome du grand livre enfin commencé par Marcel Proust, *À la recherche du temps perdu*).

J'avais vingt-cinq ans, déjà marié mais pas encore père de famille ni chargé de fonctions importantes, j'avais le temps de lire ; mon esprit s'ouvrait, je voyais mon grand homme encore assez souvent, je lui racontais mes enquêtes, il m'aidait à mieux conduire certaines d'entre elles, lui-même m'en fit faire quelques-unes (par exemple retrouver son secrétaire fugitif, le fameux Alfred Agostinelli dont je parlerai peut-être un jour) ; au début de 1914, nous ne parlions jamais de Versailles, nous pensions au présent et à l'avenir, un avenir qui allait séparer bientôt des millions de gens durant quatre ans, il me fallut attendre de nombreuses années encore pour repenser à une habitude chère à mon Monsieur Proust de l'hôtel des Réservoirs, celle de bercer quelqu'un.

Ce fut en lisant l'avant-dernier volume de la *Recherche*, paru en 1925 sous le titre d'*Albertine disparue*. Mort trois ans avant la publication de ce tome, Marcel Proust n'avait pu mettre au point la version définitive, un bref passage m'en donna la preuve, les souvenirs du passé me revinrent peu à peu.

C'est le début, Albertine vient de fuir l'appartement où elle a été prisonnière de l'amour jaloux du Narrateur. Seul et désespéré, il donne de l'argent à une « petite télégraphiste » pour pouvoir la « bercer » quelques minutes, dans son appartement.

Le passage est bref, je n'eus pas le temps de me rappeler les bercements d'autrefois mais fus frappé par « petite télégraphiste », les petits coursiers porteurs de télégrammes, au début du siècle, étaient des garçons, Marcel Proust le savait aussi bien que ses lecteurs de l'époque. Tous avaient l'occasion d'ouvrir leur porte à l'un de ces garçons, l'auteur avait eu besoin d'une visite de ce genre, il avait mis « petite télégraphiste » au féminin avant de le remplacer par « fille d'une personne du voisinage » en relisant son texte plus tard, le temps lui avait manqué. Je poursuivis la lecture, anxieux de savoir comment le Narrateur allait se consoler de la fuite d'Albertine... la télégraphiste reparut presque aussitôt. Le Narrateur a donné une trop grosse somme à l'enfant, ses parents l'apprennent, déposent une plainte, la police convoque le riche bourgeois suspect.

Que voulait dire cette histoire de petite fille subornée dans la vie d'un homme qui aime des jeunes filles moins âgées que lui mais qui ne sont pas des gamines ? Que voulait dire ce brusque désir d'en bercer une ?

Je le compris en relisant la première partie de l'épisode. L'auteur veut montrer son héros face à cette loi selon laquelle les moments les plus douloureux de la vie sont presque toujours suivis de difficultés stupides ; il cherche un cas de figure particulièrement pénible, pense aux tracas policiers, une accusation en détournement de mineure est l'idéal dans le cas d'un amoureux abandonné en quête de consolations victime d'un malentendu absurde, il la retient. Il a trouvé un exemple de ce que nous appelons la loi de « l'emmerdement maximum », sa phrase est plus élégante, « il y a des moments de la vie où une sorte de beauté naît de la multiplication des ennuis qui nous assaillent »...

Je pouvais mieux examiner, à présent, l'expression « petite télégraphiste ». Avais-je tort de penser qu'elle aurait été remplacée par « fille de la boulangère », si une relecture avait pu avoir lieu ou devait-on la croire maladroitement mise à la place de « petit télégraphiste » comme l'aveu involontaire d'un auteur qui aurait eu un goût secret pour les petits garçons ? Non, il n'a pas eu ce goût dans sa vie, on le sait, il a aimé des jeunes gens, pas des enfants, s'il désire parler d'amours homosexuelles dans son œuvre, il le fait, comme personne avant lui.

Voulant parler de l'amour en général, il a choisi le cas le plus général, l'hétérosexualité, celui qui dit « je » dans la *Recherche* est un homme, un homme amoureux de jeunes filles et de femmes dont il parle longuement, nul petit garçon caché durant des milliers de pages, nulle gamine tenue en réserve jusqu'au treizième volume d'un ouvrage qui en comporte quinze.

Le féminin « télégraphiste » était dû au manque de temps, « petite » demeurait, je lus de nouveau le passage. C'est bien à une « petite fille », terme employé plusieurs fois, non à une « jeune fille », que le Narrateur donne, pour qu'elle monte chez lui et lui permette de la « bercer » un moment (rien de plus), tellement d'argent que les parents portent plainte et que le « Chef de la Sûreté » convoque l'imprudent afin de lui passer un « savon » (sans plus), fin de la première partie de l'épisode.

L'écrivain continue à décrire son personnage, le voilà soudain pris d'une véritable panique en repensant aux accusations de la police et c'est la seconde partie de l'épisode, encore plus surprenante que la première. Le Narrateur craint d'être surveillé, se dit qu'il aimerait mieux se « tuer » plutôt que de donner « une idée honteuse » de lui à une petite fille qui verrait la police entrer chez lui au moment où elle serait venue le « consoler » dans ses chagrins et conclut, « cette impossibilité de bercer jamais une petite fille me parut ôter à la vie toute valeur ».

Avant ce bref passage, aucune trace d'un désespoir de ce genre, aucune par la suite. En dépit de ses doutes et de ses mélancolies, le Narrateur est un optimiste, la révélation finale de son œuvre est qu'il est capable d'écrire le grand livre dont il a toujours rêvé, sauvant ainsi de la disparition sa vie, celle de ses personnages et celle de ses lecteurs, jusqu'alors inconscients des grandes vérités du monde, la Vie elle-même, en quelque sorte.

La mort d'Albertine, qui survient juste après le passage de la petite télégraphiste, suscite la peine, non le désespoir ; le personnage principal de la *Recherche* ne se suicide pas, il se retourne avec douleur sur le passé de son amour défunt puis l'oubli vient ; l'auteur écrit *Le Temps retrouvé* sans revenir sur cette histoire de petite fille et de bercement, le lecteur n'y pense plus. Je n'y reviens pas pour faire des révélations sur une vie privée mais pour suivre le conseil de l'auteur, la véritable biographie d'un écrivain est son œuvre : qu'est-il dit dans la *Recherche* à propos d'un Narrateur qui rêve d'amours nombreuses et n'en connaît finalement qu'une avec une jeune fille qui n'est pas télégraphiste ? Voyons cela.

Dans le début d'*Albertine disparue*, après l'adjectif « petite » attribué à la télégraphiste d'une heure, un autre mot alertait mon attention, « bercer ». Je venais de relire le volume précédent, *La Prisonnière*, le Narrateur y berce plusieurs fois Albertine endormie, elle a grandi depuis *À l'ombre des jeunes filles en fleurs* mais demeure sa « petite fille » ; elle s'enfuit au début du volume suivant, le gardien de sa prison fait venir chez lui une « petite » fille pour le « consoler » en se laissant « bercer ». Ces trois mots me rappelèrent enfin la scène à laquelle j'avais presque assisté, qui m'avait été racontée aussitôt après, le moment où Monsieur Proust berça Daniel, à la fin de son séjour à l'hôtel des Réservoirs, également pour le consoler d'un chagrin d'amour.

Les scènes de bercement auxquelles j'avais été mêlé en personne me revinrent aussi en mémoire, quoique différentes.

Lorsque celui qui voulait se faire pardonner sa colère parla de me bercer, à défaut d'être bercé par moi, ce fut pour y renoncer, il s'agissait également d'une consolation après une crise mais sans la mélancolie du Narrateur étreignant la petite télégraphiste à la place de la fugitive, sans la peine de Daniel bercé sans espoir d'être aimé. Le bercement qui avait eu lieu à la fin de mon premier dîner à l'hôtel aurait pu ressembler à une scène entre le Narrateur et Albertine endormie, puisque j'étais à moitié endormi, mais il n'avait duré que quelques secondes, les bercements de *La Prisonnière* vont plus loin. Le geste esquissé par Monsieur Proust dans le petit salon aurait peut-être pu aller dans la même direction, lui aussi, non, il ne fut que la manifestation d'une affection naissante, qui ne devint jamais sensuelle.

Monsieur Proust m'appela tout de suite, affectueusement, « mon enfant » (j'étais encore un peu enfant), « mon petit » (j'étais réellement petit), j'entendis souvent, par la suite, les mêmes termes adressés par Marcel Proust à des adultes, quels que fussent leur âge et leur taille. L'affection, toujours liée à l'enfance dans son esprit, semblait entraîner presque nécessairement les mots « mon enfant » et « mon petit », quelles que fussent les personnes auxquelles ils étaient adressés, il me semble qu'il en va de même pour la « petite télégraphiste », qui n'est pas télégraphiste, qui n'est peut-être même pas petite (elle peut avoir l'âge d'Albertine au moment du premier baiser que lui donne le Narrateur dans *À l'ombre des jeunes filles en fleurs*, quinze ou seize ans), qui n'existe même pas comme personne réelle, simple incarnation passagère de la tendresse idéale selon l'auteur, bercer un petit être comme l'on berce un enfant.

Je viens d'écrire que les scènes où le Narrateur berce Albertine endormie vont « plus loin » que de simples bercements tendres, je m'aperçois soudain d'un fait qui ne m'avait jamais frappé, depuis le premier volume jusqu'au dernier, de 1913 à aujourd'hui, la vie du personnage majeur de la *Recherche* ne comporte aucune scène d'érotisme vécu, sauf avec Albertine. La première est le fameux baiser à l'hôtel de Balbec, dans *À l'ombre des jeunes filles en fleurs*, les deux ou trois suivantes ont lieu dans *La Prisonnière*, brèves évocations de moments où le Narrateur prend son plaisir en berçant la jeune fille endormie, presque sans bouger, sans se déshabiller, sans la déshabiller, sans même la réveiller (à supposer qu'elle dorme vraiment).

Les scènes érotiques ne sont pas fréquentes non plus pour les autres personnages d'une œuvre en grande partie consacrée à l'amour, ni même les scènes de tendresse chez un auteur si célèbre pour ses descriptions de l'affection. La plus connue de toutes est même unique, le fameux baiser vespéral de la mère du Narrateur, tellement attendu chaque soir, n'est décrit qu'une fois, au début de l'œuvre à Combray, dans *Du côté de chez Swann*, et même plutôt évoqué que décrit.

Un bercement maternel pourrait être également décrit, le mot de « bercer » n'est pas prononcé. Un baiser donné par une mère à l'enfant qui l'attend, allongé dans un lit, évoque l'image d'un bras passé autour d'une épaule et d'un cou, le bercement est donc suggéré ainsi, dans le premier tome, il ne reviendra pas au cours des milliers de pages suivantes, il n'en est pas moins essentiel à l'œuvre, à un homme toute sa vie fidèle au souvenir de la tendresse de sa mère.

Je m'étais posé des questions sur les désirs de Monsieur Proust à Versailles, les lecteurs de Marcel Proust s'en posent fatalement sur la vie sensuelle d'un l'auteur si célèbre et si mystérieux, qui parla tant de l'amour-passion dans ses textes sans qu'on sache exactement ce qu'en connut sa vie, pour moi la réponse est avant tout dans ce tendre rituel.

Quoi, dira-t-on, pas plus ? Peut-être plus, en tout cas pas mieux, selon moi du moins.

Je comprends la déception, nous imaginons la vie cachée des autres comme un eldorado qui nous console de nos déserts, « Celui-là, il a dû en vivre, des expériences ! », jusqu'au moment où nous en découvrons une partie, « Ce n'était que cela ? ». Je crois que l'on se trompe dans les deux cas, surtout peut-être en regrettant la pauvreté de sa propre vie : devenus vieux, si nous prenons le temps de la revivre en pensée, elle nous apparaît si riche que nous regrettons de n'avoir plus assez d'années devant nous pour seulement nous la remémorer…

Un soir de 1920, je crois, je quittais l'appartement de l'écrivain, Céleste venait d'ouvrir la porte à un jeune homme qu'elle me présenta en lui demandant d'attendre un moment, « Monsieur Maurois est un peu en avance, je dois en aller prévenir Monsieur Proust », nous nous parlâmes un peu, ce jeune homme et moi. André Maurois venait d'entendre le maître prononcer, durant un dîner, une phrase qu'on attribue également à d'autres mais qui lui ressemble bien.

À son habitude, Marcel Proust ne mangeait pas, allait de l'un à l'autre, se penchait pour partager une conversation, repartait. Il se trouva qu'ayant écouté les éloges qu'on faisait d'un jeune couple il dit à mi-voix, en s'éloignant, quelque chose que Maurois entendit, qui me console, depuis, d'à peu près tout dans la vie : « Au fond, ce que le bonheur des autres a de plus extra ordinaire, c'est qu'on y croit ! »

ADIEU À VERSAILLES

Monsieur Proust était toujours allongé sur le canapé où j'avais vu Daniel, quelques minutes plus tôt, allongé lui aussi, respirant fort comme lui, pâle et calme comme lui. Je me levai pour le saluer.

— Avant de me laisser, dites-moi ce que vous pensez de tout ce qui vient de se passer... Je vous en prie... Revoyez les événements comme si vous n'y aviez pas été mêlé, considérez-les comme les faits d'une enquête, « les faits, toujours les faits », on en revient toujours là.

— Je ne peux pas, Monsieur, c'est trop difficile. Vous dites que je connais la vie, je ne la connais pas, Monsieur.

— Vous la connaissez mieux que vous ne pensez, vous aimez observer les faits, vous savez remonter jusqu'aux actes qui les ont causés, il vous manque seulement l'expérience des sentiments, qui sont des faits, eux aussi, mais plus étalés dans le temps. Ils ont des causes et des modalités qui demandent plus d'attention que les autres faits, soyez attentif, vous les découvrirez dans leur grandeur et leur petitesse...

— J'ai cru que Daniel était jaloux pour des pourboires, je ne comprends pas la jalousie parce que je ne suis pas jaloux, je ne comprends pas bien les sentiments, Monsieur, mais j'en ai pour vous.

— Merci, mon petit, merci, j'en ai aussi pour vous... Quant aux sentiments que vous ne comprenez pas, ne regrettez rien, vous aurez l'occasion d'en découvrir et d'en éprouver beaucoup, ne regrettez jamais de ne pouvoir les comprendre tous, il faut toujours avoir quelque chose à comprendre et ne pas trop connaître la vie, sinon l'on devient blasé... Comprenez-vous « blasé », cher Noël ?

— Non, Monsieur.

— Tant mieux, mon petit, tant mieux...

Monsieur Proust me fit une petite fête pour l'anniversaire de mes dix-huit ans, le soir du 25 décembre, ainsi qu'il me l'avait promis, m'offrit un livre et me demanda de ne pas venir le saluer le jour de son départ : « Évitons les petites émotions inutiles, mon enfant, réservons nos forces pour les grandes ! »

LE CRIME À L'HÔTEL,
UN AN PLUS TARD

À mon arrivée à Paris, en janvier 1907, j'étais d'abord allé me présenter au frère de Monsieur Bâtard. Il me conseilla un petit hôtel où je déposai mes bagages (j'avais quelques économies, heureusement), je fis ensuite mes visites habituelles à mes amis de la butte Montmartre, Monsieur Charpentier et Monsieur Lévisky.

Le premier m'avait demandé comment allait ma voix, le second avait eu un souci plus immédiatement pragmatique.

— As-tu lé logement, ma fils ?

— Oui, Monsieur, près de mon travail.

— Et où elle est, cette trravaille ?

— Boulevard Haussmann, Monsieur, j'ai trouvé un petit hôtel près de la gare Saint-Lazare.

— Ma pauvre enfant, tu vas té rruiner, ces hôtelles sont faites pour plumer les voyageurs, viens ici, j'ai toute la place, tu n'auras pas besoin dé dépenser une centime, rrien que lé plaissir de té révoir mé réchoffe les osses, viens embrasser lé vieux Salomone !

Et c'est ainsi que je vécus à nouveau, durant des années, dans mon ancien quartier, sur ma chère Butte, en compagnie du sauveur de ma famille. Lui-même n'en avait plus, je pris soin de lui comme il prenait soin de moi.

Je n'eus pas l'occasion de retourner à Versailles durant la première année, ma mère s'était séparée de son ami, elle vint s'installer avec nous. Lorsque arriva Noël, j'avais correspondu avec mon ancien patron par téléphone, avec Madame Edmée par lettres, je décidai de leur rendre visite.

Rose Bienaimé n'avait pas changé, ni d'un seul fil d'or de sa perruque ni de sa plus chère habitude, sa création du jour était un pudding...

— Je suis contente de te voir, mon petit homme, tu n'as pas grandi mais tu es toujours mignon comme un Jésus. Je me suis mise à la cuisine anglaise, goûte-moi cela et ne me dis pas que c'est mauvais, je ne te croirais pas.

Un an après, elle était encore triste de la mort de son cher Joseph.

— Pauvre petit... Comment un monsieur qui avait de l'expérience et de la gentillesse a-t-il pu donner un pareil conseil à des jeunes gens qui en étaient tous les deux à leurs débuts en amour ? Ils auraient dû me parler à moi, mais je ne suis jamais parvenue à conquérir la petite et mon amitié pour Joseph n'a servi à rien... Je suis coupable moi aussi, je savais bien qu'il ignorait tout de l'amour quand il s'est fiancé, j'aurais dû le mettre en garde, il faisait confiance à tout le monde, au Milord, à Massimo, ce monstre... Il lui prenait la moitié de ses pourboires, j'avais dit au petit de refuser de partager : « Je peux pas, Madame Edmée, y pourrait me faire chasser. Monsieur Proust me demande plus mes petits services, le Milord veut pas grand-chose, ça me dérange pas, c'est pas fatigant et je gagne plus. Si je continue comme ça, je pourrai me marier au printemps, elle est pressée, ma Joséphine ! »

Ne compte pas sur moi pour trahir des s'crets, sache que ton prince en demandait encore moins à Joseph que le Milord. Pour lui, tu dois savoir ce qui se passait avec le valet de chambre de l'*Hôtel du Roi*... Tu n'as pas lu les journaux locaux à l'époque du procès ? Le valet lui faisait un massage tous les soirs, un beau soir, crise cardiaque, beau soir, belle mort, mort rapide, je l'envie. La police a conclu à un accident cette fois aussi, je lui donne raison pour cette affaire-là, le vieux Smithson me racontait sa vie depuis des années, je sais que le masseur en chambre a dit la vérité... Certains clients connaissent mes gâteaux, eux aussi, bon homme Noël, et ils parlent en mangeant eux aussi ! Le Milord venait à Versailles depuis des années, il disait qu'il était veuf, qu'il n'avait jamais trompé sa femme, je le crois, pourquoi m'aurait-il menti ?

Il avait découvert, par hasard et sur le tard, qu'il ne pouvait pas s'endormir sans la présence d'un jeune homme dans sa chambre, comme du temps où il était au collège, ça, je l'ai su par lui, que le jeune homme devait être nu, ça, je l'ai su par Joseph... Un homme finit toujours par tout dire à une femme qui l'écoute, petit Noël, même un timide. Le Milord était gentil, Joseph voulait lui faire plaisir, sa fiancée voulait de l'argent, c'est tout simple...

Allons, allons, il y a pire qu'un voyeur, mon petit homme, bien pire, le Milord était un voyeur, rien de plus, le valet de chambre masseur de l'*Hôtel du Roi* l'avait bien compris, il y gagnait mais c'était un brave garçon. Les journaux se sont régalés, quand il a témoigné au procès : « Pourquoi étiez-vous sans vêtements dans la chambre d'un client ? – Parce que je lui faisais un massage, Monsieur le Juge. Il est devenu violet d'un coup, y fallait faire vite pour aller chercher du secours, j'ai pas eu le temps de remettre plus que mon caleçon. – Parce que vous faites vos massages tout nu ? – Quand le client veut, oui, Monsieur le Juge, c'est le client qui commande. – Dans ce cas, il paie plus ? – Le double, Monsieur le Juge, et même plus, si vous savez vous y prendre. Le client me touche pas, c'est moi qui masse, pas lui. Celui-là était gentil, je trouverai jamais mieux... »

Elle avait ri malgré son chagrin, pas moi. Qu'avait pu faire Joseph avec mon cher prince ? Moins qu'avec le Milord, avait-elle dit, moins qu'une promenade sans vêtements, qu'est-ce que c'était ? Je ne sais si cette question me causa un sentiment trouble, je connais mieux les abîmes des autres que les miens, ce que je me rappelle est la souffrance d'avoir été trompé par un homme dont je respectais chaque parole, qui m'avait dit chercher la vérité avant tout mais avait continué à prétendre, même après la mort de Joseph, qu'il ne faisait que parler avec lui.

— Dans les perversités, ce qui est le plus étonnant n'est pas leur complication, contrairement à ce qu'on croit, à ce que vous croyez encore vous-même, jeune homme Noël, c'est leur simplicité. (Monsieur Proust m'avait dit quelque chose de semblable, ils observaient trop les êtres, elle et lui, pour que leurs conclusions ne se rejoignent pas.) L'étranglement est rare, le plus fréquent, c'est le mari qui réclame à son épouse de le traiter de gros porc, de se promener devant lui toute nue en chapeau à voilette et de lui dire « je vais prendre ta canne et te donner une fessée, vilain garçon ». Si elle refuse, il paie une dame parallèle, ne me dis pas que tu n'as jamais entendu parler de ces choses-là, c'est comme pour le martinet. Le seul client que Daniel Martinon a failli avoir à l'hôtel était le même Smithson, figure-toi, mais il y avait eu maldonne, le Milord m'a raconté l'histoire. Il entend dire qu'un serveur de l'hôtel pratique des spécialités, il convoque Martinon qui vient avec son instrument de travail. Il lui demande de se mettre *in naturalibus*... (Madame Edmée avait des lettres.) Simplement pour marcher de long en large cinq minutes. Daniel, furieux qu'on dérange un maître pour un travail de valet, sort de la chambre tête haute, martinet bas...

Je n'ai pas voulu savoir ce qui s'était passé entre lui, ton monsieur et toi, au moment de Noël, il n'est jamais revenu à l'hôtel après sa jambe cassée, mais sa femme est restée. Je vois que tu souffres, je vais te donner un baume pour ton chagrin, je vais te dire ce qui se passait entre Joseph et notre beau prince, mais il faut oublier ce que tout le monde imagine. On croit toujours qu'un monsieur riche qui s'enferme avec un pauvre, homme ou femme, ne peut que se jeter sur lui pour lui faire subir les derniers outrages, réfléchis. Quelqu'un de jeune et beau comme ton beau prince n'a pas besoin de payer pour ça, on le paierait plutôt, s'il paie, c'est pour obtenir de l'inattendu, l'attendu, c'est le coït, appelons-le par son nom, l'inattendu c'est la promenade cul nu, la fessée, rarement plus, souvent moins. Dans ce domaine, celui que nous aimons, toi et moi, est un homme du moins, pas du plus.

Mon propre récit me stupéfie, tout cela m'a-t-il bien été dit, et par une femme, en ce temps-là ?... Je relis mes notes et creuse mes souvenirs encore un peu plus, oui, tout cela m'a été dit.

— Eh bien, le moins est ce qu'il demanda deux ou trois fois à mon Joseph, qu'il se blottisse dans ses bras et fasse semblant de dormir un instant, « Il est triste, le pauvre, il a plus de parents, il a pas de femme, pas d'enfants, alors, des fois, il veut me bercer comme un enfant, vous comprenez ça, Madame Edmée, vous avez été une maman. Cinq minutes après, il me dit de retourner à mon travail, c'est un bon client, un vrai Monsieur... », voilà tout, rien de plus, tu es rassuré ?

Non, tu souffres encore, pourquoi, où est le mal ? Il ne t'a jamais bercé ? Tu n'as pas voulu ? Tu as eu tort. J'aimais bien bercer Joseph, moi aussi, quand je le faisais entrer dans ma loge, une fois de temps en temps. Je lui disais qu'il me rappelait le petit garçon que j'ai perdu. Nous avons eu un enfant, mon mari et moi, au début de notre mariage, il n'a pas vécu, nous l'avions appelé Joseph.

Ainsi, Rose Bienaimé avait eu un enfant et l'avait perdu... Mon cœur avait appris la compassion à la suite d'un autre drame dans le même hôtel, j'aurais voulu serrer Edmée dans mes bras mais n'osai pas. J'étais tout près d'elle, tentant de finir une petite part d'un pudding qui aurait suffi au rassasiement d'une famille, je pris sa main et la baisai, « là, juste au-dessus du gant », comme elle aimait.

— Ce Joseph-là n'aurait pas dû mourir non plus, c'est de ma faute et de celle du Milord, de celle de Joséphine et celle de Denise, de la faute de la bêtise et de la méchanceté. Il ne faut jamais suivre les conseils dangereux, jamais croire les racontars ni écouter les conseils imbéciles, il faut réfléchir...

— C'est aussi ce que pense votre admirateur de Paris. Je lui ai dit que je venais vous rendre visite, il m'a chargé de vous faire ses compliments. Il viendra vous voir quand il reviendra à Versailles, il aime beaucoup Versailles, « la ville du Roi-Soleil pour tout le monde, pour moi la ville où vit la Rose des roses, l'inoubliable Bienaimé », ce sont ses mots...

— Il ne reviendra pas mais ce sont de jolies paroles, remercie-le de ma part. Écrit-il toutes les belles choses qu'il voulait écrire ?

— Il n'en parle pas mais travaille beaucoup... Ainsi, vous croyez toujours Joséphine coupable, que Denise aurait joué un rôle dans la mort de Joseph ?

— Oui. Je te finis l'histoire en deux mots puis tu retournes voir ta maman, tu lui manques sûrement. Voici ce qui s'est vraiment passé. Ni Joséphine ni Denise ne m'ont jamais rien dit mais elles avaient un confesseur auquel on ne peut rien cacher, il est méchant, elles lui ont parlé. Il est gourmand, à force de gâteaux, il a fini par me parler aussi, j'ai pu enfin tout savoir...

Hé, oui, le gros Minimo, tu as deviné, tu connais le monsieur. Il continue à flatter la direction et à gruger le personnel mais pas pour longtemps. J'ai un bon poison, un peu lent mais qui ne laisse pas de traces, le reste du pudding sera pour lui, s'il n'éclate pas à Noël, ce sera à Pâques... Je peux te le dire, tu ne me trahiras pas, il t'a fait payer sa protection à toi aussi et il a contribué à la mort de Joseph en l'envoyant au Milord pour en tirer son pourcentage de pépettes, il savait bien que le vieux devenait gâteux et qu'un innocent croit n'importe quoi. Une petite idiote égoïste aussi, tu vas voir.

Joseph a de l'argent de côté, Joséphine décide de jeter son bonnet par-dessus son moulin, elle va dans le couloir des hommes, elle entre. Son fiancé est à moitié endormi, il a reçu une éducation religieuse, il veut attendre le mariage, elle insiste, *fiasco*, évidemment, ce soir-là, le soir suivant aussi. Joséphine admire Denise, elle a su se faire faire un enfant pour qu'on l'épouse, c'est son modèle, elles sont devenues amies, elle lui raconte ce qui s'est passé. Au lieu de la rassurer, Denise lui dit que c'est la faute des messieurs qui ont perverti son Joseph : « Qu'est-ce qu'il fait, chaque soir dans la chambre du Milord, hein ? Tu crois qu'ils enfilent des perles ? Ton homme est fatigué après, y peut pu rien faire avec toi, normal. » La petite ne comprend pas mais commence à en vouloir à son fiancé juste au moment où il vient de demander conseil à l'Anglais. Blessé dans sa fierté d'homme, Joseph veut tout tenter, il essaie la corde. Mais il ne sait pas s'y prendre, nouvel échec. Joséphine reparle à Denise qui lui conseille de donner une « bonne leçon » à son fiancé, il faut le punir d'aller « voir ailleurs », lui « serrer un peu le quiqui » pour lui faire peur, après quoi il n'ira plus faire de « cochonneries » avec les clients. Qui sont souvent des cochons, elle a raison, mais pas dans ce cas-là, c'était seulement un vieux ramolli donneur de conseils meurtriers.

Le fameux soir, Joséphine va chez Joseph pour se venger d'elle ne sait même pas quoi. Cette fois, c'est elle qui organise l'étranglement. Elle a dit au procès que c'était lui qui voulait recommencer, c'est elle, je le sais par Massimo. Elle a dit au procès qu'elle s'était débarrassée de la corde, c'est Joseph qui l'avait fait, je l'avais vu la jeter dans la poubelle de la cour, comment aurais-je pu deviner à quoi elle avait servi ? La petite a eu un bon avocat, il lui a soufflé toutes ses réponses, je ne peux pas le lui reprocher, j'ai horreur de la mort, peine de mort comprise, mais ce sont des mensonges.

Donc, le dernier soir, il n'y a pas de corde mais la fiancée est à la fois bête et maligne, les deux choses vont souvent ensemble. Elle est couturière, elle a l'idée de la chemise entortillée, la serre de plus en plus fort, le pauvre enfant ne peut même pas crier, la leçon est donnée. Mais si fort que la petite ne peut plus défaire le nœud, Joseph meurt sous ses yeux, elle est paralysée. À ce moment-là, elle me fait pitié, elle traverse un moment affreux. Encore pire pour mon pauvre Joseph...

La saveur d'une madeleine peut ressusciter le passé, la réciproque est vraie, un passé qu'on raconte peut nous ramener une odeur, je respire celle de la loge de Rose en rédigeant ce récit.

— Joséphine se réveille en entendant du bruit. Est-ce qu'elle comprend qu'on va l'accuser si on retrouve sa chemise sur le mort, probablement, elle sait où est son intérêt. Ce qu'il y a de sûr, c'est qu'elle est aussi glacée quand elle se décide à quitter la chambre de Joseph, que tu l'as vue, le lendemain dans la sienne, il faut avoir la tête froide pour parvenir enfin à défaire le nœud de la chemise, prendre le temps de la défroisser et de la remettre avant de sortir. Elle vient de causer une mort mais pas question d'avoir l'air d'une souillon.

Rose-Edmée assiste à la scène en pensée, s'arrête un instant, livide elle aussi.

— Elle sort dans le couloir mais ne frappe pas à la porte du voisin, comme elle l'a prétendu sur le conseil de l'avocat, elle tombe sur le garçon qui venait de ressortir de sa chambre pour aller pisser, il me l'a raconté le lendemain. C'est même la première chose que j'ai sue, la première qui m'a fait penser que Joséphine pouvait être coupable, j'ai appris l'intervention de Denise plus tard, le gamin m'a tout raconté, le matin même. Durant le procès, il était terrorisé, on pouvait lui faire dire ce qu'on voulait, sa première déclaration a été la vérité. Je suis rentré dans ma chambre, je n'ai rien entendu, je suis ressorti un peu plus tard et j'ai croisé Joséphine. Pourquoi êtes-vous ressorti ? Silence. Ces garçons se promènent tout nus devant des clients, ils peuvent même entrer dans leurs lits, mais s'il s'agit de dire devant des messieurs en robes qu'ils ont besoin de pisser comme tout le monde, plus personne !

Il a déclaré, la seconde fois, qu'il ne se rappelait plus bien, que Joséphine avait dû frapper à sa porte, en effet, tout le monde avait envie d'épargner la guillotine à une mignonne petite jeune femme, juge, procureur, avocats, jurés, nul n'a insisté, une sorte d'instinct a joué, je le comprends. Elle-même a eu de l'instinct, cette nuit-là, quand elle a conduit le garçon de cuisine près du mort au lieu de retourner dans sa chambre à elle sans rien dire. Dans ce cas, il aurait dit seulement la vérité, qu'il l'avait vue sortir de chez Joseph, elle aurait été accusée au moins de ne pas l'avoir secouru.

Elle a peut-être été réellement tétanisée, ce qu'il y a de sûr est qu'elle n'a pas oublié de remettre sa chemise ni ce que lui avait conseillé sa grande amie Denise, qui a dit au tribunal, « elle aimait tant son fiancé, la pauvre » mais à Massimo, plus tard, « je lui avais dit de le punir, j'aurais pas cru qu'elle y serait allée si fort »… Si Denise avait avoué cela à la police, Joséphine aurait peut-être échappé à la guillotine, pas à la prison.

Je ne la lui souhaite pas, la prison ne rend pas moins bête, je voudrais seulement qu'elle comprenne ce qu'elle a fait mais je la connais, elle a déjà oublié. Moi pas.

Rose Bienaimé n'insistait jamais, le « rien qui pose ou qui pèse » de Verlaine était la devise de cette femme énorme et minuscule, ce ne fut pas le cas, cette fois-là.

— Je ne sais pas qui est la pire des deux, celle qui fait du mal rien qu'en parlant ou celle qui ne pense qu'à elle, qui ne hurle pas en voyant le pauvre Joseph devenir violet, qui évite de sortir sans chemise, qui veut un mari pour avoir de l'argent et du plaisir, rien de plus. Le futur époux ne lui donne pas satisfaction, elle lui en veut, on lui dit que c'est de la faute des autres, elle le croit, on lui suggère de le punir, elle le fait, elle rencontre un voisin dans le couloir, elle l'utilise. J'ai souvent repensé à la façon dont ton prince avait compris qu'elle était coupable, en t'entendant parler de sa pâleur, je me suis demandé si elle était aussi paralysée qu'on l'a cru, le lendemain.

Je crois que, le premier moment d'effroi passé, elle a réfléchi comme elle a pu et attendu sagement quelque chose. Ce quelque chose est venu, le garçon de cuisine a fait du bruit, elle s'est réveillée et a fait ce qu'il fallait pour sauver sa peau. Conclusion, crime passionnel, non, jalousie non plus, cœur sec, oui…

Comment veux-tu qu'elle ait éprouvé de la jalousie pour les « cochonneries » qu'aurait faites Joseph avec des hommes, elle ne sait pas ce que c'est ! Elle a seulement été déçue qu'il ne lui fasse pas ce qu'un homme fait à une femme, cela, elle savait ce que c'est, même si elle était toujours vierge. Elle l'a dit au procès, on l'a crue, c'était peut-être vrai, la chose a joué en sa faveur. Une vierge est une innocente, on l'a innocentée, je le comprends, nous ne sommes pas des juges, ne jugeons pas, c'est pourtant ce qu'elle a fait. Elle a jugé Joseph de la façon que lui avait indiquée Denise, un vilain garçon maladroit qu'il fallait punir, elle l'a fait. Elle ne voulait pas le tuer, il est mort quand même. Je me tais, je n'en peux plus.

Reviens me voir chaque fois que tu le pourras, laisse-moi à mes regrets, ne risque pas d'en éprouver en privant ta maman de ta présence, un soir de Noël, petit homme Noël, ne manque pas ton train... Tiens, ce paquet, c'est pour elle, un gâteau à l'orange !

APPARITION
D'UN NOUVEAU PERSONNAGE
ET FIN

J'avais quitté la « Gardienne des Cleffs et des S'crets », je marchais à nouveau dans les rues où j'avais tant couru en exerçant mon premier métier. Mes anciens clients étaient tous oubliés, sauf celui qui m'avait chargé, un jour, d'une petite surveillance discrète, m'avait progressivement confié d'autres missions et donné une chance, mon premier patron.

Monsieur Bâtard m'avait repéré, choisi, formé, il m'avait donné de l'affection, de la sévérité, un enseignement, un avenir, je lui devais beaucoup, je le respectais, je l'admirais, c'est toujours vrai en 1987. Grâce à lui j'avais appris un métier, connu l'hôtel des Réservoirs, Massimo, Madame Edmée, Monsieur Proust, mon nouveau patron à Paris, son frère Louis, dit Le Grand...

Revoir l'immeuble où siégeait la filiale de Versailles me donna l'impression de rentrer au bercail après de nombreuses années vécues au loin. Le tapis rouge de l'escalier me sembla vieux, la rampe de cuivre plus basse, comme si j'avais grandi (ce qui n'était malheureusement pas le cas), Madame Cachassin moins désirable. Seul Onésime Bâtard n'avait pas changé, joues pleines, air alerte et cheveux lisses, corpulent mais élégant dans un beau costume gris perle. Le patron baisa mes bonnes joues, me prit par les épaules, m'écarta pour m'observer, ne put empêcher son œil bleu de s'embuer très légèrement et passa derrière son bureau pour « faire le point ».

— Tu suis ton chemin à Paris, cela ne m'étonne pas, tu es mon élève ! Je forme un nouveau petit pour te remplacer, je vais te le présenter. Madame Cachassin, faites monter Camille, je veux le présenter à son prédécesseur.

Je vis entrer un jeune garçon dans mon genre, presque aussi petit que moi, rose et blond, sa poignée de main me surprit, une pince de fer dans une peau de fille. Son costume, ses cheveux courts, sa façon d'entrer, de saluer, de se tenir étaient d'un garçon, son « bonjour, Monsieur » et son regard étaient d'une fille, en effet. Je fus surpris mais parvins à dissimuler donc à ne pas rougir (ne pas rougir quand on a une peau claire est difficile).

— Tu as eu trente secondes pour observer mon petit Camille, ne le regarde plus et fais ton rapport.

— Un mètre et cinquante-cinq centimètres, pas beaucoup plus, quatorze, quinze ans, seize peut-être. Attitude réservée, bonne famille et bonne éducation, bons vêtements aussi, usés mais bons, je dirais ceux d'un frère aîné. Il faudrait que je voie marcher Monsieur Camille pour en dire plus, Monsieur.

— Bien vu, sauf pour l'âge. Peux-tu faire quelques pas, Camille ?

— Oui, Monsieur.

La manière de marcher était celle d'un garçon, la voix pouvait laisser un doute, la finesse de la peau et des cheveux n'en laissait pas, je fis quand même une expérience. On ne doit jamais toucher une personne qu'on file mais on peut la respirer en passant, je fis quelques pas et frôlai le nouveau protégé du patron comme si je croisais quelqu'un dans la rue. Camille était fille et même femme, la vue trompe souvent, le son parfois, l'odeur jamais (je ne parle pas d'un parfum qu'on met, je parle de celui qu'on émet).

— Plus de seize ans, au moins dix-huit. Je vous fais mes compliments, Mademoiselle Camille. En vous voyant dans la rue, tout le monde vous prendra pour un garçon.

Mademoiselle Camille rougit violemment (ne pas rougir quand on a une peau claire est difficile), Monsieur Bâtard fut beau joueur.

— Bien, sauf pour l'âge, vingt ans... Que t'ai-je dit cent fois, Camille, que faut-il faire pour s'empêcher de rougir ?

— Respirer profondément, Monsieur, pardonnez-moi.

— Pardonnez-moi aussi, Monsieur, mais mademoiselle n'a pas rougi en entrant, ni quand je l'ai frôlée, c'est tout ce qui compte.

— Tu défends un collègue, c'est bien. Si tu as du temps, allez au parc, il fait beau, donne-lui quelques tuyaux sur le métier. J'ai à faire, tendez-moi vos bonnes joues et filez.

Madame Cachassin avait assisté à la présentation de Camille, le patron lui fit signe de rester, visage rouge, œil brillant, respiration forte, c'était avec elle que Monsieur Bâtard avait à faire, nous sortîmes, Camille et moi.

Ainsi, le directeur d'une maison d'enquêtes et filatures avait remplacé l'un des garçons de son équipe par une fille ! Ce choix était inimaginable, à l'époque, pour la profession de détective comme pour la plupart des professions, Monsieur Bâtard l'avait pourtant fait.

Même en s'arrangeant pour que cette fille pût passer pour un garçon, il faisait preuve d'une liberté d'esprit rarissime. Onésime Bâtard observait le monde sans préjugés, il était impartial, sa façon de traiter nos bonnes joues, à Camille et à moi, avec le même appétit, en était la preuve – sauf que, si le poil m'était venu entre-temps, l'envie de les baiser lui serait sûrement passée, le choix de Camille était plus sûr à cet égard…

Intimidés, nous ne parlâmes pas en marchant vers le parc. Je prenais conscience de la chance que j'avais eue en rencontrant dans cette ville un enquêteur d'expérience, une ancienne actrice, un jeune écrivain, chacun m'avait appris, à sa façon, à observer, entendre, penser. Dans l'affaire de la mort de Joseph, l'enquêteur de profession avait tout de suite compris la part accidentelle d'une mort, l'enquêteur débutant avait fait quelques observations utiles, l'enquêteur-né avait repéré, à deux mots seulement, la responsabilité d'une personne, l'observatrice immobile avait réuni les informations et déduit la part de culpabilité de cette personne et de quelques autres, chacun avait été soi-même à son meilleur.

L'absence de préjugés était une ressemblance capitale entre mes deux maîtres à penser, les différences étaient capitales aussi. Monsieur Bâtard récoltait des faits pour obtenir des résultats rapides, Monsieur Proust prenait son temps, n'exerçait pas un métier mais un don, s'intéressait aux êtres dans la durée, non pour « boucler une enquête », son enquête était sans fin.

On pourrait penser que l'indifférence de Monsieur Bâtard à tout ce qui n'était pas factuel était due aux nécessités d'un métier, je crois que c'était le contraire ; il avait choisi ce métier parce qu'il s'intéressait aux faits, non aux sentiments. On pourrait penser que l'intérêt de Monsieur Proust pour les motivations des gens était dû à une sensibilité subjective, je crois également le contraire ; s'intéressant à tout, il observait avec une objectivité capable de tout comprendre sans juger, le processus exclut la sensiblerie.

Paternaliste et rapide, Monsieur Bâtard était fertile en formules définitives et content de lui. Maternelle en gâteaux, contente d'être utile à ceux qu'elle aimait, Rose-Edmée gardait ses pensées pour elle, respirant de loin les parfums du monde. Monsieur Proust les respirait aussi de loin, les partageait avec nous, si nous le voulions, déjà pareil, de son vivant, à un livre qu'on peut ouvrir ou fermer, à un compagnon fraternel sur un chemin de forêt jamais tout à fait clair, jamais tout à fait obscur.

Camille m'accompagna dans le parc, nous finîmes par nous parler, je ne dirai plus rien d'elle, du moins dans ces pages.

Je raccompagnai la jeune fille devant la porte de son immeuble, nous nous serrâmes virilement la main en nous promettant de nous revoir, je passai chez ma mère pour lui donner le gâteau de Rose et l'embrasser, puis je pris le train pour Paris. Un carnet ne me quittait jamais, j'y fis le résumé des révélations de Rose-Edmée, me demandant ce qu'en penserait Monsieur Proust. Pour le savoir, il fallait d'abord qu'il me reçût, je ne le voyais que s'il me faisait appeler, j'attendais parfois longtemps, comment parvenir à le voir au plus tôt ?

J'eus une idée. Je n'avais jamais osé lui téléphoner mais il m'avait donné son numéro, d'autres personnes allaient l'appeler à l'occasion des vœux de nouvelle année, je l'appellerais pour savoir si je pouvais lui présenter les miens et lui offrir un cadeau, la conversation serait à peu près ceci :

— Un cadeau ? Il ne fallait pas, mon enfant, il ne fallait pas... D'ailleurs je n'ai pas le moindre temps de vous recevoir ces temps-ci...

— Ce cadeau est une clé, Monsieur.

— Une clé ?... La clé de quoi, mon petit ?

— La clé d'un mystère, Monsieur.

— Un mystère... Je n'ai aucun temps avant des jours, je

vous le répète, c'est dommage, sauf... sauf ce soir, peut-être. Si vous veniez vers onze heures vingt, onze heures trente-cinq, je sens que je pourrais sans doute vous écouter quelques minutes, serez-vous libre ?

— Malgré mes nombreuses occupations nocturnes, je pense que je pourrai trouver ces minutes-là, Monsieur.

— Je m'en félicite, Monsieur le Détective, je m'en félicite... À propos de clé, mes domestiques en ont perdu un trousseau, « quelles sottes gens que nos gens », n'est-ce pas ? Et où ? Dans l'appartement même, c'est du moins ce qu'ils prétendent. Je ne sais si je saurai ouvrir la porte du mystère dont vous parlez, avec la clé que vous m'apporterez, mais je serais curieux de voir si vous retrouvez aussi facilement mes clés perdues à Paris que mon carnet égaré à Versailles, vous rappelez-vous ?

REMERCIEMENTS

Je remercie chronologiquement :
— la vie, quoi qu'il en soit
— Marcel Proust
— Zadig, chien de Reynaldo Hahn et inspirateur de la plus touchante des lettres de Marcel
— Gilles Deleuze pour son *Proust et les signes*
— Jean-Yves Tadié pour toute son œuvre
— la plupart des autres spécialistes de Marcel Proust
— Jacquie Deval, sans laquelle ce texte n'aurait pas été continué
— mes lecteurs de toujours, Bernard Le Cerf, Dominique Borg, Jean-Luc Tardieu, Véronique Goavec
— mes premiers lecteurs dans la grande Maison qui m'édite, Philippe Demanet, Christian Giudicelli, Géraldine Blanc, Philippe Bernier

Je citais Céleste Albaret en commençant ce récit, il se terminera sur elle, ange tutélaire auquel l'auteur et ses lecteurs doivent tant, inoubliable évocatrice du Monsieur Proust qu'elle a servi et raconté avec tant d'amour.

Composition : IGS-CP
à L'Isle-d'Espagnac (16)
Achevé d'imprimer
sur Roto-Page
par l'Imprimerie Floch
à Mayenne, le 7 mars 2014.
Dépôt légal : mars 2014.
Numéro d'imprimeur : 86567.

ISBN 978-2-07-014501-0 / Imprimé en France.

264729